детек

Чт

детектив–событие

от Евгении МИХАЙЛОВОЙ?

Её истории покоряют с первой страницы. Многолетний опыт журналистских расследований помогает ей выбирать острые, как лезвие, темы – и населять романы неординарными, вызывающе яркими персонажами. Но самое главное – каждый из героев получает в финале то, чего заслуживает. Потому что истина и любовь должны побеждать всегда!

детектив – событие

Читайте детективы Евгении Михайловой, в которых истина и любовь побеждают всегда, несмотря на самые тяжелые испытания!

■

Сломанные крылья
Закат цвета индиго
Спасите наши души
Две причины жить
Апостолы судьбы
Последнее прости
Исповедь на краю
Танцовщица в луче смерти
Длиннее века, короче дня
Вечное сердце
Как свежи были розы в аду
Совсем как живая
Испить чашу до дна
Солнце в крови
Бегущая по огням
Темные тени нехорошей квартиры
Во мраке сверкающих звезд
Город сожженных кораблей
Женщина с глазами Мадонны
Мое условие судьбе
Разрушительная красота
Плата за капельку счастья
Встреча в час волка
Роль любимой женщины

Евгения

Михайлова

РОЛЬ ЛЮБИМОЙ ЖЕНЩИНЫ

Москва

2017

УДК 821.161.1-312.4
ББК 84(2Рос=Рус)6-44
М69

Оформление серии *С. Груздева*

Михайлова, Евгения.

М69 Роль любимой женщины / Евгения Михайлова. — Москва : Издательство «Э», 2017. — 320 с. — (Детектив-событие).

ISBN 978-5-699-98857-0

Алена была актрисой: могла сыграть любую роль и даже забыла, какая она настоящая. Пережить убийство мужа она способна, только представив, что это эпизод нового фильма…

Алексей всегда считал себя сдержанным человеком и был уверен, что любовь ему не нужна. Но когда вторая жена отца стала вдовой, вся его прежняя жизнь разрушилась. Алексей готов на всё, чтобы эта женщина стала его, несмотря на грозящую им опасность…

Частный детектив Сергей Кольцов взялся за непростое расследование. Он должен выяснить, кто убил человека, у которого не было врагов, и теперь пытается уничтожить членов его семьи…

Иногда тот, кто хочет разрушить твою жизнь, скрывается под маской самого близкого человека. И лишь любовь способна высветить истинные намерения предателя…

УДК 821.161.1-312.4
ББК 84(2Рос=Рус)6-44

ISBN 978-5-699-98857-0

Все персонажи и события романа вымышленные.

Часть первая
ВСЕ УМЕРЛИ, И ВСЕ СГОРЕЛИ

Глава 1
АЛЕНА

Слез не было. Только свет тонул в глазах. Большая черно-белая толпа, как стая пингвинов, согнанных сюда со всего света, — это подчиненные Валентина. Остров, окруженный льдинами, — его первая семья. Черные платья и костюмы, белые лица, женские руки в кружевных черных перчатках. Высокий стройный мужчина, почти двойник Валентина, — это его сын от первого брака. Алексей. Алена не видит, а чувствует его потемневший от горя взгляд, и, если бы не его тепло и поддержка, она бы упала. Упала здесь же, рядом с красивым и богатым, как царское ложе, гробом, в котором спит ее муж. Один, без нее. Среди мертвых, убитых, как и он, цветов.

Кто-то подходит, кто-то что-то говорит. Потом все расходятся по машинам. Большие поминки в большом доме Алексея. Маленькие — дома у Алены, который больше не является домом Валентина. Это закрытое прощание Алена проведет с ночью, которая еще не остыла от его жаркого, живого тела, его запаха. В ней еще звучит его прекрасный голос. Ночь и ляжет тенью любви на его портрет, на его подушку.

Все гости отправились к Алексею. Он еще раз предложил Алене тоже поехать к нему, она отрицательно покачала головой. Он кивнул. Алексей иногда понимает ее лучше, чем понимал отец. Он, обиженный, брошенный сын, которого так настраивают против мачехи. В трудные минуты он умеет быть родным. Собственно, трудных минут при Валентине у нее было не так уж много. Теперь понятно, что трудные минуты вдвоем — это совсем другие трудные минуты.

Алексей высадил вдову своего отца у подъезда, спросил:

— Мне зайти?

— Тебя ждут, — ответила Алена. — У меня все в порядке. Я отдохну. Нужно договорить с Валентином.

Алексей кивнул и коснулся холодными губами ее ледяной щеки. Алена зажмурилась, так обжигал ее взгляд мужа на этом до боли живом и до боли похожем лице.

— Договори, Алена. Отдохни. Я завтра займусь делами, буду звонить и сообщать, что сделал и что узнал.

Она вошла к себе. Зажгла везде свет, рассмотрела такое страшное и пустое одиночество и погасила лампы. Раздвинула все шторы. Работница повесила темные, траурные, а зеркала спрятала под белыми простынями, чтобы смерть не смотрела жизни в глаза. Алена отодвинула простыню, взглянула в глаза смерти и легла на супружескую огромную кровать, чтобы смотреть на черные звезды своей судьбы. Только так, напрямую, можно договорить все несказанные слова. Оказалось, их сформулировать легко. «Ма perke?» «Почему?» Это была любимая песня Валентина. Он считал ее песней страсти. И Алене голос Адриано Челентано казался голосом страсти. А сейчас она понимает: таким голосом ушедший мужчина посылает свое прощание и прощение.

Глава 2

MA PERKE

Валентин Кривицкий, руководитель крупной многопрофильной фирмы, уехал после работы, но домой не вернулся. Алена ждала его весь вечер и всю ночь. А утром начала звонить по всевозможным номерам. К вечеру машину Валентина обнаружили в чужом, заброшенном, запертом снаружи гараже. Он сидел на переднем сиденье, грудь была прошита пулями. Заместитель сообщил полиции, что днем Валентин Кривицкий договаривался с кем-то о секретной встрече. Сделка, о которой, как он сказал, пока никто не должен знать. Он был довольно суеверным.

Валентин — сложный, даже тяжелый человек — вел дела четко, не был ни щедрым, ни расточительным, ни добрым, ни коварным. Он был человек, а не машина для сшибания и складирования денег. До встречи с Аленой его приоритетом было дело. После — Алена и дело. Два четко разграниченных приоритета. Никто из друзей и сотрудников не мог сказать, имелись ли у Кривицкого враги. По завещанию, которое он составил давно и корректировал время от времени, владельцем корпорации после его смерти становился, конечно, сын. Но директором и руководителем оставался заместитель и его друг. Сын, тридцатитрехлетний Алексей Кривицкий, заведующий финансовым отделом, владел частью акций. Такая же часть находилась у Алены. И у остальных акционеров — одинаковый с ними процент. Такой он был, Валентин. Семья в равных правах с сотрудниками. А сын недостаточно опытен, и поэтому в течение десяти лет Алексей не сможет единолично решать никакие вопросы, связанные с ликвидацией, продажей дела, а также кадровые вопросы без согласования с советом директоров. Увольнения и понижения в должности возможны лишь при полноте доказательств о некомпетентности, нарушении профессиональных обязанностей или за грубые этические поступки.

В числе очень немногих подозреваемых в первую очередь оказались: новый руководитель фирмы, друг и зам Кривицкого — Григорий Зимин и бывший муж Алены — Кирилл Соловьев, режиссер, который запил, после того как она ушла к Валентину, и не раз публично угрожал, что убьет соперника.

Алена осталась одна: вдова без детей и работы. Она была актрисой, но Валентин положил конец ее карьере, которая, в принципе, складывалась успешно, но развивалась в одной плоскости. Из-за этой плоскости муж ее и закрыл.

Алена была олицетворением эротических фантазий для многих. Каждый режиссер создавал из нее свой идеал. Она была томной блондинкой в стиле Мэрилин Монро, страстной брюнеткой в стиле Джины Лоллобриджиды, изысканной и порочной кошечкой в стиле Катрин Денёв, трагической красавицей в стиле Ирины Метлицкой: хрусталь и сталь. Какой у Алены свой стиль, она уже и не знала. Актрисы не принадлежат себе. А режиссерам нравилось именно это: образ соблазна в ней переливался множеством драгоценных граней. И никто не скажет, что эта актриса в двух ролях повторила себя или хотя бы напомнила о том, какой была вчера. И каждый режиссер на время становился обладателем своей мечты. Съемки шли практически без пауз. Алена знала: главное, что от нее требовалось, — быть эротичной. Эротично ходить, любить, говорить, петь, мыть пол, загорать и плавать. Самое главное достоинство Алены-актрисы: она, по сути, не играла. Талант быть собой. Она на самом деле эротично плакала, страдала, болела. Наверное, сегодня эротично похоронила мужа. Который так ее любил, что ни с кем не захотел делиться ее эротичностью.

Алена не знала, полноценная была эта любовь или нет. Ничего, теперь есть время расчертить их любовь на клеточки, вспомнить каждый миг, все понять, ответить на все вопросы. И главный: почему? Почему Валентина убили?

Глава 3
АЛЕКСЕЙ

Алексей сказал следователю, что убийцу его отца нужно искать среди мужчин, влюбленных в Алену. У Кривицкого-старшего не было врагов, пока он не женился на ней. Так считали мать и жена Алексея.

— Супруга изменяла вашему отцу?

— Думаю, что нет. Надеюсь, что нет. Скорее всего, кто-то хотел избавиться от счастливого соперника. От ревности, зависти, совсем уже безумной ненависти. Ее знакомые в основном актеры и режиссеры. Многие пьющие, достаточно развратные люди. Например, бывший муж.

Алексей был уверен в том, что говорит, но ему приходилось страшно преодолевать себя. Это плохо. Это ужасно. Ее, нежную, беспомощную, теперь начнут таскать на допросы. Если даже причина в ней, то она-то не виновата. Все это только лишняя боль.

Просто он теперь главный представитель отца. И это его дело — узнать правду, добиться наказания преступника. Алена... Она не могла не притянуть беду к себе и своему мужчине. Она — магнит. Алексей честен. Пусть и она пройдет свою боль. Он ведь когда-то очень хотел, чтобы ей было больно. Отец оставил его мать, когда Алексей был уже взрослым. Он возненавидел Алену заочно, потому что не смог возненавидеть отца. А потом как-то приехал к ним. Что он увидел... Что он почувствовал... Это трудно выразить словами. Но такое нельзя показывать людям. Он понял, почему отец практически запер Алену в клетке. Ее нужно держать в клетке. Они просто сидели за столом, разговаривали, пили чай с какими-то сладостями. Она совершенно не умела готовить, не то что печь, покупала в магазине какую-то дрянь. И отец с детским восторгом восхищался. Отец, который был гурманом, которому не могла угодить ни мать, любившая повозиться на кухне, ни повариха со специальным образованием. А то, чем кормила мужа Алена, — было для него самым вкусным и желанным.

Алексей закрыл глаза и вспомнил то, что он увидел. Увидел это вновь. Отец всего лишь гладил жене руку, поправлял ей волосы, придерживал за талию, когда она вставала из-за стола, задерживал на секунду, а смотреть на это было невозможно. От этих двоих искрило таким бесстыдным током, что Алексею стало не по себе. А он был очень выдержанный, даже воздержанный человек. Его жена истово верующая женщина, для которой все грех. Любить мужа можно только для зачатия детей и только в определенные дни, чтобы дети родились, когда это угодно не им, а Богу. А предохраняться грех, воздержание же — добродетель. За пять лет у них родились трое детей. Для того они и ложились в общую постель, немногим больше раз, чтобы родились эти угодные небесам дети.

Алексей был верен жене и легко выносил такую жесткую для мужчины жизнь. А симпатичные и контактные девушки и женщины на работе оставались для него лишь коллегами. Он смотрел, конечно, порнографические фильмы, но никогда не испытывал болезненного возбуждения. Однообразие пошлости и техники его утомляло до зевоты.

Но, когда отец женился на Алене, Алексей посмотрел несколько фильмов с ее участием. Алена даже в одежде и в самых невинных сценах была такой, что он решил не показывать эти фильмы ни жене, ни детям. А сам иногда позволял себе смотреть на экранные образы молодой мачехи. И чувствовал то же самое, что в тот день на кухне в доме отца.

Он стал ханжой с ханжой-женой? Да, наверное. Или это и есть его суть без религиозного фанатизма. Бывает же такая суть.

Но почему? Почему... Алексей после похорон коснулся губами ее ледяной щеки, а губы все горят и горят. И слезы по отцу, такие больные и жгучие, похожи на стыд перед ним...

Пока Алексею ясно одно. Он в квартиру отца больше не войдет. Все заботы о делах отца, в том числе и кладбищенские, конечно, возьмет на себя. Ведь Алена ни с чем не справится. Он видел, как ее трясло там, на кладбище, как перепуганного ребенка. Она ведь слишком живая. Она сама жизнь.

Глава 4
MA PERKE

Алена позвонила Алексею через две недели.

— Алеша, мне нужна твоя помощь. Я хочу найти покупателей на мой пакет акций.

— Зачем? Что-то случилось?

— Да. Позвонила двоюродная сестра. У нее ребенок очень болен. Ставили неверный диагноз, что-то генетическое, а в итоге оказалась опухоль мозга. Теперь четвертая стадия. Только в Израиле берутся делать операцию. Там гряда опухолей. Операция очень дорогая. Деньги нужны срочно. Как раз этой суммы должно хватить.

— Алена, у нас сейчас дела идут хорошо, цена поднимается. Не стоит продавать акции. К тому же скоро ты вступишь в права наследства папиным состоянием. Возьми у меня взаймы нужную сумму, потом вернешь, в любое возможное время. Кстати, почему у тебя нет счета? Отец говорил, что ты сама не хочешь. Это правда?

— Да. Валентин вел все дела. Я не хотела этих денежных проблем. У меня всегда была дома нужная сумма. Я не понимала, что могу остаться без него. Но я не могу взять у тебя в долг. Вообще никогда не беру в долг. Ведь нужно точно знать, что сможешь вернуть.

— Но папин счет...

— Этого долго ждать. А деньги нужны сейчас.

— Если я просто предложу тебе эту сумму?

— Нет. Я хочу продать акции.

— Хорошо. Я помогу. Я все сделаю.

И он все сделал. Алена благодарила и даже прижалась своей головкой в шоколадных волнах к его груди. Опять возникло это странное чувство. Она была старше Алексея на пять лет, а он почувствовал нежность и жалость, пожалуй, более острую, чем ту, что чувствует, когда обнимает родных детей. Он погладил темное золото ее волос. Она убежала, Алексей какое-то время стоял в своем кабинете, пытаясь унять горящие руки. Они чуть было не задержали ее, чтобы Алена ему объяснила то, что он не понимает сам. Что произошло с ними? Изменилось ли что-то или ему так кажется? Он никогда не говорил с ней ни о чем, кроме дел. Он совсем ее не знает. Он даже не знает, зачем ему что-то о ней знать.

Алексей вспомнил, как он однажды вошел в кабинет к отцу, а тот говорил по телефону с женой. Увидел сына и спокойно сказал: «До вечера, моя шоколадная детка». И в этом тоже было что-то такое постыдное, запретное, интимное, чего Алексей не мог себе вообразить. Таким голосом, с интонациями такого предвкушения и обещания никто и никогда не говорил с законными женами в служебном кабинете. В присутствии взрослого сына от первого брака.

Когда стало известно, что отец женился на Алене, один приятель сказал Алексею:

— Повезло этой актрисуле. В такой шоколад влетела.

Алексей тогда даже не понял, что его так покоробило: то, что отец женился на какой-то «актрисуле», оставив его добропорядочную мать, или то, что папа воспринимается всего лишь как денежный мешок для молодой жены. Вот тогда он и нашел фильмы с ее участием, ее снимки в Интернете. Искал аргументы для своего протеста. Он не киноман, но ему было ясно, что Алена не проходная «актрисуля» и дело тут даже не в том, что ее роли главные. Он, далекий от кино человек, понял идеи разных режиссеров. Точнее, это была одна идея: найти воплощение собственного эротического символа. Она была разной в кадре только потому, что разными были мужчины, которые ее снимали и с которыми она снималась. Вот тогда Алексею очень захотелось увидеть, какая она «в шоколаде», созданном для нее его богатым, придирчивым и очень жестким, волевым отцом без киношных любовных соплей и сантиментов, без выставленной напоказ порочности или призыва-демонстрации.

Увидел и понял. Это отец увяз в горьком и расплавленном шоколаде с лучами солнца. Из-под прядей шелковых волос на Алексея взглянули зеленые глаза, чистые и доверчивые.

«Как отец мог не позаботиться о ней? — вдруг остро подумал Алексей. — Он — бизнесмен, он так позаботился о деле при жизни. Понятно, что их брак длился всего полгода, и он даже не мог подумать... Но вот случилось...»

О том, что случилось на самом деле, о том, какой «шоколад» оставил отец Алене, стало известно через несколько дней после того, как вдова продала свои акции и отдала деньги на лечение племянника. Все деньги со счета Валентина Кривицкого были сняты в тот самый день, когда он уехал на секретную встречу. Снял он лично.

— Возможно, он подвергся шантажу, — объяснил следователь. — Бывает. Скорее всего, его шантажировали жизнями близких. Надо искать.

Отец был такой неправильный бизнесмен, что держал личные деньги на одном счете, деньгами компании управлял финансовый отдел, эти деньги никогда не были одними и теми же. Можно было не сомневаться: у отца нет тайных вкладов за границей, ни таких же — на подставных лиц.

Алена к ужасной новости отнеслась не то чтобы спокойно. Просто приняла это как следующий удар, который был несравнимо легче по сравнению с потерей мужа.

Остался большой дом в Подмосковье, построенный предками Кривицкого больше ста лет назад. Дом в списке старинных особняков России, он значится в писцовой книге прошлого века. Воссоздан и отстроен так мастерски, что это делает его достоянием архитектуры. Но его продавать никак нельзя. Там даже мебель бесценная, антикварная, отреставрированная лучшими мастерами. К тому же в права наследства вдова вступит только через полгода, потом время на продажу. И Алексей предложил Алене продать этот дом ему. Таким образом они решат все проблемы. Он заплатит ей сейчас, до продажи. Риелторы фирмы составят нужный договор между родственниками. Алена согласилась.

Он заехал за ней к ее подъезду, смотрел, как она спешит к нему, озабоченная и взволнованная. Он не мог рассмотреть ее, свет слепил глаза, мешая увидеть ее лицо, но тело ее трепетало в отблеске шоколадного солнца. По дороге он думал только о том, что им нужно осмотреть дом, забрать оттуда документы. Он напряженно думал об этом искушении — остаться в доме вдвоем. Вот и ответ: ma perke. Почему он шарахается от нее. Почему боится лишний раз дотронуться до руки. Даже не подает руку, когда она выходит из его машины. Потому что это большая опасность — заразиться любовной лихорадкой отца. Все же они родная кровь. Как Алексей ни уходил от сути их общей крови, эта суть догоняет его.

Вот о чем он думал всю дорогу. А в поселке на подъезде к дому они увидели пожарные машины и МЧС. В клубах мокрого дыма и горечи убитого огня от бывшего особняка остались лишь руины.

— Поджог, — сказал полковник из МЧС.

Алена была очень бледной, с сурово сжатыми губами. Алексей взглянул на нее и подумал, что это уже сеть преступлений. Что направлены они против Алены.

Отцу ведь уже не навредишь, его бизнесу не причинишь вреда, спалив родовое поместье. Расплавился шоколад богатого папы, который бросил в беде свою красавицу вдову.

Он отвез Алену домой, пообещал что-то придумать. Не зашел даже в такой ситуации. А вечером стал звонить серьезным людям и просить порекомендовать ему хорошего частного детектива. Следователи дело растянут на столетие. А в это время кто-то будет готовить следующий удар.

Часть вторая
БЕЗ НЕГО

Глава 1
СЕРГЕЙ КОЛЬЦОВ

Сергей Кольцов, частный детектив, с интересом взглянул на вдову Валентина Кривицкого, которую он пригласил к себе, подписав договор с ее пасынком — Алексеем Кривицким. Алена меньше всего была похожа на жену олигарха. Скорее на актрису в роли вдовы. Или на райскую птицу, для которой приготовлена какая-то ловушка.

— Начну, как в кино, — улыбнулся ей Кольцов. — Я пригласил вас... Далее по тексту. Мой клиент, сын вашего покойного мужа, считает, что эта цепь преступлений — месть именно вам. Я посмотрел все, что есть у следствия. Версия Алексея имеет под собой основания. Для начала дело запросит к себе руководитель отдела по расследованию убийств полковник Земцов. Мы работаем в команде. Алена, вы сказали по телефону, что готовы нам помогать.

— Да, конечно. Но я понятия не имею, как и в чем. У меня никаких подозрений.

— У меня пока тоже. Просто прошу подумать, поискать в памяти. Вдруг что-то вспомните, что-то само собой всплывет. Чье-то подозрительное поведение, странные события. Понимаете, до поджога вашего дома все выглядело как убийство с целью грабежа. Дом — это теперь исключительно ваша собственность, и это все меняет. Главное, что нет мотива. Поджигатель ничего не выигрывает. Я общался с председателем товарищества, в котором находился дом. Товарищество согласно купить у вас участок. Но, разумеется, тут интерес злоумышленников не просматривается. Если даже иметь в виду людей, которые получат участок. Дом стоил в тысячи раз дороже, чем земля под ним.

— Я понимаю. Конечно, я постараюсь подумать, может, что-то и вспомню. Но лучше, если мне просто придется отвечать на ваши вопросы. Я не очень внимательный человек, мне нужно от чего-то оттолкнуться.

— Спасибо. Значит, сотрудничаем. Очень рад. Вы — отличная актриса.

— Вы помните меня? — удивилась Алена. — Я в последние годы вроде бы и не актриса.

— Но фильмы с вами остались. Я посмотрел. Нам тоже требуется входить в образ.

— Получилось? — заинтересовалась Алена.

— Думаю, да. Это очень выразительный образ.

Алена уехала. Сергей позвонил Вячеславу Земцову, рассказал, что дело об убийстве бизнесмена Кривицкого в тупике, а последнее преступление вообще путает все карты. Поджог такого серьезного особняка — дело коллективное, требует умельцев, заказ такой работы — это очень дорого. Кому это выгодно, совсем непонятно.

К тому моменту когда Сергей приехал к Славе, тот уже получил нужную информацию, отправил запрос на передачу дела из района к нему.

— Я в задумчивости, — сказал Слава. — Какая-то совсем бессмысленная история. Как тебе эта вдова? Ничего в знаменитой голове самого выпендрежного частного сыщика не щелкнуло, не звякнуло, ниточка не мелькнула?

— Если я скажу, что мелькнула, но я понятия не имею, что именно, тебя это очень удивит?

— Вообще не удивит. Это значит, что женщина тебе понравилась настолько, что достойна убийства, типун мне на язык.

— Где-то так. А перед этим достойна всяких-разных бед со всех сторон. Она на данный момент практически нищая, как сказал мне ее пасынок. У него денег брать не хочет.

— О чем это говорит? Так ее пытаются уничтожить?

— Наверняка. Надо искать в добропорядочной бывшей семье. Так мне кажется. Алексей Кривицкий обещал помощь в поисках суммы, снятой Кривицким в день гибели. Ему доступна информация о получении и переводах таких крупных сумм банками.

— Могли переводить кусками. Если вообще пользовались услугами банков.

— Могли. Но с чего-то надо начинать. Версии первого следствия, разумеется, в силе.

— Экспертиза трупа, как водится, халтурная. Скромные возможности районного эксперта без нужного оборудования. Получаю разрешение на эксгумацию, стучимся к эксперту Масленникову. По коням. Да, чуть не забыл. Твой гонорар — он как? Ничего? — не сдержал любопытства Земцов.

— Скажу тебе страшную вещь. Не принимай, конечно, близко к сердцу. Но гонорар отличный! Парень не скупой. Как, впрочем, и я. Ты поймешь это в ближайший просвет в работе.

— А в чем интерес этого парня, как тебе показалось? Он ведь представитель этой самой бывшей семьи. Отца, как говорится, не вернет, а деньги если и найдем, то не ему, а вдове, согласно брачному контракту Кривицкого. Сгоревший дом с драгоценной обстановкой не вернем вообще никому. Что им двигает? Страх за жизнь соперницы его матери?

— Именно. Очень неровно дышит он к мачехе. Это единственный момент, когда у меня все щелкнуло, звякнуло и просто завыло как аварийная сирена.

Глава 2
УКРОЩЕНИЕ ПЛОТИ

Вечером Сергей Кольцов позвонил Алексею и доложил, что дело у полковника Земцова в отделе по расследованию убийств, готовится запрос об эксгумации. С Аленой встретился.

— Она что-то сказала? Никого не подозревает? — спросил Алексей. — Я не знаю, как задавать подобные вопросы...

— У меня пока нет вопросов. Но Алена согласилась сотрудничать. Что, собственно, на данном этапе и требовалось.

— Как она тебе вообще?

— Сидел с ней, как в кадре. Даже слышал какую-то закадровую мелодию. Итальянскую. Твоя версия очень правдоподобна, Алексей. Пойду по следу твоей интуиции.

Сергей в последнюю секунду заменил словом «интуиция» слово «любовь», которое прикусил с кончика языка.

Значит, это понятно всем. Раз совершенно посторонний человек схватил ее суть с первого делового разговора. Страшное открытие. Во время ужина Алексей сидел во главе большого семейного стола и почти не поднимал глаз, не участвовал в чинном неторопливом разговоре. Он, конечно, сходит с ума, но нет людей, которые с такой холодной яростью относились бы к Алене, как относятся к ней его близкие. Конечно, сходит с ума. Что он знает о ее жизни, встречах, мужчинах? Просто с тех пор, как Алена вышла замуж за отца, она жила практически взаперти и под его присмотром. Что, разумеется, тоже могло вызвать чью-то ярость. Желание отомстить. Медленная, выношенная месть. Обоим.

После ужина Алексей попрощался на ночь с детьми, которых жена увела на вечернюю молитву, сослался на головную боль и ушел в свою спальню — аскетическую копию отдельной спальни его жены. Прилег, не раздеваясь, на кровать. Тревожная мысль не давала ему покоя. Алексей даже не сразу понял, что за пронзительный дискомфорт терзает его душу и тело. Перебрал в уме все причины столь странного недомогания. Простуда, усталость, стресс, смятение, страх… Не то. Он хотел бы сейчас заболеть или устать до полной бесчувственности. Сердце ужасно колотилось, как будто он бежал от погони. Во рту пересохло, руки дрожали. Алексей открыл свой бар, выпил немного виски и с ужасом понял, насколько все ухудшилось. Он увидел Алену! Он видел Алену обнаженную, изнывающую от страсти, в беспощадных руках отца… Нет, в его руках! В руках Алексея.

Все это так мало напоминало влюбленность, о которой он читал в книгах, которую видел в кино. От этого не хотелось вздыхать на луну, петь серенады и писать нежные письма с признаниями. От этого хотелось убить себя. И… да, пора уже это сформулировать. Больше не хотелось гладить Алену по шоколадной головке, как обиженного судьбой ребенка. Дикие мысли спускались из воспаленного мозга все ниже и ниже. Он принимал ледяной душ, делал гимнастику, пытался напиться, чтобы уснуть хотя бы пьяным сном. А становилось только хуже и хуже. Не стирались с горячих глаз нестерпимые картинки, как будто посланные бесами, которыми бредит его жена. Он видел, как врывается сейчас к Алене в квартиру и берет ее грубо, прямо на пороге. Как звонит ей от подъезда снизу и, когда она спускается, насилует ее прямо на лестнице. Он везет ее на могилу отца… И тут начиналось самое невероятное. Он видит, как там, в отчаянии и невозможности себя укротить, терзает ее нежное тело прямо на могильной плите, на рассыпанных розах, которые они покупают, чтобы украсить тихий приют отца. Он оскверняет все.

Алексей хрипел в подушку, задыхался и думал, что утром просто не встанет. Ушли все силы, которые нужны для жизни и стольких дел.

Но он проснулся, конечно, или вовсе не засыпал. Он не мог есть. Глоток кофе раскаленным куском солнца покатился по телу, и пытка началась сначала.

Он приехал на работу, мрачно прошел по коридору офиса, никому не улыбаясь, как обычно. Закрылся в своем кабинете. И тут позвонила художница, которая высекала портрет на памятнике отца, сказала, что они с Аленой могут приехать посмотреть работу. Он, конечно, сразу сообщил об этом Алене, но сказал, что пока не знает, когда сможет вырваться. На самом деле он мог вырваться хоть сию секунду. Поездка займет не больше двух часов. Но он оттягивал время встречи с Аленой.

Алексей напряженно думал: что же ему делать. Он так напряженно думал, как будто речь шла о жизни и смерти. Собственно, лукавить с собой уже не имело смысла. Речь шла именно об этом. В панике он вдруг вспомнил всю эту богомольную литературу об укрощении плоти. Книги о священниках, которые убивали тело, спасая душу. У него не было выхода.

Алексей сказал домашним, что у него заболел желудок, на работе — что у него началась сильная аллергия и он не может бриться. Он не ел, не пил, не курил. По утрам, как всегда, надевал свои дорогие офисные костюмы, сверкающие белоснежные рубашки и отправлялся в офис, как грешник из ада. На лице со щетиной, которая его странным образом украшала, как заявили коллеги, горели потемневшие от непосильного труда глаза. От непосильной борьбы. Плоть была сильнее укрощения.

Так он продержался две недели. Дольше избегать Алену было невозможно.

Глава 3

КИНО ДЛЯ АЛЕНЫ

Он только сухо кивнул Алене, когда она подбежала к его машине. Посмотреть даже мельком не было никакой возможности.

Алена была очень озабочена. Безденежье надвигалось, а варианты решения проблем, наоборот, не виделись даже в тумане. Она все еще была разбита, раздавлена, убита. Она знала, что должна заставить себя позвонить своим режиссерам, вернуться на работу. Но не могла. Конечно, она не сможет работать.

Напряжение между собой и Алексеем она почувствовала не сразу.

Они обсудили ее очередную самоубийственную идею. Алена решила продать свою квартиру и купить меньшую.

— Понимаешь, мне в ней плохо. Я в ней заблудилась. Ты поможешь, Алеша?

— Да. Конечно. Можешь считать, что ты нашла покупателя. У меня трое детей. Мне нужны еще квартиры. Твой вариант — новую маленькую клетку для райской птички, конечно, подберут. Я постараюсь, чтобы разница в сумме была максимальной.

— Спасибо, — вздохнула она облегченно.

— Тебе спасибо. Мне всегда нравилась квартира отца.

Сердце Алены забилось ровнее. Отсрочка приговора. Будет какое-то время собирать собственные осколки и что-то придумывать. И вот тут-то она и почувствовала странное напряжение между ними. Алексей протянул руку, чтобы включить музыку, нечаянно коснулся ее руки и отдернул ладонь, как от удара током. Он приспустил окно с ее стороны, задел ее плотную черную юбку — и подавил вздох, как от боли. Она посмотрела на него, на его щетину, на отведенный от нее потемневший взгляд и все поняла просветлевшим вдруг мозгом, горящие угли прозрения рассыпались по ее телу.

Они приехали к художнице. Прошли в мастерскую. Там нахлынули другие чувства. Алена гладила высеченное белым на черном мраморе лицо мужа, поражалась и ужасалась его живой красоте. Металась ее душа в поисках его на земле. Алена плакала. Гладила руки художницы.

Алексей стоял неподвижно. Он никогда не встречал такого поведения у женщины. Таких эмоций, такого их выражения. Такой свободы в горе… И, наверное, во всем. Алена целовала мертвые губы в мраморе и не чувствовала, как рядом стынут в тоске и вожделении губы живые.

На удивительно удачный на самом деле портрет отца он тоже смотрел с болью. Алексей очень любил отца, а смотрел на него сейчас почти как на соперника. Как предатель. Как похититель чужих сокровищ смотрел. Если его, Алексея, продержать в его отчаянии и тупике еще год, два, неизвестно сколько, — может случиться что угодно. Сейчас ему кажется, что он мог бы, как маньяк, поджечь дом, убить родного отца. Они в одной ловушке. Валентин, который там, и Алексей, его сын, который здесь.

Потом они купили белые и красные розы, поехали на кладбище. Алена аккуратно разложила цветы на могиле. Алексей перекрестился на крест с иконой, стал молиться про себя. Только молитва была не о том, не о покое души отца. Бог, наверное, в ужасе от той молитвы, с какой обратился он. Смотреть на Алену, которая нагибалась, поворачивалась, всхлипывала, поправляла волосы, вытирала слезы тоски по тому, что осталось от ее оборванной любви, — было мукой. И мукой далеко не сострадания.

Алексей отвез ее домой, не помог выйти из машины, сказал «до связи» и не посмотрел ей вслед. Но она ушла, а он смог шевельнуться, отмереть лишь минут через двадцать.

Алена проснулась среди ночи, как будто ее грубо разбудили. Долго не могла поймать собственное дыхание. Сбросила влажную ночную рубашку. Что ей приснилось? Долго вспоминала. И вспомнила. Просто куски того, что было днем, что днем скрывал от нее занавес слез. Взгляд Алексея, который она почувствовала только сейчас, слишком сдержанные удаленные движения, как будто он надел на себя кандалы. Мрачные и страдающие глаза.

А потом началось это. Горячая волна поднялась от кончиков пальцев ног до корней волос на голове. Все тело вдруг воспламенилось. И Алена металась, кусая до крови губы, выжигая слезами свои сухие глаза. В отличие от Алексея она очень хорошо знала, что такое страсть. Вершиной возможной страсти ей казалось то, что было разбужено самым опытным на свете любовником — ее покойным мужем. Разбужено после тягостной, мрачной спячки тяжелейшего брака. Руки Валентина, его губы, его приказ умели в любой ситуации вырвать ее из клетки застенчивости, стыда, самообладания. Да, ей казалось это вершиной. А теперь больше не кажется. Страшное открытие. И Алена металась на своей огромной супружеской кровати. Холодный и жестокий рот пасынка-аскета терзал ее всю... Через всю Москву. И спрятаться не было никакой возможности.

А утром позвонил знакомый режиссер Максим Дымов. Сильный, изобретательный, рисковый мастер. Они никогда не работали вместе, просто были в хороших отношениях. Максим все обещал, что придумает для нее что-то необычное.

— Как ты, Алена? Все не решался позвонить сказать тебе слова. Мне очень жаль. Я был на кладбище. Мы не стали подходить: там публика, как на светском рауте.

— Нормально, Макс. Спасибо.

— А у меня к тебе предложение. Созрело-таки.

— Я как раз думала о работе. Ты знаешь, я не смогу пока.

— Не торопись отказываться. Это предложение только для тебя. Фильма нет, сценария нет. Ничего нет. Кроме желания снимать тебя в фильме о тебе. Сценарием станут твои мысли, чувства, твоя жизнь. Я даже не собираюсь просить на этот эксперимент деньги. Соберу минимум по сайту «Планета РУ». Для съемок хочу просто арендовать квартиру. Других актеров набирать по ходу. И это будут не только профессионалы.

— Я согласна. От такого ни одна актриса не откажется. Ты так решил на кладбище?

— Да. Вот видишь, как ты сразу схватила мою режиссерскую мысль. Значит, работаем. Для начала: какую фразу ты бы сказала о себе сразу, не задумываясь?

— Без него, — произнесла Алена.

— Вот и название, — выдохнул Максим.

Глава 4
ПЛАН

Частный детектив Сергей Кольцов приехал в офис к Алексею Кривицкому с докладом. Взглянул на измученное лицо самого дорогого своего клиента и подумал: «Тяжело как-то тебе, старик».

— Приветствую, Леша, — произнес вслух. — Пришел отчитаться по тому, что есть и может быть. Ты по ходу прикинешь, в каком месте можешь принять участие. Есть моменты, которые без тебя никак не просматриваются.

— Привет, Сергей. Очень рад. Буду стараться, так положено отвечать командирам?

— Примерно. Начну с плана. Подозреваемые. Три пункта. Дальний круг, то есть лица, которые общались с твоим отцом достаточно редко, удаленно, исключительно по делам. К семье и Алене ни малейшего отношения. Проживать могут в любой точке земли, с которой Валентина связывали какие-то дела. Твое участие — то же, что мы и обговаривали. Поиск переводов, совпадающих по сумме с вкладом, снятым отцом. Эти деньги должны были где-то засветить в ближайшие после убийства дни. В ячейках надолго такую сумму не оставят, ясно, что ее ищут. Тут кроме тебя нам помогают и другие финансисты, в том числе экономические разведки других стран.

Следующий пункт. Средний круг. Это более тесные и регулярные контакты. В том числе и знакомые Алены. Ее знакомства и абсолютно все встречи — по работе, личные друзья, просто приятели, что-то эпизодическое. Необходимо и ее участие.

— Одно скажу сразу. Друзей и подруг у Алены нет. По крайней мере, пока она жила с отцом, ни с кем не дружила. Папа как-то сказал: «Странная женщина — моя жена. Никакого интереса к тусовкам, нет подруг по тряпкам и сплетням, нет приятелей для трепа по телефону».

— Тем лучше. Но я уточню у нее. Следующий пункт. Ближний круг. Это ты, твоя семья, каждый в отдельности, с контактами и контактами контактов. Близкие друзья. То есть так мы учитываем все доминирующие версии, допуская, разумеется, что существует версия, которая возникнет в ходе расследования. А теперь и собственно доклад. Кое-что у нас есть. Не так уже мало. Результат эксгумации позволил нашему эксперту Масленникову сделать вывод об орудии убийства. Оно практически уникально. Последняя разработка для израильской армии. Малая партия. Пистолет нового образца, совершенный, бесшумный, обладающий множеством до сих пор невозможных функций, в частности он сохраняет отпечатки пальцев всех, кто берет его в руки. Это на случай похищения. Вещь пока исключительно дорогая. Такое оружие не выбросит ни профессиональный киллер, ни владелец. Списки владельцев можно узнать с помощью израильской разведки, у нас есть там связи. Скорее всего, пистолет застрахован.

— Как можно с таким оружием идти на убийство?

— Молча. О нем мало кто знает. В следственном отделе — точно нет. Только Масленников, который впереди планеты всей. Ну, и последнее сообщение, точнее, вопрос. Ты в курсе, что режиссер Максим Дымов пригласил Алену в свой новый экспериментальный проект? И что она согласилась?

— Нет, — оборвалось сердце Алексея. — Что за проект?

— Фильм на одну актрису. События ее жизни. Люди, которые с ней пересекаются. Как написал сам режиссер на сайте «Планета РУ», «актриса, которая была для других режиссеров всего лишь воплощением их эротических идеалов по чьему-то подобию, теперь сыграет саму себя». Она же по факту — соавтор сценария и второй режиссер.

— Какая безумная идея!

— Почти безумная. Близка к гениальной, как решили критики и зрители Дымова. И мы с Земцовым. Потому что в процессе такой работы Алена может вспомнить то, что нужно нам.

— Ему дали деньги на такое сумасшествие?

— Нет. Деньги для него не главное. На этом сайте уникальные режиссеры, как Гарри Бардин и Дымов, собирают деньги тех зрителей, которые в них верят. Режиссеры часто не берут деньги за свою работу. Актеры игровых фильмов получают гонорар после выхода картины.

— Да. Тут он попал. Только Алена и могла согласиться на работу, оплата за которую вилами по воде...

— Извини, но ты не в теме, старик, — сочувственно сказал Сергей. — Самая известная и богатая актриса проползла бы на животе до китайской границы, получив подобное предложение. Это большая актерская удача. У меня все. Работаем. Честь имею.

— У дна нет дна, — проговорил Алексей, проводив детектива и закрыв дверь кабинета изнутри. Он — не Валентин. Он не сможет удержать Алену в клетке. Даже если скупит вокруг нее все квартиры, дома, воздух и небо.

Он подошел на ватных ногах к компьютеру, нашел сайт, прочитал все о проекте, долго смотрел на фотографию режиссера. Известное лицо. Кто бы мог подумать, что Алексей, глядя на этого мужчину, который существует в параллельном мире по отношению к нему, внутренне скорчится от холодной жестокой лихорадки.

Написано, что Дымов снимет для съемок обычную бедную квартиру на окраине Москвы. С типичной старой мебелью. Там будут репетировать, снимать, выстраивать жизнь Алены для актрисы Алены. Жизнь, страдания, муки и страсть. Его Алены. А она такая искренняя... Алексею остается лишь нести свою боль и эти мучительные картинки, которые вновь замелькали в воспаленном мозгу: обнаженное тело Алены. Чужие руки, губы и, главное, глаза, которые ее увидят. Будут другие партнеры. Будут люди в зале под названием вожделение.

И клерк Алексей Кривицкий начал спасаться одним известным ему способом. Занялся делом. Поисками новой квартиры для Алены, ее обустройством. Она сказала, что не возьмет с собой ничего из мебели, кроме старой супружеской кровати.

— Алена, — пытался ее уговорить Алексей. — Этот полигон займет целую комнату обычной двушки.

— Мне в спальне других вещей и не надо. Понимаешь, я на ней живу. Эта кровать — моя планета.

— Понял. Все сделаем, как хочешь, — сказал Алексей хозяйке планеты по имени желание.

Глава 5

ПЛАНЕТА ПО ИМЕНИ ЖЕЛАНИЕ

«Первый концерт Лары Фабиан после смерти любимого человека. Она вышла, но не смогла запеть. И тогда, стоя, запел весь зал. Поклонники исполнили ее песню, заменив слова, «Je t'aime» — «Я тебя люблю». И впервые припев превратится в «On t'aime» — «Мы тебя любим». После выступления продюсер Рик Алиссон, который аккомпанировал на пианино, подошел и сказал: «Видишь, а ты говорила, что тебе незачем жить. Живи ради них, ради людей, которые любят тебя».

Эти строки прочитал Максим Дымов, начиная работу над фильмом «Без тебя» с единственной пока актрисой — актрисой-мечтой Аленой Зориной.

Как начинать самую тяжелую на земле работу? Открывать свои глубокие, заживающие раны, чтобы разбудить боль. Превращать в слова спекшиеся слезы. Поливать своей потемневшей кровью засохшую землю, чтобы проступила из-под нее свежая, невинная кровь. Упасть, чтобы прикрыть любящим телом место погребенной страсти, и очнуться в другом месте с другими людьми, которые рядом неизвестно зачем и почему.

Так начинали работу актриса и режиссер, ступившие на неизведанную планету.

Максим снял квартиру для съемок неподалеку от дома Алены. Чтобы она проходила по тем же дорогам-дорожкам, где была с ним. Без него. В этой квартире он создавал программу ее вхождения в самый неизвестный и сложный образ — в свой собственный, а не чужой. Строил пути их внутреннего контакта. Режиссер должен чувствовать настроение актрисы и ловить ее мысли. Она должна слышать дистанционно его команду. Он создавал ее мелодию. Они вместе искали разные музыкальные темы, голоса исполнителей, мелодии для стихов разных поэтов, подбирали стихи. Критерий отбора был один: ее реакция. Ее ответ. Трепет сердца, томление в глазах, тоска на губах. Так составили необычную странную симфонию. Бах, Бетховен, Альбиони, Шуберт, итальянская эстрада, Леонард Коэн, Елена Фролова, Патрисия Каас. Стихи Цветаевой, Пастернака, Губарева, Окуджавы. И много-много всего, по мере погружения в темный лес души Алены. В застывший, казалось, заколдованный лес заблудившейся души.

— Ты будешь слышать эту музыку в разном порядке просто из айфона в сумочке. Со временем ты будешь слышать ее и без айфона. Мелодии станут фоном твоих настроений. Операторов ты не будешь видеть. Но они будут рядом: пойдут навстречу, за тобой, проедут в машинах, пролетят в вертолетах, камеры спрячутся везде, даже в детских игрушках. Это очень современные портативные камеры для серьезных документальных фильмов. А мы сделаем на них художественное, большое кино. Этого пока не делал никто в мире. Камерной техникой снять большое кино! Я буду искать темп, созвучный тебе, ты научишься ловить пульс моей идеи. Потом запишешь свои мысли, чтобы произнести в кадре, или проговоришь по ходу. Техника может это уловить. Начали.

Так они начали. Алена медленно шла по дорожкам парка, где они часто ходили с Валентином. Туда, где с воспоминанием о нем связаны все деревья — свидетели их любовного движения, воздух, цветы. Они просто ходили, он ее целовал, прижимал к себе, она здесь вдыхала его запах. Ей кружил голову густой и плотный туман их любви. Вот здесь, на этой потемневшей к вечеру от их страсти скамейке. Вот здесь, под огромным деревом, как под шатром, они останавливались, чтобы лечь в траву. Стебельки ласкали тогда ее тело, ее босые ноги А сейчас здесь идут ее ступни, истосковавшиеся без него.

Пару дней отработали хорошо. А потом вдруг все изменилось. Алена переставала что-либо понимать. Она снималась на разной натуре, она прошла курсы спортивного ориентирования. Но сейчас она входила в этот парк, а вернуться не могла. И не могла найти те места. Те места, где осталось ее счастье.

На третий день она пришла к Дымову в слезах. Она была истерзана не усталостью, не жарой и жаждой. То есть — да, сожжена жаждой, которую невозможно утолить. Она не находит столь известных ей мест, она куда-то бежит, что-то ищет. Но ее мираж тает, исчезает.

— Я ничего не нашла. Макс, мне кажется, я схожу с ума.

— Что ты по этому поводу думаешь? Вот так с ходу?

— Возврата нет.

— Это оно. Наш первый эпизод. Все снято, Алена. Все отлично. Ты успокоишься и вспомнишь все, что видела во время этих поисков. Это и будет твоим закадровым текстом. И ты найдешь в себе силы реконструировать затем свои воспоминания с партнерами.

— Как ты будешь подбирать актеров?

— Как твои мелодии. По твоему движению навстречу.

Наступил день переезда Алены в новую, отремонтированную квартиру. Она была куплена в этом же районе. Оторваться совсем Алена не смогла. Обставили одну комнату. Другую оставили дожидаться кровати, чтобы она ее заполнила и стала планетой.

Накануне Алексей приехал помочь. Он поднялся на ее площадку. Дверь квартиры была приоткрыта. В холле стояли большие пластиковые мешки с вещами. Это Алена собрала то, что не повезет на новое место. Алексей вошел бесшумно, встал, глядя на спальню с открытыми шкафами. Алена, в джинсах и растянутой майке, сосредоточенно рассматривала вещи, иногда что-то прикладывала к себе, потом без сожаления бросала в мешок.

Какое странное, нереальное, пленительное зрелище. Алексей в жизни не видел ничего столь прекрасного и печального. В шкафу у нее висели платья практически всех цветов и фасонов. Очень короткие и в пол. Синее, красное, зеленое, серое в алых маках, черное в крошечных японских цветах. С открытыми руками и плечами, закрытые до подбородка. Яркие и светлые блузки. Она все это бросала в черные мешки. Как будто хоронила. Пришел черед купальников. Тоже всех цветов и фасонов. Одежда ее женственности. И ее она бросает почти с ненавистью и скорбью. Ох, какая боль.

— Ох, — произнесла Алена. Села на кровать и, закусив губу, стала рассматривать палец на ноге, стертый во время съемок, которые уже начал этот сумасшедший режиссер.

— Эй, — тихонько окликнул Алексей. — Алена, я пришел. Стою, смотрю. Что ты делаешь? Это страшно. Ты сбрасываешь в черные мешки свою одежду. Такую прекрасную одежду. Мы можем купить другие тряпки, дело не в этом. Дело в том, что нельзя из потерь делать ритуал. В этом есть что-то преступное.

— Возврата нет, — сурово сказала она.

— Возврата нет именно тогда, когда убивают прошлое. Утраты нельзя культивировать и множить. Нет больше моих сил!

Алексей бросился к ней, упал на колени. Он целовал ее ноги, ее стертый пальчик, он шептал слова любви, своей первой любви, в ее маленькие ступни. Он — сын чопорной матери и муж святоши, примерный и терпеливый семьянин, — не стал тратить время на то, чтобы расстегнуть молнию на ее джинсах. Он их разорвал, как цепи между его желанием и ее священной плотью. Он узнал, что на самом деле священное на этой земле. Это именно на земле. Это именно тут — в этих старых джинсах.

Она сначала закрыла лицо руками, чтобы даже воздух над этой чертовой кроватью не видел ее ответа. Ее вынужденного, мучительного ответа. Вот это она искала, блуждая полдня по следам умершего прошлого. Это встретило ее не там и не так.

— Мой дорогой, — выдохнула она в эти такие похожие и совсем другие губы.

Его клятвой и признанием стал взрыв всего, что было его жизнью до этой минуты. Что было его прошлым, его ценностями и богатствами. Все это не стоило ее пальчика с натертой мозолью.

Они вернулись и проснулись. Из того, что не было сном. Это было начало чего-то совсем другого. И заметили, что за окном темно. А дверь квартиры так и не закрыта.

Когда Алексей поднялся, первое, что он сказал:

— Мы перевезем эти мешки с твоими лепестками. А кровать я завтра сам порублю топором. Пусть она остается здесь. Нам я куплю другую. У тебя будет другая планета. Ты ведь по жизни инопланетянка.

— Будет очень тяжело, — прошептала Алена.

— Будет, — согласился Алексей. — Но не тяжелее, чем было. А сейчас мы согреты нашим огнем.

Глава 6

ВОЗВРАТА НЕТ

Текст Алена писала тоже в режиме скрытой съемки. Максим привез из Голливуда дистанционно управляемые камеры, которые устанавливаются в разных точках квартиры.

Деньги, поступающие от зрителей на его счет, он сразу снимал, чтобы оплачивать все по ходу. Они лежали в сейфе этой же квартиры. Одежду Алена привезла сюда свою. По мере развития сюжета, по цветовым требованиям картинки они заказывали что-то новое. Дымов сам находился в соседней квартире и следил за всем по монитору.

В тот день все шло в спокойном режиме. Алена работала одна, пила кофе, умывалась, причесывалась, слушала свою мелодию, правила написанный текст. И вдруг… Сначала оборвалась мелодия. Потом Максим увидел, как заметалась в панике Алена. Ее комната заполнилась туманом, Максим даже в своей квартире почувствовал запах какого-то газа. Он рванулся туда. Дверь квартиры не запиралась, они даже убрали замок, чтобы она не захлопнулась в незапланированный момент. Но Максим не мог ее открыть! Дверь как будто залили чем-то, сразу застывшим, изнутри.

Он бросился на свое режиссерское место. Стал звонить по всем службам. Набрал Алексея. В отчаянии смотрел на монитор, как бьется в клубах отравленного дыма Алена. Мелькают чьи-то руки, срывают с нее наброшенный на голое тело халат. Как она пытается открыть окно. Это третий этаж. Максим бросился на свой балкон. Схватил там какой-то ржавый молоток, оставленный хозяевами в стенном шкафу, встал на хлипкий, дрожащий под его ногами подоконник и стал пробираться к ее балкону, окна которого были закрыты.

Он еще балансировал между двумя квартирами, одной рукой держась за раму, другой разбивая молотком стекло на балконной двери, он уже ступил босой окровавленной ногой на ее подоконник, оставалось только сделать рывок... И тут во двор ворвалась машина Алексея, за ней полиция, и какой-то уверенный парень с пистолетом в руке уже спешил к подъезду.

Они все встретились в квартире — съемочной площадке. Старую деревянную дверь выбили — изрубили топором. На полу под опадающим, сереющим туманом лежала без сознания Алена. Она была залита вся с головы до ног каким-то белым, застывающим раствором. Тем же раствором, которым зацементировали дверь. Рядом с ней валялся пустой, разрезанный лазером сейф.

Алексей схватил свое застывающее счастье на руки, понес в ванную, не чувствуя даже запаха едкого дыма. У него в этот момент не было дыхания. Она появлялась, как чудо, из растопленного гипса, розовела, оживала, дышала... Он передал ее, как во сне, в руки врачей, влетевших в это крошечное пространство несчастья. Врачам пришлось силой разжимать его руки, отказывающиеся ее отдавать.

А вокруг уже работали. Полиция искала под разбитым окном, там лежала брошенная демонстративно пожарная лестница. Они снимали с крыши спортивный канат, по которому налетчики спустились и ушли. Уверенный парень представился частным детективом Кольцовым. Он вызвал полковника Земцова с бригадой и эксперта.

Алексей хотел поехать в «Скорой» с Аленой.

— Не имеет смысла, — сказал врач. — Ей окажут необходимую помощь, не волнуйтесь. Я вам позвоню, сообщу, в какую больницу ее доставили.

— Когда ее можно перевезти в хорошую клинику?

— Я думаю, Алену лучше положить в мою клинику, — сказал высокий худой человек, представившийся экспертом Масленниковым. — А пока буду с врачами на связи.

Смывать в закутке этой съемочной площадки застывающий раствор с одежды было бессмысленно. Алексей застыл под одеждой и без всякого раствора. Он оцепенел, как ему казалось, навеки. До тех пор, пока не услышит команду: «Отбой». До звонка из мрака, куда чужие руки унесли Алену.

Эксперт собирал пробы воздуха, состава раствора, полицейские и частный детектив искали следы…

А Максим… Он повел себя неожиданно, удивил всех присутствующих. Режиссер бросился проверять свои камеры! И вернулся к ним с по-прежнему окровавленным, порезанным лицом, но с почти счастливой улыбкой.

— Все снято! Все оставляем. Потрясающий эпизод! У нас появились бесплатные исполнители.

Алексей смотрел на него, на валяющийся рядом топор, которым открывали и рубили дверь, и хотел шевельнуться. Если бы он мог шевельнуться, он бы взял на себя еще один грех, больший, чем прелюбодейство. Он убил бы этого маньяка.

— Спокойно, — сказал Кольцов. — Дымов — профессионал и, конечно, в первую очередь думает о деле. Из больницы позвонили. С Аленой все хорошо. Она пришла в себя. Масленников закончит здесь и сразу поедет за ней. Иди домой. Будем тебе звонить.

Когда все разъехались, Сергей подошел к Максиму.

— Возможно, вы поняли, Максим, я расследую убийство мужа Алены. И череду преступлений, последовавших за ним. И теперь вот это... Надо разбираться вместе. Для начала: где у вас список пожертвований на фильм?

— Везде. В планшете, на сайте, где я отчитываюсь.

— Какие суммы поступали?

— В основном небольшие. Крупный перевод один — два миллиона.

— Все от конкретных жертвователей?

— Да. Кроме этого, большого перевода. Он анонимный.

— Вам не показалось это странным?

— Да нет. Так бывает. Не все люди хотят демонстрировать свои доходы.

— Бывает. Хотя для богатого человека это не такая уж и большая сумма. Но я не представляю себе богача, который постоянно отслеживает новости культуры на «Планета РУ». Это может быть какой-то очень преданный ваш зритель. Или поклонник таланта Алены. Или не таланта, а просто Алены. Вот если бы я был фанатом какого-то режиссера, но не хотел бы, чтобы весь свет знал, что у меня есть лишние два миллиона, я бы приехал к этому режиссеру и отдал бы деньги ему в руки. А вот если бы я был скрытым или отвергнутым поклонником женщины-актрисы, заинтересованным в том, чтобы она играла в этом фильме, я бы послал анонимно. Если бы я был ее врагом, мстителем и задумал какую-то ловушку — тем более поступил бы так же.

— Да, логично.

— Вот с этого и начнем, — сказал Сергей. — Они, кажется, не собираются останавливаться. Далеко зашли. Ни у кого возврата нет.

Часть третья

«ГРЕЧЕСКАЯ ПЕСНЯ» ВСКОЧИЛО СЕРДЦЕ НА КОНЯ

Вскочило сердце на коня и мчится поперек огня, не уступая своеволью, переполняя сердце болью.

Елена Фролова

Глава 1

ЗА ДАЛЬЮ ДЫМ

Алена вернулась из больницы через три дня. Ее еще покачивало, подташнивало, но она позвонила Максиму, сообщив, что готова приступить к работе. Режиссер уже отремонтировал квартиру, разместил на сайте информацию о произошедшем. В финансовом плане они начали с нуля. Что и стало продолжением сюжета.

А сюжетом жизни Алены был Алексей. Их мучительный роман.

Алексей по-прежнему жил в семье. А на своей новой кровати-планете Алена царствовала одна. Без него — Валентина. И без него — его сына. Алексей вырывался из дел и семейных обязанностей, врывался, припадал. Алена делала открытия за открытием. Страсть мужчины, который собирался прожить жизнь без страсти, это не любовь опытного мужчины. Это океан по сравнению с его отражением в снимке. Это огромный лесной пожар по сравнению с огнем в камине. Она растворялась в этом настолько, что находила себя только с помощью его рук, просыпалась только от жара его губ, трепетала и плакала от невыносимой нежности под его телом, над его телом. Изнывала всегда. Его прикосновение не кончалось...

Но наступал момент, когда ему нужно было уходить. К вечерней молитве, к семейному ужину, к своей комнате аскета. Аскета, который разнес в прах клетку своей укрощенной плоти.

Этот момент. Алексей получал Алену в свое безумное, полное распоряжение, а потом по своей воле оставлял — для него это было катастрофой. Разрушением какой-то хрупкой, идеальной конструкции, без которой можно жить, пока ты не увидел ее и не стал полноценным обладателем.

«Надо решаться, — понимал Алексей. — И лучше озвучить это самому».

Все равно очень скоро сплетня прилетит в их дом. Мать по-прежнему ревниво следит за жизнью Алены.

Он вошел в столовую однажды утром. Когда детей увела няня, Алексей, стоя перед близкими, сказал:

— Нам всем придется с этим что-то делать. Я люблю Алену. Настолько, что больше не могу жить без нее. Согласен со всеми обвинениями, со всеми требованиями. Согласен и с тем, о чем вы все сейчас подумали. Я — преступник. Но это уже данность. Такой же факт, как то, что моего отца, мужа Алены, нет в живых. А только его жизнь могла закрыть ее от меня. Полина, прости. Я буду рядом, все заботы о детях — это мои заботы.

— Это не тебе решать, допущен ли ты будешь к моим детям, — встала белая и непримиримая жена. — Грех, блудница, позор — все это не коснется моих детей.

Приговор был произнесен. Но это легче, чем ожидание приговора. Алексей провел черный день, но к Алене мчался, как граф Монте-Кристо из тюрьмы.

Ах, какая была ночь! И аскет, и эротическая актриса, воплощение сексуальных символов разных мужчин, попали в сад бесстыдства, самых изощренных желаний, полета к вершине, с которой так сладко и так томительно-упоительно лететь, опускаться в долину нежности на планете желание. И опять, и до бесконечности. До самого жестокого утра. Когда жизнь приказывает: оторвись ты от нее.

И Алене нужно отправляться на свою странную съемочную площадку. На Голгофу.

Глава 2

НОВЫЙ СПОНСОР

В день рождения отца Алексей вернулся с работы в их теперь общую с Аленой квартиру лишь к вечеру. Алена его ждала в своем траурном платье.

— Сними его, пожалуйста, Алена. Сегодня день рождения папы, а не годовщина смерти. Ему будет приятно видеть тебя не в трауре. Да и жарко очень. Надень то платье, которое ты хотела выбросить. Из черного японского шелка с маленькими цветами.

Алена переоделась. Задумчиво посмотрела на себя в зеркало. Платье из другой жизни. Шелк тоньше лепестка, рукава — маленькие крылышки, длина юбки до середины бедра. Да, пожалуй, это лучше. Валентин так любил это платье. Когда она его надевала, он говорил: «Вот так должен выглядеть голливудский подарок мужчинам».

Алексей прочитал ее воспоминание, как будто оно попало в его мозг. Она почувствовала отца. Острые ощущения, мягко говоря. С этим придется жить. Они мало говорили по дороге на кладбище. Как всегда, купили большой букет красных и белых роз. Алена расстелила их перед памятником. Отец смотрел на жену своим белым лицом с черного мрамора. Алексей сходил с ума.

И он сделал это. То ли осквернил могилу, то ли, наоборот, осчастливил того, кому сейчас не дотянуться до своей прекрасной женщины. Он взял Алену прямо там, на этих розах. Она тосковала и стонала от невыносимого счастья. Нерасшифрованного пока, ни на что не похожего, такого, какого не должно быть.

На следующий день Алексей приехал в съемочную квартиру. Дверь была открыта. Алена и Максим сидели за столом и рассматривали фотографии актеров на мониторе. Они выбирали ей партнеров. Партнеров для любовных сцен. Видимо, кто-то у них будет играть отца, кто-то его, Алексея.

— Не помешал? — шагнул к ним Алексей.

— Очень рады, — ответил Максим. — Видишь, мы не снимаем. Рабочий момент. Отбираем исполнителей.

— А что, у вас появились деньги, чтобы им платить?

— Что-то капнуло, конечно. Но вообще актерам за работу я плачу после проката.

— И люди соглашаются?

— Алена же согласилась. Мне нужны именно такие, которые работают не ради денег. Все же у нас эксперимент.

— Сколько нужно на весь фильм?

— Миллионов шестьдесят голого бюджета.

— Продолжайте собирать на оплату труда людей. Я заплачу весь ваш бюджет. Проведем, как полагается, с налогами. По крайней мере, не будем думать о том, какой бандит к вам пролезет под видом спонсора.

— Не откажусь, — спокойно сказал Максим. — Просто немного поменяю алгоритм. Буду по-прежнему говорить, что оплата после проката, а на самом деле начну платить во время работы. Мы, режиссеры, люди очень суеверные, но чутье у меня есть. Картина принесет доход. Ее могут купить другие страны. А теперь, Алексей, давай оставим Алену, ей нужно дописать текст. Пройдем ко мне, в мою капитанскую рубку. Нужно кое о чем поговорить.

В своей «капитанской» квартире Максим достал бутылку коньяка и сигареты, поставил пепельницы.

— У нас возникла проблема. Понимаешь, Алена — очень профессиональная актриса, легко входит в образ. Но это был всегда другой образ. Профессионализм в таких случаях — это побыть другим человеком до перерыва на обед, до вечера, а потом вернуться к себе. Играть себя — это каторжный труд. От себя не отдыхают. Воображение выдает только существующие эмоции. В общем, проблема у нас с любовным партнером. С тобой то бишь. Она подсознательно всех отвергает. Были пробы. Не пошло. Хорошие, опытные актеры. Она их знает, они ей нравятся, играли вместе именно любовные, эротические сцены. Но то были чужие жизни. А в своей она их не видит. Ты понимаешь, что я имею в виду?

— Ты всерьез? Да ты что! Я не только в драмкружке не играл, я презирал тех, кто это делал. Я даже кино не смотрю.

— Так мне именно это и нужно. И я не первый на данном пути. Феллини, Антониони брали в картины людей с улицы.

— Так если бы с улицы... У меня серьезный бизнес — финансовый проект, солидные партнеры. У меня жена-святоша. Я оставил семью и троих детей. Это такой скандал.

— Я сделал предложение. Ты или принимаешь, или нет. Все свои беды перечислять не нужно. Просто я думаю и о тебе. Разбираюсь в отношениях мужчины и женщины. Когда мы все же подберем этого партнера, а это рано или поздно произойдет, — сложно тебе будет, старик.

— Я уже схожу с ума, — признался Алексей. — Что нужно делать?

— Ерунда, — ответил Максим. — Любить Алену. Камер вы не увидите.

Алексей напряженно думал до конца дня. Потом до конца ночи. Впервые за все время жизни с Аленой он к ней не притронулся. Утром позвонил Максиму и сказал:

— Нет.

— Я тебя понимаю, Леша. В таком случае просто прошу не забывать, что кино — это не жизнь, что для Алены — это работа. Что она продолжится и после нашего эксперимента. Так что тебе придется учиться реагировать на все спокойно. А мы продолжаем пробы.

— Я могу смотреть материал?

— Конечно.

Глава 3
ПАРТНЕР

У Сергея Кольцова появилась ниточка, так ему показалось. Фигурант из дальнего круга. Константин Осоцкий, российский бизнесмен, владеющий бельгийской авиакомпанией. Он был инвестором фирмы Валентина. Потом купил пакет акций. Стал претендовать на расширение своих полномочий. Боролся за право решающего голоса. Почему-то Валентин вдруг перестал ему доверять. Кольцов просмотрел почту убитого: в одном из электронных писем Валентин ясно дает понять Осоцкому, что хочет прервать эти отношения. У него появилась информация, что Осоцкий пользуется в Бельгии российской системой выведения своих же денег из-под государственного контроля. То, что он оформляет как инвестиции в бизнес Кривицкого, превышает в несколько раз реальную сумму.

Разоблачение такой аферы грозит Осоцкому потерей всего. И они с Кривицким договариваются о встрече, обговаривают конкретную дату. Но Валентина убивают за день до нее. Алексею и заместителю Валентина ничего не известно о том, приезжал ли Осоцкий.

А он в Москве был. Прилетел накануне убийства. Остановился у своей матери, в маленькой квартире у метро «Ясенево». Улетел через неделю. Никаких деловых встреч у него не было. Попыток говорить с кем-то другим в фирме Кривицкого не делал.

— Пока все, — отчитался Сергей заказчику.

Алексей знал, конечно, Осоцкого. Типичный бизнесмен из Европы. Суховатый, в меру доброжелательный, скупой в словах и жестах. Печати мошенника, которую бог ставит на лица множества отечественных бизнесменов, конечно, нет. Но раз отец хотел от него избавиться, значит, надо избавляться как минимум. И помочь следствию выяснять, с кем еще, кроме отца, он имеет дела.

Все валилось у Алексея из рук несколько дней. Потом он позвонил Максиму и сказал, что хочет посмотреть материал проб. Но Алену попросил отправить домой.

— Она не знает о твоем предложении мне?

— Нет, конечно. Сейчас пошлю ее отоспаться. Она уже качается от усталости.

Алексей приехал собранный, как для подъема на Эльбрус. Он ни о чем не думал, когда сюда ехал. Только стучали приказы мозгу в темпе барабанной дроби: «Спокойно, спокойно, в любом случае спокойно».

И лицо его не дрогнуло, когда пошли кадры проб. Лица Алены и двух актеров, между которыми Максим делал выбор на роль ее любовника после смерти мужа. Это у режиссера называлось: не пошло. Этот трепет и томный протест Алены, которая борется с желанием, чтобы не изменить памяти мужа. Эти жадные взгляды мужчин. Они сейчас никакие не актеры. Их руки ищут ее, поднимают, разрывают ткани преград. Она вздрагивает от прикосновений...

— Хватит, — сказал Алексей. — Я на все согласен. Скажи, что делать.

— Эпизод называется «Случайная встреча». Снимаем в ночном парке. Она просто бежит по аллее в поисках мест, которые были фоном ее утраченной любви к покойному мужу. А он, то есть его сын, ищет ее. И случайно они встречаются. Только я в курсе встречи, я их вывожу друг на друга. Реакция... Такая примерно, как ты видел. Каждый актер играет эпизод сам, он в нем режиссер. Он ведет себя, как повел бы себя в жизни. А в жизни более опытного исполнителя этой роли, чем ты, у меня не может быть.

На следующую ночь они поехали на съемки разными дорогами. Алена не знала, с кем ей сегодня играть. Она даже не знала, что это не обычная проба. Впрочем, Максим тоже не знал. Но рассчитывал, что если получится, то это будет снятый материал.

Алексей шел по темному парку. Ему казалось, что он заблудился. Ему стало страшно, что он ее не найдет. И вдруг ее фигурка мелькнула между деревьями. И, как всегда, все разлетелось в прах: его бывшая жизнь, его серьезная работа, его сдержанность и хорошие манеры.

Она только ахнула в его руках. А потом... Он пытался себя обуздать словом «камеры», но какие, к черту, камеры! Летели в траву ее тряпочки и балетки, его руки скользили по ее ногам. Находили свою и только свою сладость, свою блаженную плоть...

— Я счастлива, — шепнула Алена.

— Снято, — услышали они голос Максима.

Глава 4

ТАЙНА КОНСТАНТИНА ОСОЦКОГО

Утром на работе Алексей взглянул на экран телевизора в приемной секретарши и увидел там скорбное и страстное в своем хроническом фанатизме лицо жены. Шла какая-то православная передача, на них Полину приглашали часто. Он прислушался. Полина призывала вносить пожертвования благотворительному фонду помощи онкологическим больным — взрослым и детям — в хосписах, центрах, больницах. Жена называла имена и фамилии, на экране появлялись изможденные лица, врачи называли суммы, необходимые для операций и реабилитаций.

— Вера, сохрани, пожалуйста, реквизиты для помощи, — сказал Алексей секретарше, — я потом перечислю.

Он собирался войти в свой кабинет, как вдруг услышал, как Полина говорит:

— Нам очень помогает один из учредителей фонда. Константин Осоцкий. Уже десять онкологических больных получили помощь в клиниках Бельгии, Израиля, Германии, спонсором которых он является.

Алексей сел за компьютер и начал искать информацию по благотворительному фонду «Благость». Название это он слышал впервые, а ведь он по рекомендациям Полины постоянно жертвовал деньги на подобные проекты. Фонд оказался зарегистрированным на матушку Екатерину, настоятельницу женского монастыря в Суздале. Среди учредителей немало известных фамилий — финансистов, политиков не только России. В правлении действительно есть Константин Осоцкий. Исполнительный директор — та же матушка Екатерина. Она же Екатерина Петровна Истомина.

Алексей позвонил Кольцову.

— Это даже не информация, — сказал он. — Я просто немного удивлен, что ничего об этом не знал. Вот сейчас посылаю деньги этому фонду впервые.

— Пока, конечно, не информация, — ответил Сергей. — Но это тот самый случай, когда дальний и ближний круги соприкоснулись. Я посмотрю, что есть по этому фонду в целом, настоятельнице и учредителям в частности.

Алексей долго думал после разговора с детективом. Он привлекает интерес следствия к собственной семье. Он не сомневается в том, что Полина не имеет никакого отношения ни к Осоцкому, ни к каким-либо заговорам против отца и Алены. Она берется популяризировать благотворительную деятельность, поскольку ей предоставлена трибуна. Но теперь, возможно, ей придется давать показания, если там что-то найдут. Найти могут. Темное болото — эти фонды, любому честному финансисту известно. Зачем он усугубляет свое чувство вины перед семьей? Но по элементарной логике: задача не может быть решена, если прикрыть рукой часть условия. А чувство вины, сочувствие близким людям, чью участь он усугубляет, — это все же гораздо меньшая мука, чем сознание того, что над головой Алены висит тот же меч, который унес жизнь отца. И если есть на свете шкала близости, то на ее пике они вдвоем — он и Алена. Все остальные расположились на ступеньках души настолько ниже, что просматриваются чуть-чуть даже в такой острой, болезненной ситуации. Так, оказывается, бывает, когда любовь, нежная и горячая, спускается облаком на все остальные привязанности и давит их, как чугунный и безжалостный каток.

Приговор, который вынесла Полина Алексею своим запретом видеться с детьми, чтобы оградить их от порочного отца и греха, он решал просто, как обычную сделку. Успокоился и поставил бывшую жену перед выбором: или она получает алименты по закону, или они подписывают договор на совсем другие деньги — на каждого ребенка в отдельности в зависимости от того, что им нужно. Во втором случае Алексей проводит в своем бывшем доме сутки в неделю, может брать к себе детей, ездить с ними в отпуск. Непримиримая Полина согласилась на второй вариант сразу. Договор юристы Алексею подготовили, сейчас она его подпишет, а потом нужно набираться мужества и приходить в дом, где живут его дети, терпеть вражду и осуждение взрослых членов семьи. Дети тем и хороши, что могут тяжелую ситуацию принимать как данность. Они по телефону все время говорят, что любят и ждут папу.

И вот теперь, когда начнется проверка этого фонда, Алексей становится кем-то вроде осведомителя в собственной семье.

Чтобы привести в порядок мысли и чувства, он набрал номер Алены. И сказал, как тогда отец из рабочего кабинета:

— У тебя все в порядке, моя шоколадная детка?

И услышал свой голос со стороны. Любой бы содрогнулся от тайного вожделения, из-за его интонации. Отец тоже содрогнулся бы. Такого предвкушения и призыва еще ни один мужчина не вкладывал в простые слова. Вот, кажется, все и встало на места. Семья Алены, ее опора и защита — только он. Это решает все.

Позже он вызвал сотрудника своего отдела, который вел дела с Осоцким, и сказал ему, чтобы тот от имени отдела предложил постоянные субсидии благотворительному фонду «Благость». Сотрудник позвонил через полчаса и сказал, что Осоцкий отказался, объяснив это тем, что давно отстранился от дел в этом фонде. Причину не назвал.

«А передача была сегодня», — подумал Алексей.

Глава 5
СЛУЧАЙНЫЕ ВСТРЕЧИ

Максим сказал Алене и Алексею, что им пора появляться вместе на людях.

— Дело не только и не столько в нашей картине. Дело в том, что вы не можете жить бесконечно в своей норе, ходить партизанскими тропами. Если не приучать людей постепенно к изменению ваших отношений, то слишком бурный скандал обрушится в один день. Это может быть день, когда мы покажем наш фильм. Для меня большой скандал — это большой успех. Но я думаю о вас.

— Я тоже думаю об этом, — сказал Алексей.

— Что касается моего творческого интереса, — продолжил Максим, — то хочется, чтобы Алена вернулась в круг людей, с которыми встречалась, когда жила с Валентином. Она может что-то вспомнить, кто-то даст интересную реакцию при встрече... Кстати, это нужно и следствию. Я общаюсь с детективом Кольцовым, он мне говорил, что воспоминания Алены как будто заблокированы. Она вспоминает какие-то имена, фамилии, но эмоциональные впечатления вытеснены собственными переживаниями последнего времени. С вами рядом будут камеры, но никто, кроме вас, не будет в курсе. Других лиц в кадре не увидят. Так я все сниму. Потом заменю реальных людей актерами, вмонтирую крупные планы.

— Может, и получится, — сказала Алена. — Мне ни о чем не говорят знакомые имена. За мной выжженная пустыня.

Алексей и Алена пришли на вечер по случаю юбилея корпорации, основанной десять лет назад Валентином Кривицким. Они вошли, когда все были в сборе. Стояли парами и группами в большом конференц-зале, обставленном для фуршета. Алена была в платье из серого шифона с розоватым, жемчужным отливом. Алексей — в костюме темного серого цвета.

Они спокойно остановились у входа, осматриваясь, разговаривая, никто не мог представить, каких усилий им стоит удержаться на этом пороге, пока еще есть возможность просто развернуться и уехать к себе. А через пару минут такая возможность исчезла. К ним шли с приветствиями со всех сторон. Радость встречи была демонстративной, преувеличенной. Так ведут себя люди, которые хотят показать, насколько они выше сплетен, предрассудков, насколько они свободны и демократичны.

Как бы то ни было на самом деле, что бы эти люди ни говорили за их спиной, но напряжение ушло. Почему бы людям не радоваться встрече с ними? Они доброжелательны, красивы, интересны многим, они ничего плохого не сделали. Всего лишь полюбили.

Первым поцеловал Алене руку, почтительно склонив голову, Григорий Зимин, руководитель корпорации, бывший первый зам Валентина. Это был полный, степенный мужчина, с бледным, одутловатым, нездоровым лицом. О нем знали мало. Но всем было известно одно: это человек с феноменальными способностями экономиста, за что его очень ценил Валентин. В остальном, собственно, он никого и не интересовал. Замкнутый человек — так все гении замкнутые. Алексей Зимина очень уважал. Он смотрел сверху вниз на лоб Григория, покрывшийся крупными каплями пота, и думал о том, как все изменилось. Сейчас Григорий для следствия главный подозреваемый, и для Алексея в любой момент может стать врагом. Из-за отца. Из-за Алены.

Потом подходили другие мужчины, женщины, пары. Никто, конечно, в такой день не мог не выразить Алексею свою преданность. Независимо от того, что его отец оставил после себя руководителем другого человека, всем известно, что истинным владельцем остается Алексей. И в том, что Алексей рано или поздно возглавит корпорацию, не было никаких сомнений. Это понятно, как и та любезность, которую люди торопятся выразить его женщине. Но главным в отношение к Алене было другое. Ее новый статус вызывал сильные эмоции, он возбуждал этих людей. Содержанка, такая красивая, такая соблазнительная, такая вроде бы теперь доступная и беззащитная после роли строго охраняемой жены сильного человека. Никто не верил, что Алексей женится на ней. Все знали его аскетическую доктрину во всем, что касается семейных ценностей. Но он пал настолько, что не скрывает своего падения. Он снимается в фильме с этой эротической актрисой. А такая ситуация будоражит.

Алексей вынес этот вечер, а Алена ночью не спала. Она смотрела в темноту, и между бровями появилась морщинка глубокой задумчивости.

— Ты что-то вспомнила?– спросил Алексей.

— Да, я что-то вспоминаю. Как странно: оказывается, какие-то куски жизни могут просто умереть в памяти, а потом в одну минуту воскреснуть.

Утром к Алексею в кабинет вошла Лидия, его заместитель. Это была протеже отца, он рекомендовал Алексею эту очень опытную работницу и проницательного, серьезного человека, чтобы она страховала его в сложных ситуациях.

— Алексей, я кое-что приготовила для тебя. Это касается вчерашней вечеринки. Понимаешь, ты настолько доверчивый человек, что всем веришь, не сомневаешься в своих сотрудниках. Но тебе нужно знать, что на самом деле представляют собой люди, как на самом деле они к тебе относятся. Даже у твоего отца оказались враги, возможно, здесь, рядом. Мне хотелось бы тебя предостеречь. Просто чтобы ты был внимательнее и осторожнее. Короче, я вчера включила диктофон после того, как вы с Аленой ушли. Ночью расшифровала и записала с указанием авторства то, что говорили о вас. Ненормативную лексику заменила точками. Но она любопытна сама по себе. При тебе ведь никто не выражается матом.

Прочитать то, что принесла Лидия, Алексей сумел лишь вечером, когда все разошлись. Он запер свой кабинет и попал на ярмарку жестокости, зависти, недоброжелательности и ущербной похоти. Счастье, что хотя бы Григорий в этом не участвовал.

«Пантелеев: «Похоже, этот святоша разговелся по полной программе».

Жена Пантелеева: «И продолжает это делать с большим удовольствием».

Симонов: «А если бы тебе папаша оставил такой подарок, ты что — пошел бы в монастырь?»

Пантелеев: «Да, старик. Я бы сходил с ней в монастырь. Чтобы без помех... Чтобы ее в грубой форме».

Жена Симонова: «А мне было противно. Такой интересный, недоступный мужчина и так расплывается от одного взгляда на эту...»

Жена Пантелеева: «Да ты просто завидуешь ей, у тебя от него слюни всегда текут, а твой Пантелеев, посмотрев на Алену, бегал почему-то три раза в туалет. Я считала. Без обид, ребята. Я пошутила».

Ибрагим Шукуров, гость: «Очень уважаю Алексея. И Алену, его подругу, знаю не один год. Она красавица, исключительная женщина. Чтобы при мне ни одного плохого слова о них больше не звучало. Вы меня знаете».

И подобных диалогов на три страницы без абзацев. И все — культурные, доброжелательные, казалось бы, такие искренние люди.

— Кто такой Шукуров? — позвонил Алексей Лидии.

— Это друг Зимина. Бывает на наших вечеринках. Бизнесмен, родом из Азербайджана. К Алене и при Валентине относился с заметной симпатией или даже восхищением... Ты просто не бывал раньше на корпоративах, поэтому его не знаешь.

Часть четвертая
ПАДЕНИЕ К СВЕТУ

Глава 1
СВЯЗЬ

Алексей подал заявление на развод, но расписываться с Аленой пока не планировал. Она такую мысль отталкивала от себя. Одно дело, когда вдова просто выходит замуж, хотя и в этом случае требуется выдержать время для приличия. И совсем другое дело, когда преемник покойного мужа — его сын. Да еще со своей такой сложной семейной историей.

Однажды она спросила у Алексея:

— Что у нас, как тебе кажется? Как называется то, что мы вместе?

Он почти не думал. Ответил сразу, как будто не раз отвечал на тот же вопрос:

— Связь. У нас связь. Связь тел, сердец, дыхания, мыслей. Она такая бесконечная, очевидная и независимая ни от чего, что с ней не сравнятся никакие штампы, договоры, обязательства и клятвы. Мне кажется, она и от нас не зависит. Я хочу к ней привыкнуть, поладить, как-то приспособиться к ней. Это слишком сильно. Ты меня понимаешь?

— Да. Конечно. Я тоже так бы это назвала: жестокая и упоительная связь.

А Максим так назвал следующую часть фильма. И никого из них это не удивило. Они втроем были настолько в одном материале, что и думали одними словами. Он уже подбирал актрису на роль жены Алексея. Но старался отойти от прототипа как можно дальше, чтобы избежать малейшего сходства с реальной ситуацией.

Наступил тот день, те самые оговоренные сутки, которые Алексей должен провести со своей семьей, с детьми. Он продумал все до мелочей. Распланировал время: прогулки, развлечения, разговоры. Тщательно выбирал подарки, предварительно обсудив с детьми, что их больше интересует.

Перед отъездом вечером в пятницу он с такой страстью, нежностью и тоской целовал Алену в их квартирке, как будто уезжал на год. Но ведь они действительно практически не расставались в последнее время. Совместные вечера и ночи. Днем часы на съемочных площадках Максима. Она пыталась скрывать, насколько напряжена, как ноют и сигналят нервы, как болит сердце. Алена не боялась, что он там останется, раскается, пожалеет о том, что совершил. Она просто видела этот дом, эти комнаты, которые он обставлял вместе с другой женщиной. Этих детей, которые родились, потому что он этого хотел. Уклад, который пять лет был его укладом и нравился Алексею. И самое печальное: Алена ведь до сих пор его… мачеха.

Эту боль до конца не поймет ни один, самый чуткий и любящий мужчина. Это наука: что приходится пережить любовнице, когда возлюбленный отправляется в свою прошлую жизнь. Какие детали, варианты событий, вероятности преподносит несчастной воспаленный мозг. Скоро ночь. Потом еще одна ночь. Как можно исключить то, что Алексей, с его чувством вины, с его желанием урегулировать отношения с Полиной во имя контакта с детьми, не захочет утешить жену, подарить ей эту или следующую ночь? Они ведь даже не разведены официально.

Алена ждала одного: пусть скорее наступит утро воскресенья. А Алексей, отъехав от дома, радовался, что скоро увидится с детьми. Он собирался по-хорошему поговорить с женой и матерью. Начинать растапливать лед между ними. Предстоящие ночи его тоже очень беспокоили. Но по другому поводу. Он знал, что опять будет пылать на том же костре нестерпимого и неудовлетворенного влечения, как тогда, когда о близости с Аленой даже не позволял себе мечтать. И это... Он ей, конечно, верил. Но Максим знает, что она остается одна, узнают и другие члены группы, актеры. Им наверняка захочется скрасить ее одиночество. В этом ничего плохого, кроме... Кроме того, что Алексею начинает предлагать распустившееся воображение.

Так тяжело расставались они в первый раз. Алексей знал лишь одно. Он все это вынесет, но не украдет у детей ни секунды обещанного времени. Любая мука легче вины перед ними.

Дети и облегчили, украсили встречу с семьей. Все было ярко, естественно, Алексей так соскучился по ним, что на несколько часов забыл, что жизнь изменилась. И вдруг, во время разговора с детьми, смеха, игры, в мозгу больно, остро и невыносимо четко всплывали имя «Алена», ее лицо там, куда ему еще так долго не дотянуться. Они даже договорились, что он не будет звонить.

Мать Алексея, хотя и держалась холоднее, чем обычно, тоже явно ему обрадовалась. Да и Полина, сдержанная и суховатая, как, впрочем, всегда, выглядела спокойной. Все же это начало стабильной системы, которая может меняться к лучшему. Нормальные надежды жены порядочного человека: нужно переждать, пока перебесится, как говорят о мужьях простые бабы.

Вечер пролетел быстро. Ночь была бессонной, но не мучительной, а заполненной до мгновений. Алексей каждым нервом, каждой мыслью, каждой клеточкой тела обращался к образу Алены: выдыхал слова любви и желания, просил о нежности и даже жалости. Она впервые ему понадобилась, женская жалость, — ему, такому до сих пор самодостаточному мужчине.

Субботнее утро полетело по подготовленному плану. Прогулка на катере по Москве-реке, аттракционы в парке, лучший детский ресторан с праздничным обедом и мороженым на каждый вкус. На обратном пути — магазины и подарки. Детям явно нравился такой воскресный папа. Никогда он один не посвящал им столько времени, так не баловал. Обычно рядом всегда была Полина. А это совсем другая история. Она во все развлекательные мероприятия умудрялась внести стальные рамки требовательности, строгости, своих представлений о приличиях.

Легкий и быстрый, как танец, темп праздника-встречи сбился в субботу вечером. И не просто сбился. Для Алексея это стало потрясением. Бедой.

После ужина Полина увела детей в комнату занятий и ее воспитательных часов. Она там готовила детей к существованию в мире догм, запретов, в теории возмездий и наказаний. Он никогда не присутствовал на этих беседах. В этот день ему показалось, что занятие слишком затянулось, возможно, именно для того, чтобы детей оторвать от него.

Алексей тихо постучал, резкий голос Полины не прервался, наверное, она стука не услышала. И Алексей вошел, остановился на пороге. Дети сидели вокруг круглого журнального стола, на котором были разложены брошюрки с яркими картинками. Полина цитировала какие-то тексты. О грехе и наказании блудниц! Она это говорила маленьким детям. А на картинке, которую она показывала, была изображена обнаженная женщина, привязанная веревками к деревянной скамье. Ее хлестали розгами бородатые мужчины в рясах. Не только откровенный садизм и бесстыдный цинизм картинки потряс Алексея. Женщина на иллюстрации была окутана каштановыми локонами, а на ее нежном лице были мука, страх и боль. Она была странно похожа на Алену. Алексей смотрел на жену и понимал, что картинка выбрана не случайно. Что дело именно в этом сходстве. Младшие дети — Валентин и Варя смотрели с детским испугом, а старшая дочь Маша кусала губы, в ее глазах были слезы и жалость.

— Извини, Полина, я прерываю твое занятие, — спокойно сказал Алексей. — У нас с детьми осталось совсем мало времени до сна, а утром я уеду, когда они будут спать. Дай нам попрощаться и договориться о планах на следующую субботу. Дети, приходите в столовую, я привез вам хороший фильм. Сейчас вернусь.

Когда дети облегченно, со всхлипами вздохнули и радостно бросились прочь от маминой науки, Алексей подошел к столу и медленно поднял брошюру с картинкой экзекуции. Посмотрел, какое издательство это издает. Прочитал: «По заказу фонда «Благость».

— Ты не могла бы мне сказать, Полина, что это за мерзость? Что за самодеятельные позорные картинки? И как ты посмела показывать это моим детям? Ты довела Машу до слез!

— Как ты разговариваешь? — прошипела Полина. — Ты называешь мерзостью церковные брошюры.

— О нет, — сказал Алексей. — Я возьму сейчас эту книжонку, отправлю ее на экспертизу, покажу детским врачам и психологам. И получу заключение по поводу вреда, который кто-то с твоей помощью пытается причинить детским душам. И аналитики по делам религии согласятся со мной в первую очередь.

Полина попыталась выхватить у него брошюру, но он уже положил ее в нагрудный карман пиджака. А ее руку придержал.

— Подойди к зеркалу и посмотри на свое лицо. На его выражение. Я скажу тебе, когда видел такое выражение. Это было однажды. Сверкающие глаза и белые губы. Не помнишь? Я напомню. Ты тогда, первый и последний раз в нашей супружеской жизни, испытала оргазм и даже не поняла, что это такое. Ты сейчас переживала то же исступление. Но это ненормальное, фанатичное исступление. И мы оба понимаем, почему ты выбрала эту картинку с женщиной, похожей на Алену. Какая подлая, грязная месть. Дети ведь приедут к нам, они ее увидят, все вспомнят и поймут. Берегись, Полина. Я предложил тебе мирное сотрудничество ради детей. Ты приняла его на определенных условиях. Будешь нарушать, узнаешь, что такое война.

Полина посерела. Перед ней стоял враг. Она действительно допустила страшную ошибку, не отказав себе в удовольствии провести этот урок во время его свидания с детьми. Она уничтожила его чувство вины и возможное раскаяние, вызвала настоящий гнев. Полина поверила в его угрозы.

Алексей исправил настроение детей. Фильм был увлекательный и смешной. Они вместе смеялись, угадывали дальнейшее развитие событий. Простились на ночь без грусти, зная, что через неделю встретятся вновь. И будет им еще лучше, чем в эту встречу.

И он ушел в свою спальню, в свою ужасную ночь. Сна опять не было. Но был бред с мельканием чудовищной картинки, но перед глазами была не картинка с похожей на Алену натурой, а именно Алена. Он видел ее и даже слышал ее стоны. Он метался в поту, в предчувствии чего-то страшного и задыхался от чужого вожделения, которое окружало их беззащитный союз, их трепетную и уязвимую для самых грязных, агрессивных и мстительных взглядов связь. Связь, которая выше, чем сама любовь, горячее, чем само желание. Алексей ее ощущал как самую загадочную бесконечность.

Утром из машины он позвонил Сергею Кольцову и рассказал ему, какую «воспитательную» литературу заказывает фонд «Благость».

— Любопытно, — ответил Сергей. — Я посмотрю. Получается, что твоя жена связана с этим фондом не так уж случайно и эпизодически. Я без версий и подозрений это говорю. Представляю, как подобные псевдорелигиозные структуры расставляют сети для доверчивых или фанатичных людей. Эта связь становится все более очевидным фактом.

Еще один человек произнес слово «связь». Похоже на наваждение.

Глава 2
ПОХИЩЕНИЕ ПРОЗЕРПИНЫ

Наступил день, когда Максим показал часть отснятого материала аудитории. Этот самый первый показ снятого материала режиссеры называют «для пап и мам». Для актеров, фотографов, знакомых кинокритиков, представителей проката. Он еще не делил материал на части, даже еще ничего не резал. Самым главным для него было увидеть, состоялся ли эффект внедрения зрителя не в кино, но в реальность, чужую реальность, которая затягивает и тащит за собой, как светящаяся разгадка чего-то самого главного. Как влюбленность в героиню, в актрису, которая наконец дарит зрителю не только возможность перевоплощения. Она дарит ему себя, свою жизнь до капли. А снятый материал — пока документ, просто живые люди. Ни актриса, ни режиссер не знают, что им преподнесет завтрашний день.

И это явно получалось. Кружева тонкого и печального текста Алены за кадром переплетались с подобранными мелодиями, приподнимались над сценами любви, пламенели от непридуманной страсти. Эти кружева съежились от ужаса, боли и страха в сцене нападения на нее налетчиков-грабителей. Начиналось все эпизодом реальных похорон Валентина. А вместе получалось действительно нечто невероятное. Так казалось даже Максиму, создателю. Но слов для определения он не находил. После показа встал в полной тишине известный критик с седой бородкой и веско произнес:

— Я не берусь, Максим, сейчас точно сформулировать, как называется то, что вы делаете. Просто по первому впечатлению: это очень близко к шедевру. То есть ты выполняешь свое обещание. Такого напряженного психологического действия, такого интима на грани безумия, заразного для зрителя, при очень корректных, изысканных методах съемки, такого внедрения криминальной линии я, кажется, и не припомню. Если разделить все это на части, могу, конечно, привести более сильные примеры, но вместе… С эффектом документальной съемки… Нет, не назову ничего подобного.

После этой оценки говорить больше никому не хотелось. Просто вставали очень задумчивые, серьезные люди и пожимали Максиму руку.

Задержались после всех лишь Кирилл Соколов, первый муж Алены, и фотограф Коля Стоцкий, который должен был с Максимом выбрать эпизоды для рекламной «приманки».

Кирилл негромко спросил:

— Макс, ты помнишь, что я — актер по образованию и даже неплохо поработал в этом качестве до того, как занялся режиссурой?

— Конечно.

— Думаю, ты меня понял. Там был разговор о плохом первом муже. Если решишь — только свистни. Вряд ли найдешь лучшего исполнителя. Я готов пережить заново весь кошмар нашей жизни. И встретиться на площадке с этим счастливчиком-дилетантом, который ни счастливчиком, ни дилетантом не кажется. А для пиара такой скандальный выбор режиссера — это то, что надо. Взрыв мозга зрителей.

— Интересное предложение, Кирилл. Но ты понимаешь, что я должен этот вопрос решить с Аленой и ее партнером.

— Жду вашего решения. Брошу все. Так хочется примазаться к твоему шедевру, — улыбнулся грустно Кирилл. — Свои мне уже не светят. Да и по Алене соскучился, как сейчас понял.

— Последнее немного настораживает, учитывая…

— Ты хочешь, чтобы алкоголика и драчуна играл добропорядочный трезвенник-язвенник? По тому, что ты уже снял, мне так не показалось. Ты не очень-то бережешь Алену от сильных потрясений.

— Не берегу, — согласился Максим. — Она и сама себя не бережет. Но если вдруг мы решим, Кирилл, тебе придется подчиняться моему диктату, а не своим привычкам. Ты же режиссер, должен понимать, что эффект реальности получается тогда, когда все взвешено до мелочей, выверена каждая деталь. Я не знаю, что скажут, как обнимут друг друга мои герои, но я знаю, чего быть не должно. Что не впишется в ткань картины.

— Понял, шеф.

Максим протянул Кириллу руку, посмотрел ему вслед. Он прав. Еще один человек, который должен играть только самого себя. Вот почему он не вписывался в чужие идеи и стал режиссером.

С Колей Максим поработал очень плодотворно, как всегда, на одной волне. Фотограф видел всегда то, что нужно. Те кадры, которые станут не просто «заманухой», не просто посеют зерна любопытства, а смогут взять своего зрителя в плен. Именно своего, других не нужно. Разбудят умное воображение, воспалят эмоции тех, кому они даны. Один кадр Коля попросил подержать подольше, потом опять вернулся к нему, хотя он уже был отобран. Это была сцена с Алексеем в квартире, на темно-синей атласной простыне. Алена, обнаженная, была снята целомудренно: часть бедра, талия, немного грудь, запрокинутая голова, припухшие от любви губы и почти страдальческая гримаса на лице. Подбородок вздрагивает, как от боли. Алексея в кадре не видно. Лишь его руки сжимают Алену, встречаются на ее бедре, практически впиваются в нежную кожу.

— Тебе ничего не напоминает этот кадр? — спросил Коля.

Максим сначала пожал плечами, потом посмотрел свежим взглядом и неуверенно произнес:

— Какая-то картина или скульптура, да? Очень известная и знакомая, просто название вылетело из головы…

— Да, — кивнул Коля. — «Похищение Прозерпины» Джованни Бернини, гениальная скульптура. Оживший мрамор. Он сам говорил: «Я добился того, что мрамор стал податливым, как воск». Я просто вздрогнул, когда увидел этот кадр. Как ты здорово его задержал. У меня сразу мелькнула идея. Не хочу продавать это как «замануху». Я сделаю из него свой шедевр. Огромный снимок-полотно. У меня персональная выставка работ скоро. Потом будут выставки в Риме и Париже. Это будет выглядеть картиной, я назову ее «Похищение Прозерпины» и дам описание: такой-то фильм, такие-то актеры снимались.

— Здорово, — сказал Максим. — Это может получиться. Самому стало интересно. Давай.

— Я могу ее продавать, если будет хорошее предложение? Половина на твой фильм.

— Конечно. Если предложение будет хорошим, то половины слишком много, — рассмеялся Максим. — К тому же почти не сомневаюсь в том, кто тебе такое предложение сделает. Наш спонсор, он же партнер и любовник Алены. А для сюжета это такой прелестный эпизод — выставка, реакция людей, покупатели… И в этом смысле интересны именно другие покупатели, а не Алексей.

— Вот и я так думаю, — заметил Коля. — Интересны другие покупатели.

Глава 3
РВЕТСЯ НИТЬ

Сергей Кольцов вернулся из Суздаля. Он не был в женском монастыре, он пока, что называется, рыл вокруг него. Этот монастырь за чертой города напоминал маленькую крепость на огромном участке хорошей земли с полями, садами и современным офисным зданием. Парк служебных автомобилей, клерки.

Знали об этом монастыре в городе все. Праздный молодой человек, который слонялся, осматривая достопримечательности, и задавал разные вопросы, для многих стал долгожданным поводом поговорить. Скучной была жизнь провинциальных горожан, многие из которых потеряли работу и находили возможность подработать как раз в монастыре. Там требовались руки, фермерские продукты, водители, там была жизнь.

Вернувшись домой, Сергей уже точно знал, где и какую информацию нужно запросить, в какие архивы за какой период внедриться. Информация была не самая благостная. Собственно, и особенно выделяющейся она не была. Только однажды Сергею довелось увидеть подобное учреждение, к которому не было вопросов. Старый священник вложил все свои сбережения за жизнь и деньги, полученные от продажи городской квартиры, в дом для женщин-инвалидов и приют для их детей. Работал сам — с женой и двумя дочерьми. По телевизору денег не просил, ни с кого не собирал, умудрялся и лечить, и давать образование детям. Помощь принимал от фермеров продуктами, от врачей лекарствами и профессиональными бесплатными услугами, от учителей преподаванием в своей маленькой школе. Вот его, того батюшку, тряси не тряси — ничего подозрительного не нароешь. Он даже не интересен был проверяющим органам. Но фонд «Благость» выглядел несколько иначе. От этой крепости веяло бизнесом. Достаточно крутым бизнесом. Иначе и быть не могло при таких учредителях. Они реально вкладывались. Значит, есть смысл. И возможность объяснить этот смысл верой.

В общем, еще не ниточка, а ее предощущение точно.

Первым пунктом в плане действий с утра у Сергея значился архив местного суда, где пару лет назад в закрытом заседании рассматривалось какое-то скандальное дело, касающееся фонда. Жители города знали мало: охранники монастыря — а это приличная такая гвардия — отгоняли тогда любопытных и журналистов за версту от здания суда.

А пока Сергей пил холодное пиво и задумчиво смотрел на телефон. Его жена Настя с сыном Олегом сейчас на симпозиуме в Калифорнии. Настя вернулась к своей прежней профессии. Вдруг решила, что адвокат — это больше не ее призвание.

Сергей слишком хорошо понимал, когда и почему возникло это решение. В начале их совместной жизни Настя хотела быть с ним рядом всегда и во всем. Они и были настолько рядом, что близость казалась вечной и защищенной от всех разрушительных бед. Беды и не случилось. Мелькнула тень. И Сергей надеялся, что Настя так к ней и отнесется, как к тени в солнечный день. Тень просто проходят, идут дальше, взявшись за руки, как собирались. Ведь не было ни измены, не было нарушенных обещаний, даже озвученных слов — не было.

А что было... То, что называется и объясняется простым словом «наваждение». То, что появляется ниоткуда, исчезает в никуда. Ни от кого не зависит, ничему не подчиняется, крутит людей по своему плану. Вот что называется наваждением. Появилась у Сергея клиентка. И дело было не в ее красоте, хотя она была необычайно красива. Женщина по имени Берта обладала магической притягательностью для всех, кто ее окружал. Эффект был усилен тем, что она сама об этом не догадывалась, просто не задумывалась. Ей было не до того:

она попадала из одной истории в другую. Сергей, Земцов, эксперт Масленников, вся их команда была по уши в делах по разгребанию опасностей, созданных на пути Берты. И слишком поздно все заметили, как далеко завели их сочувствие, жалость и тревога. Даже мудрый и все знающий Масленников не смог объяснить, как это возможно: целый коллектив сильных, стойких, опытных и порядочных мужиков пали жертвой гипнотического влечения к одной и той же женщине. Этого не заметила только сама Берта. И они долго друг перед другом пытались это скрыть. А жены, их прекрасные, умные, преданные жены, — все прочитали как по бумаге. При этом ни одна из них Берту не видела. Дело то закончилось. История была кровавая, с потерями, но те, кто выжил, вернулись к обычной жизни, к обычным отношениям[1]. После боя главный приз — это семейный уют и тепло. Прочный тыл.

И только Настя не оттаяла. Прошло много времени, но доверительность не вернулась в их союз. И объясняться было бесполезно, понимал Сергей. Настя знала, что Берта — женщина другого мужчины, что у нее с Сергеем ничего не было, что она даже не знала о том, что стала проблемой в чьих-то семьях. Для Насти имел значение лишь один факт: Сергей не устоял. Пусть тайно, пусть пытался скрывать даже от себя, но он не устоял. И потеряла смысл профессия, которая приблизила Настю к мужу так близко, что они стали практически одним целым. И умерла иллюзия. А Настя была таким строгим ученым, что для нее иллюзия была конкретной величиной. Она включила ее в уравнение их судеб. Вот

[1] Подробнее об этом в романе Евгении Михайловой «Плата за капельку счастья».

и уехала она с Олежкой, сыном, в другую страну, в свою профессию, к своим коллегам. Ей с ними было теперь проще и яснее, чем с Сергеем. И с этим ничего не поделаешь.

Звонила она редко, программа там была плотная, к тому же разница во времени. А разговоры стали короткими и прохладными. Сергей грустил, ему было одиноко и тоскливо в своем, таком звонком и радостном недавно доме. Даже собак забрала на время его мама за город, потому что ему некогда за ними ухаживать. Но самой большой проблемой была непреклонность его нежной и мягкой жены. Тот самый случай. Настя — кроткая. Но на отмену приговора надеяться нечего. Она не знает пути назад. А как жить с доверчивым человеком, который перестал тебе доверять и не собирается себя ломать?

Такая тяжесть повисла на сердце у Сергея, что даже пошутить давно и ни с кем не хотелось. Он задумчиво прошелся по комнатам, заглянул в бар. Там пусто. Выйти за выпивкой было жизненно необходимо. И тут раздался звонок.

Настя была верна себе. Сказала четко, как на лекции по физике:

— Сережа, я встретила здесь сокурсника. Леню Комарова. Мы поняли, что любим друг друга. Еще со времен студенчества. Просто не осознали этого раньше. Мы чувствуем друг друга. Я чувствую то, что ушло у нас с тобой. Прости. Я остаюсь с ним. Он живет в Калифорнии. Олег согласен жить с нами. Он тебе потом позвонит. Надеюсь, ты не будешь против.

— О чем ты, Настена, дорогая. Как я могу быть против?..

Сергей очень хотел пошутить, но у него не получилось. У него с трудом получилось не заплакать. У железного ковбоя-сыскаря глаза ослепли от слез. Он шел в магазин за выпивкой, сгорбившись и шаркая ногами, как старый, контуженый солдат, брошенный всеми на чужой земле. У него ничего не осталось! У него рвалось сердце. Но он не хотел, чтобы Настя передумала и вернулась. Теперь и он не сможет забыть вот это. Как его бросили одного на ставшей сразу чужой территории. Это предательство. Это незаслуженно жестокий приговор. Он тоже сумеет не простить. А вот о сыне, об Олежке, думать невозможно. Мозг взорвется.

Позвонил телефон, и Алексей спросил:

— Как съездил, Сережа? Не нашел ниточку?

— Ищу, старик. Просто сам сейчас в таком чертовом тупике, где рвутся, трещат и почему-то болят все нитки, которыми сшит мозг... Рвутся, а обрывки не могу собрать, выбросить и забыть.

— Что случилось?

— Бросили меня жена и сын. Только это. А так все в порядке. Сегодня пью, завтра работаю с удвоенной энергией. Появится злость. Больше нечему у меня появляться.

— Знаешь, что я тебе скажу, — произнес Алексей. — Самое страшное — это темнота и недосказанность. Я теперь — за падение, если в конце свет. Держись. Мы нужны друг другу. Если понадобится помощь, я рядом.

— Спасибо, друг, — немного удивленно сказал Сергей.

Он неожиданно услышал именно то, что ему было необходимо.

Часть пятая
ПРЕДАННОСТЬ

Глава 1
БОЛЕЗНЬ АЛЕНЫ

После побывки Алексея в своем бывшем доме Алену начали мучить сны-кошмары. Она все время куда-то бежала, уворачивалась, пряталась от кого-то. Но разные люди ее находили, чужие руки останавливали, чужие глаза преследовали. Она напряженно пыталась рассмотреть этих людей, но лица были не видны, голоса звучали глухо, как и бывает во сне. Алена просыпалась и понимала, что видела во сне кого-то знакомого. Кого-то, кого знала хорошо, но напрочь забыла, что их связывало. А эти глаза, руки, плечи, даже звук голоса, приглушенный сном, — это рассказ о чем-то важном. Именно о том, что все просят ее вспомнить.

В то воскресное утро, когда Алексей вернулся к ней после свидания с детьми, она вышла на звук открываемой входной двери, не до конца проснувшись, не успев выбраться из странного плена. Алексей с тревогой взглянул в ее не сонные, а какие-то смятенные, затуманенные глаза, увидел страдальчески сжатые, опаленные внутренним жаром губы.

— Ты здорова, Алена?

— Да. Наверное. Просто сон. Ночь напролет от него отбиваюсь. Он прилип ко мне, такая напасть.

Алексей ласкал и баюкал ее целый день, как ребенка. Опять ловил себя на мысли, что такой нестерпимой нежности никогда не испытывал даже к своим детям. Никто не испытывал. Мужчины — точно нет. Мысль о том, что она так страдала из-за маленькой разлуки с ним, доводила его любовь до маниакальной преданности. Он не представлял, чем и как сможет на это ответить. Они все время говорили о том, как хорошо, что до следующей разлуки целая неделя. Что это будет уже привычно и не страшно. А теперь ничто их не разъединит до утра.

Они провели счастливый день, томительный вечер, уплыли в знойную ночь... А потом, перед рассветом, Алену потащил куда-то ее мучитель-сон. Она металась и стонала рядом с Алексеем, и ему казалось, что ее терзает какой-то невидимой демон. Алексей чувствовал ее страх, безысходность, тоску и боль. Он будил ее, она дрожала, с трудом пробиралась сквозь невидимые препятствия к нему, прижималась, облегченно и глубоко дышала, спасалась его теплом. И опять засыпала, исчезала, проваливалась туда, где он не мог ей помочь.

Так продолжалось несколько дней. Стало ясно не только Алексею, но и Максиму, что с этим нужно что-то делать.

— Она на пределе, — сказал Максим. — У нее всегда слишком тонкая кожа, но сейчас ее нет совсем. В таком состоянии человек работать не может. А нам надо начинать настоящие съемки — с операторами, под камерами, в том числе и в павильонах. У вас все нормально?

— У нас все по-прежнему. Просто Алену мучают кошмары по ночам. Она не может их расшифровать. Мы слишком загрузили ее просьбами кого-то вспомнить. Все требуют этого. Она очень ответственная. Мне кажется, в ней что-то сломалось. Я думаю, пора обратиться к врачу.

Дома Алексей признался Алене, что очень встревожен. Что у нее может быть нервное расстройство и они теряют время.

— Давай я узнаю, к кому с этим можно обратиться. Ты согласна?

— Понимаешь, — ответила Алена. — Я, конечно, с этим не справляюсь, даже если речь о простом переутомлении. Но я уже думала, как общаются с психотерапевтами. Им надо все рассказать: когда, из-за чего, что именно мучает и т.д. Ты представляешь, как я смогу объяснить все, что с нами произошло и происходит, рассказать это чужому человеку? Так, чтобы он понял, поставил диагноз и сумел помочь? «Доктор, я должна вспомнить, кто ненавидел меня и моего мужа настолько, что захотел его убить...» Так, что ли?

— Да... Сложно представить врача, который бы в этом разобрался... Может, нам посоветоваться с Сережей? У следствия, наверное, бывают подобные проблемы.

— Посоветуйся, — неуверенно согласилась Алена. — Я уже хотела попросить у Максима отпуск. Отвлечься, отоспаться. Но потом поняла, что это не выход. Будет только хуже. Я ведь пробовала принимать и антидепрессанты, и снотворное... Но я боюсь засыпать! Я не отвлекаюсь. Дело именно в этом. Не держать же мне себя под наркозом. А у психотерапевтов тоже ничего, кроме пилюль, нет.

Сергей не думал ни минуты.

— Масленников, — уверенно сказал он. — Тут в принципе не может быть вариантов. Я, конечно, не профессор медицины и не гений, в отличие от него, но и мне понятно, что в Алениных кошмарах может быть разгадка, ответ на какой-то вопрос. Ее мучает то, что она сама себе мешает вспомнить. Значит, что-то есть...

Глава 2
СИСТЕМА МАСЛЕННИКОВА

Александр Васильевич приехал к Алене домой, когда Алексей был на работе. Они пили кофе, разговаривали обо всем, что не являлось проблемой, приближались друг к другу для того, чтобы вместе эту проблему рассмотреть.

Алена, глядя на гостя, думала, что этот человек меньше всего похож на врача. И совсем не похож на психотерапевта, разговорчивого, все знающего о других, успокаивающего или пугающего пациента как окончательного психа. Перед ней сидел суровый и сосредоточенный ученый, воин, мученик, опаленный чужими бедами и скованный льдом огромного количества смертей. Все это объединялось его профессией: эксперт. Его пациенты уже ничего не скроют: он видит их, как невозможно увидеть живого человека. Он — первый, кто принимает посмертные тайны. Он — их хранитель, может быть, даже мститель. Но способен ли такой человек понять живую женщину, которая сама перестала себя понимать?..

«Какая женщина, — грустно думал Александр Васильевич. — Какая дивная, прелестная, нежная и доверчивая женщина. Она создана ровно такой, в каких влюбляются чудовища. Таких, как она, любит преследовать судьба. Соблазн в чистом виде, не отдающий себе отчета в том, насколько это опасно, даже не сознающий, что он — соблазн».

Масленников это понял еще тогда, когда впервые увидел ее, облитую смесью с гипсом, когда она появилась под горячими струями, как ожившая статуя.

— Алена, — улыбнулся он, — а теперь давайте займемся тем, что так любила моя деревенская бабушка. Начнем рассматривать ваши сны.

Еще пять минут назад, когда Алена смотрела на его замкнутое лицо с жесткими чертами, проницательным взглядом, ей казалось, что это невозможно — рассказать этому человеку свои сны. В них на Алену дышали агрессией и похотью. В них ловили ее наготу, которую она безуспешно пыталась прикрывать то одеждой, то ветками деревьев, травой, водой. Как объяснить такому человеку, что она, адекватная, порядочная женщина, не помнит каких-то людей, которые точно пересекали ее жизнь. Что ее наяву так не тревожило ничье отношение. Во всяком случае, она этого не помнит. Может, у нее амнезия? Но она только сказала:

— Я даже не знаю, как мне начать…

— Я знаю, — сказал Александр Васильевич.

Он попросил ее пересесть в мягкое, глубокое кресло, поставил напротив свой стул, велел закрыть глаза и сжал ее запястья сильными прохладными пальцами. Он как будто ловил ее пульс на двух руках. И тихо, мягко произнес:

— Работаем, Алена. Так говорят ваши режиссеры? Вы засыпаете. Вы одна. Вы еще слышите мой голос, но вы уже видите того или тех, кто вас ждет во сне, кто сейчас попытается вас поймать…

И Алена, как послушная актриса, исполняя волю режиссера, стала вызывать свой сон из ночи в белый день, чтобы рассмотреть его вдвоем с помощником. За закрытыми ресницами поплыли улицы, деревья и вода, она терялась в безликой толпе, по-детски надеялась, что ее не видно за чужими спинами, но…

— Ох, — застонала она и открыла глаза. — Вот он. Один из них. Он меня нашел в толпе. Схватил за руку. Он спросил: «Ты где?» Голос глухой, как бывает, когда его специально глушат, чтобы не узнали.

— Вы в первый раз его видите во сне?

— Нет. Он появляется часто... Его легко отличить от других. Их всего трое, тех, от кого я убегаю.

— Отлично, — спокойно произнес Александр Васильевич. — Держите этот образ перед внутренним взглядом. Не отпускайте. Старайтесь рассмотреть не в целом, а какую-то характерную деталь, что-то, что отличает этого человека.

Алена замерла и напряженно, почти не дыша, просидела минут десять. Потом выдохнула.

— Синий луч. Его отличает и пугает меня синий луч.

— Дальше.

— Это взгляд. Он прячет лицо и поворачивает голову ко мне, продолжая стоять почти спиной. Но взгляд, как нож. Холодный безжалостный нож. Я, кажется, узнаю его... Сейчас, вот падает туман, немного приоткрылось лицо... Подбородок... Такой я видела один. Да. Это Александр! На свете есть, наверное, только один человек с такими холодными, ярко-синими глазами. Это Александр Кивилиди. А эта толпа и вода... Это Венеция. Я там с фильмом на фестивале...

Голос Алены замер, ее руки в руках Масленникова обмякли и застыли. Она потеряла сознание.

Пришла в себя на кровати. Масленников стоял рядом и продолжал держать ее запястье.

— С возвращением, Алена. Вы сделали почти невозможное. Вы преодолели тот блок в памяти, который ставит в качестве защиты спасающая себя психика. Вы так избавлялись от слишком тяжелого воспоминания.

Вероятно, это ваша система. Благодаря ей вы и остались человеком уравновешенным, сдержанным. А испытания вас не оставляли, похоже, в покое никогда. Но мы вытащили из вашего сна одного фигуранта. Это Александр Кивилиди, с которым вы встретились в Венеции во время кинофестиваля. У него синие глаза. А теперь я сделаю вам успокоительный укол. Дождусь, пока приедет Алексей, которому я позвонил, а мы с вами продолжим в другой раз. Вы сегодня будете спокойно спать. Вы очень утомлены. Я, как говорят шарлатаны, даю вам установку. В отличие от них, мои пожелания исполняются. Алексей приготовит вам горячий ужин. Выпейте хорошего вина. Думайте о том, что вам приятно.

— Мне приятно, — устало прошептала Алена. — Мне приятно думать, что сейчас приедет Алеша и что вы не оставите меня одну, пока он не приедет.

Глава 3
АЛЕКСАНДР КИВИЛИДИ

На солнечной поляне густого дикого сада сидел в шезлонге плотный широкоплечий мужчина с обнаженным торсом и босыми ногами, которые он топил в еще по-утреннему прохладной траве с каплями росы. На столике перед ним был открыт ноутбук, стоял бокал красного вина, дымилась трубка. А мужчина смотрел, не щурясь, на белые облака. И во время этого идиллического занятия его большие широкие ладони были сжаты в кулаки. От этого человека любой бы не сразу отвел взгляд. В юности он мог бы позировать для статуи Давида, но он возмужал и стал намного интереснее и значительнее, чем Давид. Мраморный юноша вообще сильно проигрывал по сравнению с вызывающей естественностью и жизненной силой этого мужчины: пропорциональное тело, мускулы на груди, руках и плечах, крепкая шея. Идеальной формы голова могла принадлежать только мужчине. И любой взгляд остановился бы на его лице. На совершенно необычном лице. Под жестким темным ежиком волос — низкий, широкий лоб с резкими морщинами. Темные брови оттеняют смуглые тяжелые веки с кромкой коротких и густых черных ресниц, из-под которых неподвижно, холодно и беспощадно смотрят глаза удивительного, ярко-синего цвета, которого, кажется, в чистом виде и в природе не бывает. Правильный нос, красивый рот — твердый и выразительный. И скульптурный подбородок с очень глубокой ямочкой посередине — признаком решительности и целеустремленности.

Таким создала природа Александра Кивилиди, магната, известного своим талантом выгодно вкладывать родовое состояние, и покровителя искусств. Его небольшой одноэтажный кирпичный дом на юге Франции был похож на него самого — такой же завершенный, строгий, пропорциональный, лишенный недостатков, бахвальства и всего того, что говорит о плохом происхождении и дурном вкусе. Вкус Кивилиди для многих был критерием.

Одного не дала Александру столь щедрая природа. Покоя. Он смотрел на утреннюю нежность во всем, слушал тонкую услужливую тишину и несмелое чириканье птиц, а глаза то и дело темнели от каких-то мрачных мыслей, красивые зубы, не знавшие дантистов, то и дело сжимались, как будто готовились к оскалу, проверяли свою силу.

На столике позвонил его айфон. Александр посмотрел на дисплей и небрежно бросил телефон обратно.

Рот дернулся в раздражительной и брезгливой гримасе. Ее никогда не видели люди, с которыми он встречался на приемах и фестивальных торжествах. Он выделялся, по отношению к нему все невольно соблюдали дистанцию. Но его лицо было всегда в меру доброжелательным, а улыбка — открытой. Только тот, кто имел редкую возможность увидеть его в одиночестве, когда он думает, что на него уже не смотрят, тот не мог не понять, что это страстный, жестокий, беспощадный человек. Скорее всего, не только по отношению к другим, но и к себе самому.

Александр поставил на колени ноутбук, сосредоточенно поработал около часа. Потом допил вино, отодвинул погасшую трубку, встал, сделал глубокий вдох, после него пару упражнений для дыхания и кровообращения и вошел в дом. Справа за огромным холлом, который казался почти пустым — только самая необходимая строгая темная мебель, — были ванная, тренажерный зал и большой бассейн. Александр прошел туда босиком по черному мраморному полу, открыл дверь, оказался перед зеркальной стеной между ванной и бассейном, остановился, глядя на свое отражение. Смотрел исподлобья, сурово, как на чужого человека. Потом медленно расстегнул шорты, они упали у сильных ног с совершенно плоскими ступнями, а их обладатель прижал руку к мускулистому животу, затем провел ею до бедер. Его плоть напряглась, а красивый рот изогнулся, как от боли или страдания.

Это было тоже зрелищем для одного. Он сам себе казался не человеком, а опасным животным, самцом, которого человеческий мозг укротить не всегда сможет. Или никогда не сможет. Его собственный, организованный, развитый мозг. Александру хватало власти, которую он имел. Он мог ее расширить и укрепить в любой момент, если понадобится. Ему не всегда подчинялись лишь его мысли и тело. И это обстоятельство вызывало ярость. Это был изъян природы, считал Александр. Ущербность, о которой никто не догадывается. Он тяжело нес свой единственный изъян. Как и свой единственный физический недостаток, от которого за день ужасно уставали ноги. Это вовремя не исправили в детстве — плоскостопие.

Не исправили, потому что в его семье было все, кроме покоя. Его родители — тоже слишком красивые, богатые и знаменитые люди — превратили свои жизни в существование на действующем вулкане. Страсти, громкие скандалы, романы на стороне, ревность, драмы, восторги примирения. А ребенок…

«Так он же хорош, как бог, — говорила мама. — И умнее всех нас. Он совсем не требует внимания. Абсолютно самодостаточный человек». Они и сейчас так живут, его отец и мать. Правда, уже порознь, повторяя пройденное в другом составе. А от состояния династии благоразумно отказались в пользу Александра. Им хватит того, что осталось, на прожигание не только своих жизней, не на одно столетие. Так позаботились о потомках предки Александра Кивилиди — греческий миллиардер и русская дворянка.

Да, он взрослел сам. Привык доверять лишь собственному опыту. Он ничего не забывал. Он умел прятать страдания и тоску одиночества. Но его опыт был опытом боли. Оттуда, из холодного детства, его особый вкус. Изысканный, требовательный и до чопорности суровый. У него были одинаковые требования к жизни и искусству. Ему нравились четкость и строгость в линиях, характерах, сюжетах, во внешности и эмоциональных проявлениях. Все «красивости», смазливости, все, что слишком бросалось в глаза и вливалось в них медом, вызывало отторжение или даже брезгливость Александра. Ему нравились серьезные, вдумчивые, резковатые и категорически не смазливые и не соблазнительные актрисы. Он выбирал и таких женщин. Он испытывал влечение лишь к сильным, загадочным, что называется, интересным женщинам. Его жена, с которой он никогда не жил одним домом, — именно такая. Высокая, с правильным худым и серьезным лицом, со спортивной, как у юноши, фигурой. Кристина была сложным, прямолинейным и уверенным в себе человеком.

Александр прямо взглянул в синие глаза своего отражения, вспомнил такие же глаза матери, горячие темные глаза отца, от которых сходили с ума бесконечные женщины, и вынес очередной приговор всему, что называется «красота». Это обман и ловушка. Это враг людей, детей, свободы. Этот враг заслуживает казни. Вот что для Александра самая четкая очевидность. Но, оказывается, человек так слаб, даже если он силен, как Александр... Этот человек был однажды повержен совершенно... Что значит был. Такое себе не прощают.

В почти ледяную, специально охлаждаемую воду бассейна Александр вошел после прыжка, как акула, резко, почти бесшумно, и долго не появлялся на поверхности. Возник уже у противоположного бортика.

К столику в саду вернулся в джинсах и белоснежной майке с чашкой кофе в руках. Там его уже ждал помощник и администратор Влад Тарло, человек с тонким, ироничным лицом, в больших затемненных очках не для защиты зрения, а для того, чтобы не видеть лишнего.

Это был беглец из разных стран в поисках свободы. Волюнтарист, эстет, с большими тайнами в прошлом. Он подошел Александру сразу. И не только потому, что был прекрасно образован, имел сильный и выдержанный характер, хорошее чутье и знания в самых неожиданных областях. Александру понравилось, с каким достоинством Влад несет свое прошлое, свои грехи, о которых можно только догадываться. Но Александр не собирался ни догадываться, ни рыться в прошлом человека, на котором остановил свой выбор. Этот выбор решал все. Александра не мог привлечь обычный или не достойный уважения человек. А Влад такой, что бы ему ни приходилось скрывать. Понятия о нравственности и морали у Александра были свои: они очень отличались от общепринятых.

Александр поставил перед Владом свою чашку с кофе, сходил за другой. Постоянной прислуги он в доме не держал. Чужие люди в доме — это уже не совсем твой дом, считал он. Собственно, он так считал и по поводу постоянного присутствия жены.

— Я, кажется, нашел нового начальника охраны для нас, — сказал Влад. — Все, как ты любишь. Эмигрант: жил в России и на Кипре. Офицер двух армий. Юридическое образование. Нелюбовь к любому государству и службе на него. Не женат. Был владельцем охранного агентства в России. И такое «но». Привлекался к суду за превышение полномочий, короче, за убийство. Был оправдан за недоказанностью, но на самом деле он убил. Потому и уехал сразу после суда из страны. Могу получить всю эту историю в подробностях. Или отказать? Я не слишком обнадеживал парня.

— Ни в коем случае не отказывай. И подробности мне не нужны. Не вижу в этом «но». Пусть приходит. Если мне понравится, возьмем.

Глава 4
ГИПСОВЫЙ СЛЕД

Банк «Авангард» засек один вклад. Деньги принесли наличными. Они оказались купюрами, вынесенными во время налета на съемочную квартиру Максима Дымова. Об этом служащие сообщили следствию, которое разослало запросы во все финансовые структуры. Так повезло следствию с банками. И в том, где Максим получал деньги, и в этом оказались современные счетчики купюр, которые считывают и номера. Земцов велел никому не сообщать, особенно владельцу, и позвонил Кольцову:

— Скучаешь, друг? Лови ниточку.

— Поймал, — серьезно сказал по-прежнему бесконечно грустный Сергей.

Он положил трубку, тяжело вздохнул, но поднялся с дивана охотно, как отрываются от позорного столба, как уходят с лобного места. Труднее всего человеку нести крест предательства. Это такая давящая со всех сторон тяжесть, что тут не до элегических проводов любви. Тут уйти бы от разъедающей душу обиды, зализать бы горящую рану унижения, подавить бы в зародыше рождающуюся ненависть к той, которая вот так, ни за что отобрала самое главное у мужчины — его сына. Лишь сейчас, в этой ситуации Сергей понял, что он относится к категории мужчин, сориентированных на ребенка, а не на женщину, которая его родила.

«По коням», — дал он себе печальную команду, допил последний глоток холодного горького кофе и вышел из квартиры.

Вкладчиком найденной суммы оказался московский пенсионер Василий Анатольевич Крымов. Очень скоро Сергей выяснил и происхождение суммы. Эти деньги Крымов получил наличными, продав свою дачу на Каширском шоссе: хороший каменный дом. Покупатель — мигрант из Таджикистана Алижор Джураев, бригадир дворников жилищно-коммунальной конторы одного из микрорайонов Москвы.

Крупный черноглазый парень смотрел на Сергея исподлобья, напряженно.

— А что надо, я не понял? Я купил для жены и родителей. Я накопил. А какое дело?

— Это действительно не мое дело, — спокойно объяснял Сергей, — что и для кого вы покупаете на заработанные и накопленные деньги. Просто такие обстоятельства. Именно эти деньги, эти бумажные купюры накопить было невозможно. Они были украдены, и мы можем доказать, что они были украдены. Что вы скажете?

— Ничего. Откуда я знаю, какими деньгами мне платят за работу.

— Не стоит хитрить. Вы меня прекрасно поняли. Вам могут теоретически заплатить и крадеными деньгами, и в этом случае я сейчас пошел бы проверять ваших работодателей. Но вы никогда не получали сразу на руки такую сумму. Несколько миллионов рублей. По молчанию понимаю, что сейчас вы не можете мне ответить. А я не могу вас оставить одного, чтобы дать возможность связаться с кем-то. Как частный детектив не имею полномочий никого задерживать. Поэтому мы остаемся на время вместе, я позвоню в отдел и будем ждать, пока за вами приедут, Джураев.

— Это у вас называется — не можете задерживать?

— Это у нас с вами так называется: нам нравится наша беседа.

Сергей продолжал сидеть на стуле в подсобке ДЭЗа, а парень вдруг рванулся к двери. Сергей прыжком его догнал и вывернул руку.

— Напрасно ты это. Невиновному или обманутому человеку не от чего бежать. Успокойся. Ты пока просто свидетель.

Когда Джураева увезли, Сергей поехал по адресу купленного им дома. Ворота открывались легко. В саду были натянуты веревки. Молодая таджичка развешивала на них цветастое постельное белье. Оглянулась на Сергея приветливо:

— Кого ищешь?

Сергей показал удостоверение.

— Думаю, вас. Как вас зовут?

— Зоя.

— А на самом деле?

— Умалат.

— Такое дело, Умалат. Ваш муж Алижор Джураев задержан как свидетель по одному делу. Ничего страшного. Он просто вспомнит и прояснит кое-что. С кем вы живете в этом доме?

— Сюда приедут родители Алижора и наши дети. А пока вдвоем.

Сергей с сомнением посмотрел на огромное количество простыней и пододеяльников. В это время за забором зафырчал старый автомобиль, и во двор вошли четыре парня. Они несли тюки и сумки в клетку.

— Это друзья, — быстро сказала Умалат. — Помогают с переездом.

Сергей поприветствовал друзей, представился, переписал их имена-фамилии и распрощался.

— Когда придет Алижор? — крикнула ему вслед Умалат.

— Думаю, он вам позвонит, если задержится, — ответил Сергей.

Глава 5
ВОЗВРАЩЕННОЕ ВОСПОМИНАНИЕ

Алена испытывала сожаление от того, что время ее туманных блужданий в спасительной амнезии закончилось. Воспоминания вернулись в такой яркой откровенности, в таких беспощадных деталях, что именно это стало болезнью. Отпуск, данный ей Максимом, оказался как нельзя кстати. Дело даже не в том, что она не могла работать. Дело в том, что вспоминать все это возможно лишь в одиночестве. И даже Алексею нельзя при этом присутствовать. При рождении правды, от которой Алену когда-то радикальным способом спасла собственная психика. Заблокировала что-то, возможно, навсегда. Но так повернулись обстоятельства, что блок снят. И от того, что было, уже не уйти.

Венеция в то лето была самым большим экраном на свете. Она переливалась нарядами и драгоценностями, ликовала аплодисментами, кружила головы шампанским и сладким вином под томительный запах глубокой вечной воды.

Алена привезла с собой несколько недорогих платьев, которые невероятно ей шли. И когда она заметила, что привлекла внимание жюри, публики и журналистов, то легко вошла в эту роль, как в любую другую. Она играла актрису, нежную, обольстительную, такую, которую так любили снимать ее режиссеры. Они привезли на фестиваль по-настоящему откровенный, эротичный и в то же время психологически напряженный и глубокий фильм. Ясно было, что какой-то из призов им обеспечен. Шансы на то, что Алена получит приз за лучшую женскую роль, были тоже высоки.

На одном из приемов к столику Алены и режиссера подошел директор фестиваля и его главный спонсор Александр Кивилиди. Алена в первый раз увидела его так близко и внутренне ахнула. Такой яркой и необычной внешности она никогда не встречала.

Он поцеловал Алене руку, подвинул к себе стул и сел рядом с ней. Просто говорили, шутили. Алене было очень легко общаться с ним, тем более что он говорил по-русски свободно. До конца фестиваля оставалось четыре дня. Поэтому, прощаясь, Александр сказал:

— Надеюсь, мы еще встретимся, поболтаем. Не успеем — буду всегда рад вашему приезду. Если появятся подходящие для вас предложения — дам знать. Вы меня заинтересовали. Ускользающий, если не сказать, вымирающий тип женщины. Женщина-видение, мираж, ловушка, омут для мужских страстей. Сразу скажу, что я делаю ставку на другой тип актрисы. Но широкая публика жаждет ловушки. Так что не прощаюсь с вами навсегда.

Такие обычные для хозяина кинопраздника слова. Приятно, но Алена понимала, что он примерно то же самое сказал десятку актрис, которые заинтересовали его как бизнесмена. О Кивилиди говорили, что он вкладывается только в стопроцентно верные проекты.

Так они познакомились, и Алена была уверена, что в этот приезд они больше не встретятся.

На следующий день на нее свалилось другое событие. Приехал в Венецию бывший муж Кирилл. Как зритель. Поселился в том же отеле, что и Алена, в первый же день появился на улице нетрезвым. И сразу стал искать ее. «Искать Алену» — это была такая кондиция алкогольного опьянения у Кирилла. Для Алены это был удар. Здесь от него не спрячешься, трудно даже разминуться. Алена была в постоянном напряжении. Ее даже перестали интересовать результаты. Их можно узнать и в Москве. Она боялась скандала, какой-то ужасной сцены. Кирилл не мог проделать столь дальний путь без этой цели — напомнить ей о себе самым чудовищным образом, превратить ее праздник в свое дурацкое шоу. Она попросила режиссера, чтобы он отправил ее в Москву под каким-то предлогом. Тот отказался.

— Слушай, до каких пор этот козел будет топтать твою жизнь, как посудную лавку? Он это делает, потому что ты на него реагируешь. Забей.

Легко сказать. Как объяснить нормальному человеку, что такое животный страх женщины перед уже известным ей насилием и унижением? Кирилл способен на все: ударить ее при всех, оскорбить, налететь на ее спутников. И Алена решила оставшиеся дни ходить одна. Даже время обеда поменяла. Объяснила это тем, что у нее такая диета с отдыхом в определенные часы. Все поняли, конечно, в чем дело на самом деле.

Так внешне спокойно прошли еще три дня. Алена умудрилась пойти одна и с опозданием даже на оглашение результатов. Сбылись их самые смелые мечты. Фильм получил специальный приз прессы, Алена — приз за лучшую женскую роль. Награду вручал ей Александр Кивилиди. Он сказал какие-то красивые слова, вручил награду, легко обнял ее и шепнул рядом с ухом «bella».

На банкете Алена какое-то время старалась незаметно смотреть по сторонам в ожидании Кирилла. Для нее было совершенно очевидным: он оставил свое шоу на этот, столь важный для нее вечер. Для того и приехал. Но его все не было. «Наверное, напивается для большего эффекта», — решила Алена. Сказала режиссеру, что у нее разыгралась мигрень, и побежала по темной, пустынной улочке к отелю. Пока Кириллу придет в голову, что Алена ушла с банкета, она успеет забаррикадироваться в номере.

Алене осталось пройти буквально пару метров до входа в отель, но ее схватили за руку сзади.

— От меня бежишь, девочка дорогая?

Кирилл дышал ей в лицо алкоголем, явно не вином, а русской водкой, улыбался пьяно и омерзительно. Как же она ненавидела эту улыбку. Мокрый, красный, вялый, растекающийся рот, блестящие глаза идиота. Тот, кто видел его пьяным, никогда бы не поверил, что это очень неглупый и талантливый человек. По своему несчастному опыту Алена знала: главное, сдержаться. Не злить его, попытаться уговорить, как-то поторговаться. Вдруг ей повезло и он пропил все деньги. Она бы ему предложила.

— Нет, не от тебя, Кирилл, — сказала она спокойно. — Просто устала, была напряженная программа. Хочу отдохнуть перед дорогой.

— А я хочу тебя поздравить с наградой. Смотрел. Действительно супер. Но я бы снял тебя лучше.

— Спасибо. Поздравил. Я пойду?

— Как-то ты неприветлива. Я хотел по-настоящему поздравить. Пригласи к себе.

И он в довершение этих ужасных для Алены слов посмотрел на нее таким похотливым, нечеловечески отвратительным взглядом, так по-хозяйски провел ладонью по ее декольте, что она потеряла самообладание.

— Пошел к черту, пьяная ты скотина! Ты пришел поиздеваться в этот важный для меня день. Отравить его, как ты отравил мою жизнь. Пошел вон, грязный, подлый ты придурок!

Говорить этого не нужно было, конечно. И Алена отлично знала, что за этим последует. Но это уже неотвратимое развитие событий. И она себе не хозяйка, она, как всегда, приближает свой кошмар.

Он бил ее по лицу, рванул на груди ее самое нарядное платье. Она не удержалась на ногах, упала. Кирилл занес над нею ногу...

А дальше все было, как в чужом кино. Сдавленный стон Кирилла, звук падающего тела, и Алену, почти потерявшую сознание, уносят чьи-то сильные руки.

Она пришла в себя в роскошном номере на широкой банкетке в холле. Над ней склонилось ослепительно красивое мужское лицо. Алена не сразу поняла, что это Александр Кивилиди.

— Все хорошо, bella, — сказал он. — Я так понимаю, мы имели небольшую неприятность встретиться с вашим бывшим мужем. Теперь все в порядке. Он успокоился. Придет в себя не раньше утра. И его сразу посадят на самолет в Москву.

— Как вы все узнали?

— Легко. Подошел к вашему режиссеру, чтобы спросить, вернетесь ли вы на банкет. Хотел выпить за вашу победу с вами по бокалу очень хорошего шампанского. Специально его заказал. А режиссер мне рассказал про вашу несуществующую мигрень. Оказывается, вы просто прячетесь от бывшего мужа, чтобы не произошло то, что произошло. Секрет Полишинеля это оказался. Я успел вас догнать. И поучаствовать по мере сил.

— Спасибо. Мне так стыдно.

— Не надо говорить ерунду. Не надо даже ее думать.

— А мы в моем отеле?

— Да, он и мой заодно. Этот номер за мной всегда.

— Тогда я пойду к себе. Приведу себя в порядок, приму ванну, выпью успокоительное.

— Можно и так, — сказал Александр. — А можно иначе. У меня не одна ванная. И есть все, включая халаты всех цветов и размеров, успокоительное тоже найдется. Но оно может и не понадобиться. Я захватил с собой то шампанское, которое хотел распить с вами за вашу блистательную победу.

— Но я в таком виде... У меня, наверное, разбитое, опухшее лицо.

— У вас прекрасное лицо. Слишком прекрасное, на мой вкус. И мне хочется сегодня его видеть. Подарите такую возможность.

Так начиналась та ночь И надо было Алене уйти. И не было бы беды, от которой она прячется всю жизнь.

Она пошла на кухню за очередной таблеткой снотворного. Ей хотелось спрятаться в сон от Алексея, который должен скоро вернуться. Потому что та безумная, самая яркая и самая больная в ее жизни ночь жарко вцепилась в нее клыками и когтями воспоминаний. Это был яд. Это был плен. Это было ее разбуженное наваждение.

Глава 6

ТА НОЧЬ

Из ванной она вышла босиком в черном пушистом, длинном халате, и Александр, встретив ее, повел за руку в огромную гостиную. Ковры вкрадчиво, успокаивающе ласкали и грели ее ноги, чистые пряди влажных еще волос окутали голову облаком цвета червонного золота и шоколада. Большие серо-зеленые глаза под мокрыми ресницами стали теплыми от горячей воды, света и ощущения полной защищенности, безопасности. Алена посмотрела на стол с напитками, фруктами и сладостями, на множество светильников и огромные зеркала на всех стенах и невольно улыбнулась Александру: несмело, благодарно и доверчиво. Кажется, ее праздник все же состоится. Да еще так неожиданно и загадочно. Так трогательно: ведь этот почти незнакомый человек ее спас.

Александр ответил ей серьезным, внимательным взглядом и подвел к одному из зеркал. Кивнул на их отражения. Актриса и властелин ее праздника встретились взглядами уже в зеркале. Для них обоих реальность — это отражение, мгновение, кадр, они умеют видеть себя со стороны. Им так понятнее все, что с ними происходит. А происходил побег из жизни в какой-то ими же придуманный, экзотический сюжет. И сердце Алены билось в ритме закадровой мелодии, она осознала наконец, что стала, пусть на этот вечер, лучшей актрисой. А этот кадр в зеркале — он показался почти сном. Она видела двух людей, мужчину и женщину, редкой красоты. И подходили они друг другу так, как могут подходить только два человека на земле.

— Да, — кивнул ее отражению Александр. — Именно так.

Он прочитал ее мысли. И это нисколько не удивило Алену.

В спальне, на огромной кровати, под интимными лучами светильников, Алена опять видела в зеркалах их отражения. Она, которая привыкла рассматривать себя постоянно, критично, придирчиво — так ли падает свет, так ли ложатся тени, не слишком ли видны морщинки, не искажены ли черты, смотрела сейчас на себя удивленно. То, чего не смогли сделать никакие гримеры и софиты, то, что было не под силу самому умелому оператору, появилось, быть может, только на этот вечер или ночь, здесь. Так ее украсил, осветил и выделил случайный партнер. Так ей шел этот мужчина, который смотрел уже не на отражения. Он рассматривал ее, как коллекционер, который нашел главную в своей жизни ценность. Он касался ее без похоти и без нежности. Он еще никак не выдавал страсти. Он осторожно и вкрадчиво приближался к самой возможности обладания. Как недоверчивый отшельник, как скупец, как самый коварный из завоевателей и поработителей. Алена понимала, что это необычный, властный, сильный и, скорее всего, жестокий человек. Для всех, кроме нее, жестокий. И эта мысль поначалу ее даже возбуждала...

Александр водил пальцами по тонким голубым нитям вен под ее прозрачной кожей, по очертаниям губ, глаз и подбородка. Задерживал ладонь на полной груди, тонкой талии, гладких бедрах. Он не делал ничего, чтобы вызвать ее страсть, доставить удовольствие. «Наверное, так ведет себя законченный эгоист, — подумала Алена. — Он думает сейчас только о чем-то своем». Но когда она почувствовала его силу, когда вся и полностью оказалась в его власти, ее анализ умер. Ей казалось, что она не сможет вынести столь сильное желание, что у нее разорвется дыхание, вылетит из груди сердце, если он не даст ей спасения прямо сейчас.

Он дал ей спасение. Алена посмотрела на него потрясенно и благодарно сквозь пелену жара в глазах. И увидела по-прежнему серьезное и сосредоточенное лицо. Резкая морщина между бровями стала еще глубже, синие глаза потемнели до черноты. Губы, наоборот, побелели. Он был почти страшен в своей беспощадной красоте.

Они выпили по бокалу шампанского. Алена взглянула на стенные часы и произнесла:

— Как странно. Так много времени, оказывается, прошло. А ты не произнес ни одного слова.

— Ты тоже, — улыбнулся он.

— Мне не хватало дыхания, — призналась она.

— А я наблюдал, как тебе не хватает дыхания, — ответил он. — Это было прекрасно.

Через какое-то время Алене стало ясно, что первая близость была для него пробной. Потому что повторение стало для нее совсем нестерпимым потрясением. Ее тело разрывало оковы, совсем освободившись от ее контроля. Но Александр вдруг оставил ее, лег на спину, закрыл глаза и с силой сжал виски.

— Это невыносимо, — произнес он вдруг тяжело, с надрывом и почти яростью. — Я не справляюсь с собой. Алена, помоги.

Он резко поднялся и вышел из спальни. Алена лежала в полной растерянности. Каким-то ледяным ветром налетели на нее эти слова. Ей показалось, может случиться что-то ужасное... И ей не показалось.

Александр вошел в спальню через пятнадцать минут, полностью одетый, с волосами, мокрыми после душа. В руке у него был кожаный хлыст. Не бутафорский, не эротический из секс-шопа. Это был хлыст для верховой езды. Он подошел к ней мрачно и сурово.

— Давай кое с чем справимся, Алена. Я никак не могу почувствовать обладание тобой. Понимаешь, я тебя беру, а голод все сильнее. Это моя проблема. Я ненавижу красоту. И я должен почувствовать, что ты не только моя женщина, а мой поверженный враг. С этого, быть может, начнется мое возвращение. К жизни, любви... Я не знаю, что это такое. Что такое любовь, да и что такое жизнь. А к тебе у меня не страсть, это какой-то гибельный переворот. Мне кажется, сегодня кто-то из нас здесь умрет. Или мы оба… Помоги мне. Да, я хочу причинить тебе боль. Я хочу увидеть твои страдания. Я потом искуплю их. Но… понимаешь, я за себя не ручаюсь. Боюсь совершить что-то страшное. Мне ведь придется тебя отпустить. А я не знаю, как…

…Алексей вбежал в комнату Алены на ее крик. Она металась на постели и кричала, как от сильной боли, от страха, от заполнившей душу тоски.

— Что случилось, детка? Вызвать врача?

— Нет, — прохрипела Алена. — Я просто спала. Сон, он все-таки мне приснился, такой ужасный сон. Иди, Алеша. Я сейчас успокоюсь и постараюсь уснуть нормально, набело.

— Я не понимаю, почему ты в последнее время, в такое трудное для тебя время, как будто меня избегаешь? Это связано с тем, что ты вспомнила?

— Нет. Сейчас я ничего не вспоминала. И сон был неясный. Просто приснились страх и боль. Но Александр Васильевич научил меня с этим бороться. Для этого нужно быть одной. Понимаешь, система дыхания, отключения от реальности. Только в этом дело. И в том, что я хочу, чтобы ты хоть немного отдыхал.

Алексей нежно поцеловал ее, принес воды и ушел. Алена думала о том, что сказала ему откровенную ложь. Не в первый раз с тех пор, как Масленников заставил ее вспомнить Александра Кивилиди.

Она все вспомнила, она не спала, а кричала сейчас в каком-то отчаянии, которое раздавило ее возможность сдерживаться. Кричала ли она тогда, той венецианской ночью, в номере Кивилиди?.. Там были и боль, и даже ее кровь. Подробности тонули в ее страшном протесте. О, как бы она хотела, чтобы этого не было в ее жизни.

А он тогда с отвращением бросил в угол спальни свой страшный хлыст и сказал ей ровно:

— Ты поверишь мне, если я скажу, что делал это в первый раз в жизни? Что не переношу ни таких развлечений, ни мужчин, которые получают удовольствие от насилия? Для меня слабость — женщины, ребенка, старика — святыня. Я не садист. Этот хлыст у меня действительно для верховой езды. И я никогда не ударил своего коня. Ты поверишь?

— Да, — сказала Алена хрипло. — Но это ничего не меняет.

— Понимаю. Я еще ко всему прочему тебя сегодня спас от этого болвана. Возможно, и ситуация как-то повлияла. Но, скорее всего, это подлая игра каких-то генов. Отравленная кровь средневековых дикарей попала в мою. Они истязали красавиц, чтобы отомстить им за свою невозможность устоять. Из этих жалких мотивов сжигали слишком красивых женщин как ведьм, пытала инквизиция. Так подло отстаивали свое первенство мужчины. Вот пришло время мне понять то, что всегда было глубоко отвратительно. И пойти по тому же пути. Не прошу прощения.

— О чем ты? Какое прощение? И потом… Я ведь осталась. Наверное, могла заставить тебя выпустить меня.

— Могла бы, — страстно сказал он и крепко прижал ее к себе. — И я убил бы себя. Ты останешься со мной?

— Нет, — сказала Алена. — Нет-нет-нет. Я не полечу в такую пропасть. Ты сказал, чтобы я тебе помогла. Я помогу. Если я виновата в том, что это было с тобой, я теперь тебя спасу. Убегу от тебя. И от себя.

— Скажи мне что-то в утешение. Ты так красиво говоришь.

— Я скажу, — произнесла Алена, как заклинание. — Никогда и ни с кем я не чувствовала и не почувствую то, что почувствовала к тебе и с тобой. Но спасаться от этого надо обоим.

— Это очевидно, — сказал Александр почти деловым тоном. — Живи там, в противоположной от меня жизни, спокойно. Я не буду тебя искать. Я не буду мстить людям, которые будут с тобою. Тому человеку, с которым ты останешься навсегда.

— Почему ты так сказал? О мести?

— Потому что я так подумал, — ответил Александр.

Прощались они на рассвете, как прикованные друг к другу грешники в аду перед разведенным для их душ костром. Их не пугал костер, их пугал лед расставания. Тоска застыла в воспаленном мозгу мужчины, чей палач — безумие, в глазах и теле женщины, нежной и зовущей любовь. Она нашла в себе последние силы, чтобы сказать «нет».

Так он тогда сказал. Так сказал... Алена вновь заметалась в отчаянии. Он подумал тогда о мести. Если это он? Если он имеет какое-то отношение к гибели Валентина? Она никогда и никому не скажет о своем подозрении. Она скроет все, что вспомнила, от всех. И от Алексея, и от Масленникова. Она испытывала что-то настолько острое, болезненное, окончательное, что не было похоже ни на сожаление, ни на стыд, ни на обиду, ни на раскаяние. Не было в этом и вновь пережитого желания. Тогда страсть ее так перемешалась с потрясением. Тогда Алена так бежала от повелительных воспоминаний о сказочных минутах неповторимой близости, что ей это практически удалось. Даже тело все забыло. То, что Алена испытывала сейчас, она бы определила словом — преданность. Александр не был виновен в своих инстинктах. Такая у него любовь. Человек Алена оттолкнула его, женщина Алена, получается, отблагодарила тайной преданностью, которую спрятала даже от себя. Она стала избранницей редкого мужчины, скорее всего, уникального. Что бы ни произошло между ними, но он спас ее, поверженную и униженную алкоголиком, и подарил ей ее же в ореоле победной красоты, восхищения, поклонения. Подарил в ранге единственного идеала, который невозможно покорить. Что может быть дороже для женщины. Она отвергла этого мужчину, но ответит сейчас ему преданностью: только она может прикрыть его от любых подозрений.

А тогда Александр Кивилиди не вышел из номера на следующий день. Он вышел, лишь когда самолет унес от него Алену. Спас. И когда вышел, Влад, помощник, содрогнулся, взглянув в его лицо. Он бы не удивился, если бы узнал, что Александр кого-то убил.

Глава 7
СТРАХ АЛЕКСЕЯ

Сергей Кольцов приехал к Алексею на работу. Рассказал, что найдены деньги, украденные из сейфа режиссера Дымова. По подозрению в краже задержан мигрант, которые эти деньги заплатил за дом. Обвинение ему пока не предъявляют. Джураев рассказывает, на скольких людей он работал частным образом, чтобы накопить на дом. Говорит, что ему платили и большие суммы, например за строительство. И он уже не помнит, кто и сколько. Объяснить происхождение купюр из квартиры Дымова не может и не хочет. То забывает русский язык, то рассказывает басни, которые при проверке оказываются ложью, то уходит в глухую молчанку и несознанку. Но Земцов нашел его однофамильца в черных списках

МВД. Тагир Джураев, депортированный из России за хулиганство и нарушение общественного порядка, оказался его родным племянником. По материалам можно было определенно сказать, что дело там не в невинном «хулиганстве». Тагира Джураева и его отца Рахима Джураева подозревали в масштабных поставках в Россию наркотиков и организации сбыта. Джураева-младшего легко выпустили, а со старшего сняли обвинение вовсе. Что подтверждает предположение: речь о преступной группе, которая откупилась от правосудия. Информатор Земцова по этническим бандам сообщил, что есть основания полагать, будто Тагир вернулся. Это проверяется.

— Просто бандиты? — почти обрадовался Алексей.

— Скорее всего. Но, возможно, речь только об исполнителях. А заказчику так нужно было именно это демонстративное преступление, что он оставил налетчикам все деньги.

Алексей помрачнел. Больше всего ему хотелось бы услышать, что никто не хотел расправляться именно с Аленой. Что ей кто-то продолжает за что-то мстить.

— И еще. По фонду «Благость». Я сейчас разбираюсь в материалах одного дела, возбужденного против директора фонда, Екатерины Истоминой, она же игуменья Екатерина, настоятельница женского монастыря. Дело такое. Она открыла при монастыре приют для детей тех одиноких матерей, которые постриглись в монахини. Была уличена этими же монахинями в системе жестокого обращения с детьми. Факты настолько серьезны, что возбудили уголовное дело. Довели до суда. Но процесс проходил в закрытом, почти тайном режиме. Людей не подпускали даже близко. Вердикт — просто закрыть и расформировать этот приют. Детей отправили по разным детским домам. Все факты жестокости были списаны на двух воспитательниц.

Женщины получили сроки, которые заменены условными. Исчезли после суда бесследно. Пока. Екатерина Истомина в частном определении получила предписание — не открывать больше детские учреждения. И это все.

— Что это значит? — потрясенно спросил Алексей. — Сережа, как это может быть? Получается, никто не ответил за преступления против детей? И такой фонд продолжает себя позиционировать как благотворительный, собирать по миру деньги на помощь детям и больным людям?

— Не самый редкий поворот, — сказал Сергей. — Для нас дело не в этом, Алексей. Мы ищем след Осоцкого. Более серьезного подозреваемого у нас сейчас нет. И то, что он отрекся от этого фонда, лично меня сильно настораживает.

— Ты не допускаешь, что это правда?

— Это не получается правдой. Твоя жена в передаче приводила примеры его деятельности совсем недавнего времени. Люди, которых она называла, действительно выезжали лечиться и оперироваться в зарубежные клиники. Осоцкий значится спонсором этих клиник. То есть все вот так красиво и благостно, а он почему-то отказывается. В общем, доложился. Работаем. Как Алена?

— Нормально, — неуверенно ответил Алексей. — Нет, Сергей, это неправда. Ей очень тяжело. Я вижу: она настолько страдает, что не может ни работать, ни просто общаться, даже со мной. Я очень боюсь за нее. Кажется, на нее взвалили непосильную ношу. Я даже иногда думаю, а не оставить ли нам все как есть? Чтобы не приблизить большей беды. Как ты думаешь?

— Тут и думать нечего, Алеша. У следствия нет обратного пути. А для вас... Ты прикинь все же. Если дело в Алене, а преступники на свободе — что из этого вытекает?

— Что не знать нам покоя ни минуты, — обреченно сказал Алексей. — Извини, я не такой тупой. Я это понимаю. Просто не ожидал, что будет так трудно. И еще жена с этим фондом... Я уже и за детей боюсь. Во что она их может втянуть.

— Повторю тебе то, что ты мне сказал в мою самую тяжелую минуту. Мы вместе, Алексей. Трудно будет нам всем. И вместе постараемся из этого выйти. Как-то так.

— Спасибо. Передай, пожалуйста, Масленникову то, что я тебе сказал. Хорошо бы побыстрее пройти эту мучительную процедуру вывода Алены из амнезии. В идеале потом ее оградить от той информации, которая вытекает из ее воспоминаний.

В машине Сергей вновь размышлял: несчастный мужик — этот счастливец, который влетел во взаимную любовь со своей прекрасной мачехой. На этот яркий огонек слетались, похоже, разные мотыльки. И версия о том, что Валентина убили из-за Алены, в любой момент может стать главной. Да и с женой Алексею здорово «свезло».

Алексей думал о том, что Сергей ушел и как будто захлопнул с другой стороны дверь в его одиночество. Да, Алексей сейчас боится всего, но больше всего его пугает это внезапно возникшее одиночество. Рядом с Аленой, в их убежище на двоих, он как-то вдруг остался один. По-прежнему страстно влюбленный и жаждущий, по-прежнему любимый, Алексей кожей и нервами чувствует, что Алену как будто кто-то крадет. Дело не в том, что ее слабость и перенапряжение сейчас мешают их близости. Еще что-то мешает. Что-то грозное. Алексей, феноменально здоровый физически человек, так понимает термин «больное сердце» — это сердце, которое слишком любит.

Часть шестая
ПРЕДАТЕЛЬСТВО

Глава 1
ПОЛИНА

Толстый человек в сильных очках и с жидкими прядями волос, спадающими на широкий лоб, мокрый от испарины, внимательно перечитал то, что набросал только что на большом листке бумаги от руки. Протянул текст Полине.

— Перечитайте, пожалуйста, очень внимательно, не торопясь.

Полина взяла бумагу и заметила, что ее пальцы дрожат. Она положила лист перед собой на стол, выпрямилась и сжала руки на коленях. Так она и читала текст.

— Все верно, Степан, — проговорила она, прочитав последнее слово и не дав себе ни минуты для размышлений. — Можно работать.

Адвокат снял очки и почесал переносицу.

— То есть вы отдаете себе отчет, на что мы идем. Вы отказываетесь от собственной подписи под соглашением, регламентирующем встречи вашего мужа с детьми. Следующий пункт. Вы отказываетесь от денег, подарков и любой помощи бывшего мужа, которые выходят за рамки установленных законом алиментов. Следующий пункт. Вы собираетесь навсегда запретить мужу видеться с детьми при любых условиях и именно поэтому обращаетесь в суд с просьбой лишить его отцовских прав. И следующее положение. Суду будут предоставлены доказательства аморального поведения мужа, по вашим понятиям, не соответствующие ценностям вашей семьи. Все так? Вы действительно это сделаете?

— Конечно. Что вас смущает, Степан? Я же вижу: вас что-то смущает.

— Да не меня... Доказательства, Полина. Это значит, вы выставляете на всеобщее обозрение детали чужой частной жизни. Ведь дело именно в этом. У вас нет доказательств того, например, что ваш муж снимает проституток или покупает детей для сексуальных утех. Вы хотите открыть всему свету его личную жизнь. Он имеет на нее право по всем законам, но в любом случае ущерб репутации обеспечен. Это скандал.

— Вы считаете, его не лишат родительских прав?

— Практически уверен в этом. Нет оснований. Миллионы отцов живут в повторном и следующих браках, в том числе и гражданских. Но в его положении, при его должности, это серьезный удар. Особенно в свете профессии его любовницы, этого странного фильма, о котором так много говорят. Это зеленый свет травле, извините за столь жесткое определение.

— Не понимаю, почему меня это должно волновать. Мое дело — резко и окончательно прервать его отношения с детьми. Все остальное — это его проблемы. Он на это пошел.

— Конечно. Я не являюсь ни его адвокатом, ни сочувствующим ему лицом. Я — ваш представитель. И думаю исключительно о ваших интересах и интересах ваших детей. Вы отдаете себе отчет в том, что ухудшаете их положение?

— Я считаю: оно того стоит.

— Вы отдаете себе отчет, что ваш бывший муж — влиятельный человек и может нанести ответный удар? Он может принять решение — бороться с вами. У вас разные весовые категории, мягко говоря.

— Отдаю себе отчет во всем. Я — мать, и это очень меняет наши весовые категории. И потом, если удар по его репутации будет достаточно сильным, если мое заявление всего лишь зеленый свет — так пусть это случится. Может, ему будет не до борьбы. Не так ли?

— Наверное, так, — задумчиво произнес адвокат. — Это серьезная, боевая позиция. Я даже почувствовал себя на переднем крае большого военного сражения.

— Бог нам в помощь, — сурово сказала Полина. — Идите, Степан. Оплата ваших услуг не будет зависеть от ухудшения финансового положения нашей семьи. Да, начинайте смотреть фильмы с участием любовницы Алексея. Выбирайте нужные для такого процесса эпизоды.

— Интересный может быть процесс, — задумчиво пробормотал адвокат. — С картинками. Не будет отбоя от публики.

Когда адвокат вышел, Полина долго сидела, попрежнему с прямой спиной, жесткими, плотно сжатыми губами. Потом подняла телефон и позвонила:

— Я запустила это. Аминь.

Глава 2

ПЕРВАЯ ЖЕРТВА

Сергей искал семью — мать и дочь, которые исчезли после процесса по делу женского монастыря игумены Екатерины. Мария Петрова и двенадцатилетняя Таня уехали из Суздаля в неизвестном направлении. Проследить оказалось не просто, потому что Мария свою квартиру продала перед пострижением в монахини. После процесса, на котором ее дочь была одной из потерпевших, она покинула монастырь, и сведений о том, куда она направилась, найти не получилось. Родственников в городе у них не было. Пришлось подключать помощника Васю, который и нашел Марию Петрову в поселке Подмосковья. Она оформилась санитаркой в районную больницу. Поселилась с дочерью у одинокой старухи в полупустой деревне недалеко от поселка. Хозяйка сдала им часть крошечного домика.

Сергей приехал к этому частично развалившемуся домику вечером. Вошел в калитку, которая не имела никакого запора, постучал в прикрытую дверь. Ему открыла высокая бледная женщина в черном платке. Хмуро и недоверчиво выслушала его объяснение своего визита, молча пропустила в нищую кухню с темными кастрюлями, закопченными котелками.

Сергей сел на некрашеную табуретку. Попытался начать разговор. На протяжении получаса он бился о стену глухой внутренней защиты Марии, женщина не давала ответа ни на один вопрос. Он уже сам не понимал, на что рассчитывал, когда ехал сюда. Понятно, что Марии настрого запретили раскрывать какую-либо информацию. А, собственно, почему запретили? Ведь есть дело в архиве, там ее показания, очень скупые, правда, но есть заключение врачей об истощении Тани, о синяках и гематомах на теле девочки. Но Мария так испугана и замкнута, как будто охраняет какую-то тайну.

— Таня ходит в школу? — спросил Сергей.

— Пока нет, — ответила Мария. — В деревне нет школы, до поселка далеко. А ей после всего, что случилось, тяжело добираться. Отдохнет, поправится и будет ходить.

— Она на учете в детской поликлинике?

— Какая тут детская поликлиника? Но я же работаю в больнице, надо будет, врачи помогут. Разрешат ее туда привезти.

— Таню что-то беспокоит?

— Ничего пока не беспокоит. Я говорю: если понадобится. А пока она отдыхает.

Сергей уже собирался откланяться и не понимал, что заставляет его тянуть. Потому что заставляло что-то. Держало в этой неприветливой кухоньке с этой мрачной и закрытой, как сейф, женщиной.

— Ма-а-а-а-а-а! — вдруг раздался за его спиной тонкий не крик, а вой, пронзительный и жалобный. Сергей даже не сразу понял: это голос человека или животного.

Кричала девочка. Она стояла на пороге и кричала, прижав тонкие руки к горлу. Босые ноги-спички пытались удержать невероятно худое тело в темном ситцевом платье. А лицо... Это нельзя было назвать лицом. Кожа, похоже, была обварена или обожжена, потом сама по себе стянулась, изуродовав все черты.

— Что такое?! — вскочил Сергей. — Мария, ничего подобного в медицинских документах Тани нет!

— Было, — сухо ответила Мария. — Это потом все исчезло. Не только у Тани. Ну, раз вы все видели, я расскажу. Только дочку успокою, покормлю и уложу спать. Ждите, если хотите.

— Почему она плачет? Ей больно?

— Нет. Она просто боится. Всех людей она боится.

Домой через час Сергей мчался на предельной скорости. Влетел в квартиру, не снимая ботинок и куртки, прошел в кухню и налил себе полный стакан водки. Потом еще, он пил, но, как всегда в таких ситуациях, спасительного опьянения не наступало. Только ярость... Бессмысленная и никого не интересующая ярость. Ее придется давить, как гадину, которая повадилась мешать его работе — делу беспристрастного юриста и невозмутимого ковбоя. Дети в руках палачей. Дети как прикрытие чьих-то грязных дел. Дети — как объект издевательств ущербных взрослых существ.

Сергей так ясно видел эту девочку Таню, которая вошла на ножках-спичках в кухню приюта, чтобы найти там хотя бы кусок хлеба. Она заметила на столе пирог с капустой, который не доела повариха. И не устояла. Таня схватила это невероятное лакомство и глотала его, почти не жуя, прямо там, даже не подумала убежать, спрятаться. А повариха зашла и подняла крик. Схватила плачущую Таню за руку и вытащила у нее изо рта оставшийся кусочек как доказательство преступления.

Торжествующая воспитательница бережно завернула «доказательство» в салфетку, спрятала в карман и тут же, на месте, придумала казнь преступнице. Она велела поварихе отойти в сторону. Затем сняла с плиты большую кастрюлю с крутым кипятком и плеснула девочке в лицо. Стояла потом и слушала Танины вопли, переходящие в хрип. На ночь Таню закрыли в изолятор, привязали там ее, голую, к кровати. И только когда кто-то сообразил, что она может умереть, привели Марию и разрешили ей помочь дочери. Разрешили воспользоваться убогой аптечкой. Врача вызвать не позволили! Под страхом смерти ребенка велели молчать.

Что могла сделать Мария? Что могла, то и сделала. Нашла какие-то болеутоляющие таблетки. Попросила у поварихи масло, яичные белки. Смазывала ожоги. Таню отдали выхаживать ей в келью. Когда опасность гибели отступила, Мария пошла в полицию. В деле были документы об ожоге. Начали проверку, назначили экспертизы. Много чего еще нашли, с другими детьми тоже обращались не лучше. Но после суда большая часть материалов дела исчезла. Марии сказали: исчезнуть тоже. Добровольно и навсегда.

Сергей понимал, с чем связан подобный «гуманизм». Убрать физически истца по делу — слишком опасно при всех связях. Сергей набрал телефон Алексея.

— Привет, я по поводу того дела против монастыря. История очень плохая. Я обнаружил жертву. Живую, изувеченную девочку. Алексей, прошу меня понять. Я не могу это разглашать по ряду причин. Одна из них безопасность этого ребенка. Другая — наше расследование. Пока эта плохая история к нам не имеет ни малейшего отношения. Никаких ниточек... Просто, знаешь, старик, сердце горит.

— Что я могу сделать? — спросил Алексей.

— Надо попробовать в секретном порядке оказать серьезную медицинскую помощь. Возможно, вывезти куда-то на операцию. Не в ту клинику, которую спонсирует Осоцкий, разумеется. Не знаю, в курсе ли спонсоры, что творится под крылом их «Благости», но мы не можем исключить вариант того, что в курсе.

— Я понял. Все это возможно, конечно. Буду рад что-то сделать для этой несчастной девочки.

— У тебя тоже что-то случилось? Мне не показалось, голос у тебя как у приговоренного.

— Не показалось. Страшный удар. Страшное предательство, Сережа. Полина требует запрета для меня на свидания с детьми. Она хочет лишить меня родительских прав.

— Это, конечно, не получится, но удар действительно коварный и подлый. Что я могу сказать? Будем решать проблемы по мере их появления. Пока ее ход. Не мешай и не уговаривай. Постараемся понять, чего именно она добивается. Ничего ведь не изменилось с тех пор, как она согласилась с твоими условиями.

— Изменилось. Та брошюра, которую я у нее отобрал. Я тогда сказал, что, если она будет мстить нам с Аленой, используя детей, я пойду войной. Вот она решила опередить.

— Подтвердив твои опасения. Желание мстить, используя детей. Мерзкая баба, прошу прощения. Просто я близок к тому, чтобы разлюбить сам факт существования женщин.

— Понимаю, — подавленно сказал Алексей.

«Плохой день», — подумал Сергей, попрощавшись с Алексеем и пожелав ему спокойной ночи. Но какие, к черту, у них спокойные ночи! Предательство. Сергей вспомнил спокойное, милое лицо своей жены Насти, увидел своего длинноногого Олежку в калифорнийском саду чужого мужчины... Спазм сжал горло лишь при мысли о сыне.

Глава 3
БРАТЬЯ

Земцов и Кольцов не давили на Алижора Джураева, не использовали свои козыри. Они хотели послушать версию, которой ему велели пользоваться в случае разоблачения. Просто не может не быть у него такой версии. Это серьезное дело, затеянное серьезными людьми, которые не могут кого-то нанять для исполнения, а потом пустить на самотек. С кем он общался, как, во что был посвящен.

— Джураев, — сказал Слава. — Вы взрослый и, как мне кажется, не самый глупый человек. Я жду, когда вы поймете: ваше первое желание косить под дурачка — уже не прошло. Давайте не будем терять время и перейдем к следующему этапу. От кого вы получили деньги? Такой первый вопрос. Он в силе. Участвовали ли вы лично в налете на квартиру, где эти деньги лежали? Такой второй вопрос. Из него вытекают остальные: кто послал, назвал адрес, как объяснил задачу?

— Я не грабитель, — хмуро ответил Алижор. — Скажу, что знаю. Просто одному человеку из наших очень нужен дом. Но он пока не может купить его легально. Ну и предложил мне такую сделку. Я покупаю на себя этот дом, а жить там будут другие люди. Нам с Умалат обещали однокомнатную квартиру.

— Ну, вот видишь, — весело сказал Сергей. — Как легко говорить правду. Вам не обещают, вам уже купили однушку в том районе, где ты работаешь. Я как раз и обнаружил эту квартиру, купленную пару недель назад на твое имя. И теперь такой пустячок: кто человек, который дал тебе деньги на дом?

— Я его плохо знаю. Мне это не надо. Я просто подписывал то, что мне говорили.

— А мне надо, — продолжил Сергей. — Нам надо, чтобы ты сообщил своему родному брату Рахиму Джураеву, что ты задержан по подозрению в налете на квартиру, покушении на убийство человека и грабеже крупной суммы. И что дом, купленный на эти деньги, будет опечатан. И твоя жена окажется на улице. Она наверняка не знает о купленной для вас квартире.

— Я ничего плохого не делал!

— А я не сказал, что делал. Подозреваемый! Я сказал, что это нужно сообщить Рахиму. Он может приехать и спасти тебя, рассказав нам правду.

Алижор тяжело задумался, опустив голову. Потом сказал:

— Хорошо, я позвоню.

Он встал, подошел к окну, достал телефон, повернулся к следователям спиной, сказал что-то негромко и коротко на своем языке. Потом повернулся:

— Рахим спрашивает, что от него требуется?

— Приехать, поговорить. Если он знает того человека, которому нужен дом, пусть назовет. И в любом случае только он, наверное, может подтвердить, что ты к налету не имеешь отношения.

Алижор передал, сказал, что брат едет.

Рахим Джураев, толстый, холеный человек, в дорогом костюме и пальто из лайки, вошел в кабинет непринужденно, уверенно. На следователей взглянул высокомерно, но улыбнулся всеми зубами ярко и приветливо. На брата посмотрел с наигранной жалостью.

— Ай, дорогой. Ты мне не нравишься. Если с тобой тут плохо обращались, мы позовем адвоката.

— Ничего мне не делали, — буркнул Алижор. — Скажи им, что я ничего не знаю.

— Сейчас разберемся. — Рахим бросил пальто на спинку стула, сам сел на край, широко расставив ноги, как для долгого делового разговора. — Брат такой, он ничего мне по телефону не объяснил. Я вас слушаю, граждане следователи.

— Рахим Джураев, — веско произнес Земцов. — Спектаклей больше не будет. Для кого куплен дом, оформленный на вашего брата, и кто участвовал в налете на квартиру, где лежали деньги? Кто заказал это преступление?

— Какие вопросы... — комически развел руками Рахим.

— Смешно, да? Вам непонятно, что у нас есть улики? Мы работали на месте преступления. Есть отпечатки пальцев, обуви, причем уникально четкие — они застыли на растворе. Есть многое для опознания. Просто это исполнители. И мы пока не проверяли вашего брата, не проверяем вас. Мы ждем имя. Имя заказчика.

Рахим потупил тусклые темные глаза и вдруг повернулся к брату:

— Алижор, скажи им. Думаю, у нас нет другого выхода. Расскажи, как тебя послали в эту квартиру. Но ты же не пошел? Ты кого-то попросил? Ты, наверное, даже не знаешь, как зовут этих хулиганов? Просто случайно встретились, так вроде ты мне сказал. А я скажу, что дом нужен мне. И потом мы все попробуем договориться.

— Меня послали? — Алижор потрясенно смотрел на брата. — Рахим, что ты говоришь?

— Так. — Сергей поднялся. — В воздухе запахло профессионалом. Рахим Джураев, попрошу минуточку внимания. Смотрим на этот монитор. Дело все в том, что налет был совершен на квартиру, в которой работали видеокамеры. Этот пустячок мы как раз и приберегли до вашего визита. Смотрим внимательно. Качество четкое, как в кино. Вот этот парень, который сейчас стоит лицом прямо к камере, маска почти открыла лицо. Разве это не ваш сын, он же племянник Алижора? Тагир Джураев, который уже проходит у нас по делу о разбое. Мы думали, что он скрылся. А он тут, в Москве, с папой.

И дом наверняка нужен именно ему. А подставить вы захотели родственника. Вот такое у вас кровное родство.

— Я хотел спросить. — Алижор поднял руку, как на уроке. — Там на полу лежит женщина... Ее убили?

— Нет, — ответил Земцов. — Ее чудом спасли. Столько стоит твой дом.

— Понятно. Рахим, твой сын хотел убить женщину, а ты сейчас сказал, что это я там был. Не хочу с вами ходить по одной земле. Можешь теперь посылать и ко мне своих бандитов. Ты предал все.

Алижор рванулся к брату, Сергей быстро его перехватил.

— Все успокоились.

— Рахим Джураев, вы задержаны до выяснения обстоятельств. У вас один звонок — сыну Тагиру. От него требуется пустяк. Явка с повинной, — нажал кнопку вызова Земцов.

Глава 4
ПОД КАТКОМ

Алижора отпустили поздно вечером. Перед этим он дал полноценные свидетельские показания. Он знал, что дом покупают для брата и племянника, не знал, что для него с женой уже куплена квартира, и был совсем не в курсе, что предшествовало появлению именно этой суммы. Брат и племянник — богатые люди. Откуда у них деньги, Алижор, конечно, в целом предполагал, но деталями не интересовался. Родные братья были очень разными людьми. Один давно и успешно обживал сферу криминала, другой предпочитал сутками работать руками и жить только на честно заработанные деньги. При этом именно у Алижора было высшее образование, но он со своей честностью не пригодился на родине и не слишком преуспел в Москве. Рахим поддерживал с братом условный контакт. На такой вот подходящий случай. С навозной кучи своих грязных денег новый российский барыга смотрел презрительно на тех, кто не достиг такого совершенства. Бедные родственники не стали для него исключением.

— Звони, если что, — сказал на прощание Земцов. — Как свидетель уехать не можешь, но я и без подписки знаю, что не сбежишь.

— Некуда мне, — хмуро ответил Алижор.

Сергей смотрел в окно ему вслед, увидел, как Алижор остановил машину, подождал минут двадцать и поехал за ним по адресу нового дома Джураева.

...Когда он подъехал, ворота дома были открыты. Раздавались глухие, отрывистые крики, во дворе беспорядочно метались темные фигуры — такой была картина беды. Сергей опоздал минут на десять.

Фонарь возле дома светил слабо. Сергею пришлось включить свой фонарик, чтобы рассмотреть тех, кто лежал на снегу. Тут и реконструкция порядка преступлений не понадобится. Все было ясно. Застывшие мгновения, скованные морозом эпизоды. Женщина в белоснежной ночной сорочке, разорванной и окровавленной, лежала лицом вниз. Она явно бежала из дома к выходу, спасаясь, ее догнали. Догнал он, этот парень с голым торсом, в тесных и расстегнутых джинсах. Парень лежал навзничь, смотрел в темное небо открытыми мертвыми глазами и был он, конечно, Тагиром Джураевым. Перед ним на коленях стоял Алижор, смотрел на свои окровавленные руки, на нож в груди племянника и что-то тихо бормотал, как во сне. Несколько мужчин закончили свое нечленораздельное обсуждение, двинулись к ним, но Сергей достал пистолет.

— Всем стоять. Полиция.

Он нагнулся к Умалат, повернул ее, взял руку, нашел пульс. Лицо женщины было разбито, глаз почти не видно, но веки шевельнулись.

— Алижор, — повернулся Сергей. — Поднимайся. Твоя жена жива. Сейчас вызову «Скорую помощь». А мы с тобой вернемся туда, откуда приехали. Вот как чувствовал я, что встреча родственников может состояться примерно так.

— Умалат жива? — Алижор тяжело встал. — Но я сразу во всем признаюсь. Я убил бы его, даже если бы знал это. Он насиловал мою жену! Она была уже, как мертвая, а он ее насиловал! Ты понимаешь?

— Трудно не понять.

Приехала группа Земцова и «Скорая», женщину и труп увезли, приятелей Тагира упаковали, Алижор протянул руки, чтобы на них надели наручники.

— Ладно, иди в машину, — сказал Земцов. — Не убежишь. Явка с повинной.

В отделении Сергей и Слава оформили протокол, приобщили к делу снимки, дождались Масленникова с его заключением. А потом подошли к комнате, где был заперт Алижор. Посмотрели в глазок. Этот крупный, сильный человек корчился на полу. Хрипел, выдыхал то ли ругательства, то ли мольбы. Тяжелое зрелище. Слава вернулся к себе в кабинет, потом они вошли к Алижору, помогли ему встать. Слава протянул стакан с водкой.

— Выпей. Жизнь не кончилась. То есть она кончилась не для тебя и не для твоей жены. Что случилось, то случилось.

— Я убил его. Родную кровь. С этим нельзя жить.

— Можно, — уверенно сказал Сергей. — Ты не хотел никого убивать, ты спасал жену. Она тебе роднее, разве не так?

— Так.

— И хочешь, я тебе скажу одну интересную вещь. Со всем своим цинизмом. Тебе повезло. Совсем недавно ты бы сел за убийство по полной программе. А теперь Верховный суд принял постановление. У самозащиты и защиты близких нет ограничений. Понимаешь? Ты не убил, ты спасал ее. И вариантов у тебя было мало. Ты был один, их много.

А потом они сидели втроем, и следователи слушали горестный рассказ человека, который оторвался от родной страны, чтобы пропадать в другой. Который больше ни там, ни тут не нужен.

— Я под катком, — говорил Алижор. — Я не знал, что бывают такие люди. Им мало, что я готов таскать кирпичи на их стройках, рыть им канавы, чистить сортиры. Мне такие дела постоянно предлагают. Женщина просит убить ее мужа. Мать предлагает за деньги напасть на ее дочь, чтобы та не гуляла по ночам. Постоянно кто-то у кого-то хочет отобрать квартиры, машины, деньги. Никто никого не любит, не жалеет. И всем кажется, что я такой грязный и тупой чурка, который подходит для любого преступления. Я выживал. Я очень люблю Умалат. Мы ждали своего жилья, чтобы родить детей. Я спасался только мыслями, как будем жить семьей, за своими стенами спрячемся. А оказалось, что моя семья — это и есть самые страшные бандиты. Племянник из-за этих денег убивал какую-то женщину. Потом, как зверь, терзал мою Умалат. Брат меня предал. Как теперь жить?!

— Выход один, — сказал Сергей. — Продолжать спасать свою Умалат. Ты должен себя защищать теперь.

Поищу тебе хорошего адвоката. Думай только о том, как ей будет одной тяжело. Когда она выйдет из больницы, отвезу ее на вашу квартиру. Старик, это тот случай, когда с паршивой овцы шерсти клок. Извини, с твоего брата. Квартира куплена не на эти, украденные деньги в рамках открытого дела. Дом будет опечатан, сделка аннулирована, деньги уже схвачены, вернем их владельцу, дом — прежнему хозяину. Дедушка найдет себе других покупателей. Договорились? Будешь бороться?

— Да. Спасибо.

В кабинете Слава и Сергей еще покурили, повздыхали.

— Оборвал он нам ниточку? — спросил Сергей.

— Не факт, — ответил Земцов. — Как считает Масленников, мертвые рассказывают охотнее, чем живые.

Глава 5
ОТЕЦ ДМИТРИЙ

Это был очень грузный человек неопределенного возраста и экзотической внешности. Длинные, тусклые и жирные волосы обрамляли грубое, чувственное лицо с проницательными темными глазами и жадным ртом над длинной бородой. Волосы спускались до плеч солидного офисного костюма с белой рубашкой. На пальцах крупных рук сверкали дорогие перстни. А поверх черного пиджака на толстой золотой цепи висел большой крест.

Дмитрий Афанасьевич Тренин был владельцем крупного похоронного бизнеса. В чиновничьей шкале ценностей являлся особой, приближенной к городской власти. Но называли его все отцом Дмитрием. Верующие клиенты и партнеры считали его священнослужителем, тем более что сфера услуг предполагала тесный контакт с церковью. Он не противился, когда особо экзальтированные верующие бросались целовать его руку. И никогда ни с кем не прояснял вопрос своего сана, который просто был по умолчанию.

И в деятельности Тренина было не много людей, которых интересовало истинное положение вещей. Если такие люди существовали в принципе.

А узнать прошлое отца Дмитрия было несложно. Просто набрать в поиске гугла его имя, фамилию, должность. И являлась красочная история, достойная приключенческого романа. Лет двадцать назад выпускник московского технического вуза был принят на работу инженером в частную строительную компанию элитного жилья. Быстро сделал карьеру от стажера до финансового директора. А потом произошло жестокое убийство владельца компании в его квартире. Двух убийц нашли, но при задержании они оказали сопротивление и были застрелены. Компанию возглавил Тренин. Прошел год, Дмитрий был уже очень богатым человеком, дело его преуспевало, но совершенно неожиданно раскрылись обстоятельства убийства первого владельца. Преступник, задержанный по совсем другому делу, пошел на сделку со следствием и рассказал, что был третьим убийцей шефа Тренина. И что нанял их, а затем заплатил полиции, чтобы застрелили исполнителей, сам Тренин.

Дальше в биографии полный провал. Тренин отсидел свой срок, остался где-то на Севере, а через пятнадцать лет объявился в Москве. Ни у кого не было большого желания опознать в нем заказчика убийства и бывшего зэка. Он явился в ореоле нового богатства, уже сибирского происхождения, был востребован московским чиновничеством, получил на каких-то всем удобных условиях лакомый кусок московского бизнеса. И, главное, так верно и так удачно Дмитрий создал свой новый имидж, что он и стал его личной нишей в сложном и темном здании олигархата.

Отец Дмитрий говорил неторопливо, вкрадчиво и убедительно. Он знал все о доброте, жертвенности и гуманизме. Он умел слушать и даже помогать. Очень отличался как от кондовых, заносчивых чиновников и бизнесменов, так и от тех темных и необразованных попов, которые тоже ни к сану, ни к вере часто отношения не имели.

А в деле он мог убедить и обломать любого. Там, где бесполезны психологические аргументы, работает опыт человека, прошедшего путь от преступления и наказания до покорения финансового олимпа на новом уровне.

Загородный дом отца Дмитрия был великолепным образцом архитектурного гения и собственного вкуса хозяина. Этот прекрасный, комфортабельный терем стал и усовершенствованной строгой кельей отшельника-миллионера, и дворцом неброской роскоши, обладатель которого получил возможность отдохнуть от тюрьмы и сумы. И всего, что было в его мрачной судьбе, в которой победить важнее, чем выжить. А цены у победы не было вовсе. Любая цена.

Дмитрий любил по вечерам путешествовать по комнатам, залам, укромным и самым неожиданным помещениям своего дома. Этот дом и был им — со всеми достоинствами, пороками, тайнами и пристрастиями.

В зале, обшитом дубовыми панелями, с плотными черными шторами на окнах, круглосуточно горели особые светильники. Они освещали уникальные полотна. Шедевры-подлинники: Рубенс, Мане, Делакруа, Дали и многое другое. Эксперты живописи очень удивились бы, побывав в этом зале. Тот, кто подбирал эти картины, любил не просто живопись. Он любил любовь, страсть, порок, наготу и любые прихоти своего тела. Он пришел к возможности ни в чем себе не отказывать. Ни в мыслях, ни в желаниях, ни в способах осуществлений. Этот вдохновенный коллекционер явно не был лишь созерцателем.

Дмитрий провел самый насыщенный по мыслям и чувствам час в своей галерее, где он пил дорогой коньяк, курил трубку и общался со своими главными единомышленниками — гениальными авторами этих полотен. Дмитрий задавал им вопросы, получал ответы. Да и ему было что им рассказать о своем многогранном опыте, о своих чувствах, ощущениях и открытиях в той «низкой» сфере, которая на самом деле и есть залог человеческой устойчивости во всем.

Дмитрий мог признаться своим невидимым друзьям в том, что по жизни завидует только им. Их таланту, их выходу — все запечатлеть, сохранить, подарить миллионам незнакомых людей разных поколений такие минуты смакования, торжества и откровений. Такое удовольствие и проникающую в кровь бессмертную преданность страсти. Только этого Дмитрию и не хватало — художественного дара. Он знал, что хотел бы написать красками на полотне. Чтобы, увидев его творение, любой ужаснулся, содрогнулся и пришел в восторг.

Все остальное он мог. Больше ему завидовать нечему. В том и была разгадка великого терпения и милосердия отца Дмитрия: он ощущал себя неизмеримо выше всех людей, которые его окружали. Огромного количества людей. Он их жалел и больше всего любил в себе эту жалость к тем, кто недостоин его мизинца.

После плотного и вкусного ужина, вечерних омовений, которые были чем-то средним между ритуалом и чувственным наслаждением, Дмитрий отправлялся в свою опочивальню. Это и спальней-то трудно назвать, столько стилей, столько уникальной мебели и эксклюзивных изобретений интерьера было в комнате, предназначенной всего лишь для сна. У кого-то только для сна. Для Дмитрия ночь, быть может, самый яркий фрагмент суток.

Этим вечером он сознательно тянул время. Он представлял себе, как задыхается от нетерпения, как мечется тигрицей по запертой комнате та, которая его ждет. Таким было его условие. Женщина, которую он принимал, не могла покидать спальню и передвигаться по дому. Не могла находиться без него в других местах. Так он устанавливал границы своих отношений с женщинами. Так объяснял избранницам их место и свою власть.

Он вошел к ней, когда по его расчету она дошла до кондиции. Она рычала и рыдала, не могла насытиться, не могла успокоиться. Она была готова на все. Более того, ей всего было мало. Дмитрий выжимал ее, как лимон, а она вновь наполнялась своим бешенством и жаждала продолжения. Женщины никогда не засыпали в его постели. А утро Дмитрий непременно должен был встретить один. И потому на рассвете, бросив взгляд на просветлевшую штору, Дмитрий мягко сказал:

— Тебе пора, Катя. Жди. Я позвоню.

И потом он смотрел в окно, как идет к машине высокая, стройная женщина в собольей шубе в пол, как подводят ее ослабевшие ноги, как дрожат руки, которыми она не сразу смогла открыть машину. Тяжело ей будет дождаться его звонка. Она тоже из тех, которые не любят себе ни в чем отказывать. Эта мысль наполняет тело Дмитрия теплом, уютом и покоем. Это значит, все на местах.

Он глотнул виски, лег в еще не остывшую от ласк постель и даже успел помечтать. О чем-то таком... Чего он еще не купил и что было бы совсем для души.

Глава 6
ЗАГОВОР ПРОТИВ АЛЕНЫ

Воздух застыл вокруг Алены. Она вдруг стала непреодолимым препятствием, олицетворением упорного протеста и в работе, и в расследовании. Она больше ничего этого не хотела. Актриса, для которой ставили фильм-эксперимент, утратила к нему интерес. Жертва преступлений отказывалась сотрудничать со следователями. Возлюбленная, ради которой Алексей поломал все в своей судьбе, перестала даже искать отговорки для своей тайны. И всем было очевидно: дело уже не в амнезии, все наоборот. Алена не хочет пускать других людей в свое прошлое. Ее испугало вторжение Масленникова. Она увидела больше, чем собиралась. И вывод был на поверхности. Они все к чему-то приблизились. Ей это понятно более чем кому бы то ни было. И Алена решила закрыть дверь в свою судьбу. Ей важнее неприкосновенность, чем результат. Даже если речь идет о ее жизни. Такое жестокое решение приняла нежная Алена. И почти убила этим решением Алексея. Это оказалось самым большим потрясением для него. Он никак к этому не подготовился. Где же их прочная, уникальная, упоительная связь? О какой риф она разбилась?

— Алена испугалась чего-то очень конкретного, — объяснил ему Сергей. — В том, что она вспомнила, может быть и мотив и убийца. Трудно даже предположить, из-за каких обстоятельств Алена все это решила скрывать. Это очень серьезно — то, что она вспомнила или поняла. Алена готова отказаться от работы. Она больше не больна. Так сказал Масленников. Он видит что-то совсем другое в ее просьбе продлить ее отпуск.

— Что же делать? — беспомощно спросил Алексей. — Я готов пойти ей навстречу. Я готов вас просить, даже умолять все прекратить. Боюсь лишь одного: даже если мы перестанем требовать от нее какой-то помощи, это уже ничего не изменит. Она не будет доверять даже мне. А с этим жить невозможно.

— Хорошо, что ты сам это сказал, — кивнул Сергей. — Решение Алены не просто не изменит объективности, оно — опасность само по себе. Алена не пожалуется ни в каком случае. У меня к тебе наше коллективное предложение. До сих пор Масленников работал с Аленой с ее согласия. Но есть варианты. Ты меня понимаешь?

— Ни в коем случае. Против воли Алены мы не будем вторгаться в ее тайны.

— Даже если это связано с сохранением ее жизни? Ведь вопрос ставится именно так.

— Что вы предлагаете?

— Это вопрос Масленникова. Да, для начала — это обман. Не знаю, как технически. Но мы должны узнать, в чем дело.

— Я не смогу в этом участвовать.

— Ты точно не сможешь. Тебе не нужно съездить в командировку, к примеру? Дело еще в том, что твое присутствие, возможно, связывает Алену сильнее всего.

— Вы ничего от меня не скроете?

— Ничего. Придется тебе поверить. Мы ведь не просто сотрудничаем. Мы с тобой друзья.

— Хорошо. У меня такая идея. Она возникла еще до этого разговора. Дело в том, что уже все готово для поездки Тани и Марии Петровых в американскую клинику. Я договорился и насчет сопровождения. И дело даже не в том, что мне нужно уехать, просто я вдруг очень захотел отвезти эту девочку сам. Она похожа на мою дочку. Мария показала мне ее фотографии до несчастья.

— Отличное решение. Ты будешь при нужном деле. Я на самом деле тебе очень благодарен за то, что ты делаешь для этого ребенка.

— Не говори ерунды. Мне сказать Алене правду?

— Конечно. Когда вы поедете?

— Можем через три дня.

— Ну и с Богом. Масленников подготовится. Я надеюсь, что все у нас получится.

— А я на всякий случай ни на что не надеюсь. Я просто постараюсь дотерпеть до конца кошмара.

Алена, узнав о поездке Алексея в американскую клинику с изувеченным ребенком, и расстроилась, и растрогалась, и стала страстно желать удачи. Она попросила у Алексея телефон Марии, позвонила, узнала размеры девочки и мамы и занялась подготовкой их гардероба на разные ситуации. Дело настолько ее увлекло, что она наконец сумела оттеснить на второй план все свои терзания, воспоминания, догадки, свою вину перед всеми. Свою огромную вину перед Алексеем и вдруг охватившую душу тоску по Александру. Тоску-печаль, победившую даже страх перед любой опасностью. Если Александр — мститель, если он до сих пор не может смириться с ее потерей, если он не хочет, чтобы она жила возлюбленной другого мужчины, — может, пусть все будет как будет. Даже если этот сумасшедший и красивый человек отомстит только ей. Именно ей. Ведь все на то и похоже. То, что с ней сейчас происходит, говорит о том, что морально он давно ее победил. Но ему ее признания будет недостаточно. Он ведь из тех, кто выносит приговоры. Или ей, или себе. Или обоим. Так казалось Алене в ее потерянности и смятении. Ей было ясно одно: если Александр помнит ее, если имеет отношение к убийству Валентина, — сопротивление не имеет смысла. И она не хочет сопротивляться. Она тогда оставила его одного в аду, с обугленной душой, с испепеленным сердцем. А ведь он жив, раз не было другой информации. Раз он пришел в ее сны таким наваждением.

Они с Алексеем вновь, как раньше, проводили вместе дни и ночи. Эти оставшиеся до его отъезда дни и ночи. Они наполнили их такой концентрацией нежности, что сердца просто заходились в томительном отсчете времени, как перед долгим расставанием. Алексей понимал, что теперь уже никак не может отказаться от поездки. А так хотелось. Так хотелось не прерывать это возвращенное объятие, этот разговор тел и душ — без слов, без объяснений, без прошлого и будущего. Без преград. И только одно причиняло боль. Горячая нежность Алены, казалось, растопила ее страсть. Она не была такой пылкой и ненасытной, как раньше. Она просто тонула в их родстве и не хотела всплывать на поверхность. Где ветры, где взгляды, где, быть может, чья-то жестокая, чужая страсть пришла по ее душу.

После отъезда Алексея Алена потерянно бродила по квартире, много плакала, призывала свою предательницу — амнезию, жаждала просто отупения. Ей несколько раз звонил Масленников, она отвечала будничным голосом домохозяйки:

— У меня все нормально, Александр Васильевич. Сплю, ем, отдыхаю. И, пока Леши нет, стараюсь сделать какие-то домашние дела. Конечно, я вам позвоню, как только что-то еще вспомню. Другие люди из снов? Да, конечно. Мы попробуем. Но только не сейчас. Я очень устала. Вы меня, конечно, поймете.

На второй день, ближе к сумеркам, Алена выглянула в окно, увидела бледный осколок месяца на еще светлом небе — и заметалась. Ей стало опять физически страшно. Одиночество сковало руки и ноги, ослепило глаза. И тут раздался звонок в дверь. Она открыла, готовая ко всему. А это оказался Масленников. И Алена от облегчения просто упала ему на грудь. Так легко оказалось осуществить заговор против Алены. Ради нее самой.

Глава 7

CINEMA VERITE[1]

Он был жестоким, этот мужской заговор. Алексей ни за что бы на это не пошел, если бы знал, что тайный сеанс Алены с врачом будет записан на камеру режиссера без ее согласия. Одно дело — обмануть человека во имя его здоровья и спасения жизни, другое — ради кино. Так, наверное. Но здесь все слишком переплелось: интересы следствия, кино, разгадки, спрятанные в глубине тайны Алены. Здесь уже все зависели от одного результата.

Алена была почти осчастливлена приходом друга и помощника. Она собиралась посидеть с ним на кухне, выпить чаю, рассказать о поездке Алексея, о том, что произошло с девочкой Таней. Все так и было, как она хотела. В какой момент и почему она заговорила о том,

[1] Cinema verite – направление в искусстве, добивающееся документальной правды в художественном фильме.

что сейчас для нее было важнее всего на свете, — она сама не знала. Просто вдруг начала говорить — без сомнения, стыда, опасений. Она не скрывала ни одной детали, описывала все так четко, последовательно и ярко, что Масленникову казалось: он никогда не испытывал такого потрясения. Не слышал такой невероятной истории. У нее может быть только невероятное продолжение. И — да. Финалом может быть убийство. Потому что это история любви-гибели.

— Что вы думаете? — требовательно спрашивала Алена. — Он может быть убийцей? Он хочет моей смерти? Что-то грозит Алексею? И, главное, кто он? Александр Кивилиди — сумасшедший маньяк? Может, у него есть и другие жертвы?

— Трудные вопросы. Начну отвечать в произвольном порядке. И не только вам, но и себе. Вот так по ходу буду пытаться сам искать нужные выводы. Первые три вопроса, возможно — да. Есть такая вероятность. Что касается диагноза и серийных преступлений… Нет. Это не получается. Вы очень выразительно описали этого мужчину. Реакции, слова, желания, импульсы. Так бывает: человек, который является не просто вменяемым, но и значительно выше других по уровню интеллекта и эмоциональной одаренности, именно в силу исключительности оказывается вне человеческих норм и догм. Вы описали такой сильный характер, который может победить себя только сам. И сам же выносит приговоры себе и другим. Серийные преступления исключены. И не только потому, что Кивилиди — публичный человек, такой, о которых говорят больше, чем есть на самом деле. Просто это однозначно избирательный коллекционер. Поклонник штучного искусства. Для него жизнь и есть искусство. А встреча с вами действительно похожа на сбой программы. Потрясение от встречи раскололо фундамент детских фобий и взрослых принципов. Вызвало такую крайнюю мужскую реакцию. Я вот что вспоминал во время вашего рассказа. Вы, конечно, видели клип на песню Леонарда Коэна с Ванессой Паради? Мужчина спасает девушку, которая собирается прыгнуть с набережной в канал. Страсть. Она мгновенно отвечает на его чувство. А он, вместо того чтобы нежиться в лучах взаимной любви, делает ее мишенью. Мечет кинжалы в объект своей любви. Самые рискованные варианты. Рядом с лицом, сквозь ширму, со спины. Она уходит, возвращается, бросается опять в объятия, он счастлив... И все сначала. Мужчина таким способом пытается удержаться на земле. Остаться мужчиной, сильным и властным, в то время как женская красота и непобедимая женственность уносят его в омут бессилия. Вам это напоминает то, что было с Кивилиди?

— Конечно. Я сейчас вспомнила этот клип. Ну да. Все так. И моя реакция... О боже! Я тоже так, как героиня клипа, застываю, готовая ко всему. И нет возможности сопротивляться. Такой зловещий, вязкий и очень значительный плен. Он важнее, чем моя жизнь. Такое у меня ощущение было тогда. Таким оно вернулось сейчас. Но сейчас вернулось еще и с какой-то странной преданностью. Мне кажется, человек отдавал мне все, что в нем есть, — хорошее и плохое, все, что было, и то, что могло бы быть. Я не стою таких чувств. И не хочу его предавать. Унижать доносами и расследованиями. Все, что я вам рассказала, — это, конечно, между нами?

— Алена, я попробую вам объяснить... — начал Масленников.

— О нет. Только не это. Только не говорите мне, что я рассказываю это не по своей воле. Ваш гипноз?

— Не по своей. Но не было больше возможности убедить вас в том, что молчать — это самый плохой выход, — резко сказал Масленников. — Если вы преданы этому человеку, помогите нам вывести его из круга подозреваемых. Он самая подозрительная фигура. Даже вы подумали о нем в первую очередь. И отвечу вам откровенностью. Наш разговор записан на камеру Максима. Мы будем с этим работать. Такое коллективное решение пришлось нам принять в интересах дела.

— Знаете, это, наверное, даже хорошо. Я опять не человек, а актриса. И жизнь моя — всего лишь cinema verite. И все же помогите мне сегодня не сойти с ума.

Масленников помог. Дал Алене успокоительную таблетку. Они хорошо посидели: пили чай, говорили о вещах, которые не имели никакого отношения ни к опасностям, ни к преступлениям, ни к роковым страстям, ни к мукам Алены.

«Таких вещей очень много», — с облегчением поняла Алена.

И она была уверена, что сумеет уснуть без снов и метаний, таким облегчением обернулась ее вынужденная откровенность. Но стоило погасить свет, как началось страшное. Нет, не сон. Сначала вернулось воспоминание. Вернулось ее желание. То алогичное и бурное желание, которое женщина может испытать только однажды и лишь к одному мужчине в своей жизни. К мужчине, который увидел и в ней единственно возможное воплощение мечты и заклятой добычи. И некуда деться добыче, которая не хочет спасения. Которая обожжена и заражена его безумным, эгоистичным, садистским поклонением ее соблазну. То ли обожает, то ли убивает.

А потом вдруг пришел настоящий страх. Такого Алена не знала еще никогда. Он был животным, воющим, стонущим, разрывающим мозг и тело. Алена закрывала плотно веки, а в темноте мелькали какие-то тени, неясные лица, зловещие выражения. И это приближалось. Кто-то приближался. В этом не было сомнений. Колебался воздух, стучала испуганная кровь, стыла кожа. Алена медленно поднялась, включила везде свет, вышла в прихожую. Остановилась у входной двери. Она была почти уверена, что за дверью кто-то есть. Нажала ручку, чтобы убедиться в том, что дверь заперта. А она распахнулась! Но Алена точно закрыла ее изнутри после ухода Масленникова.

На ватных ногах Алена переступила порог. На ее коврике у двери стояли пустая бутылка и банка из-под пива. А вниз по лестнице спускались две черные спины. Два чужих затылка. Два человека, которые не были соседями. На площадке Алены жили мать с грудным ребенком и пожилая пара, которая почти не выходила из квартиры. А эти люди не воспользовались лифтом — она бы услышала, как лифт шумит. Они пришли пешком на пятнадцатый этаж и так же ушли. И они точно молчали, стоя под ее дверью. У нее такой слух, она бы услышала даже шепот. Ей просто кто-то напомнил, что он есть.

Алена не справилась со своим страхом. Она позвонила Масленникову. Через час тот приехал вместе с Кольцовым. Взяли бутылку с банкой. Поискали следы, Масленников забрал и коврик на экспертизу. Молча посидели на кухне. Потом Масленников проговорил:

— Алена, вы вышли не на звук, а по интуиции. Давайте вернемся к нашему сегодняшнему сеансу. Понятно, что это могли быть или просто случайные алкаши, или кем-то посланные именно для устрашения люди. Но кто послал? Человек, о котором мы так много сегодня говорили, мог иметь отношение к такой слежке за вами?

— Нет. Александр Кивилиди тут ни при чем, — уверенно сказал Алена. — Все то, что я чувствовала, видела, что мелькало и сгущалось, — это не могло быть связано с ним.

— Точнее.

— Это было некрасивым. Не знаю даже, что я хочу сказать. Но приближался некрасивый человек с некрасивыми мыслями и целью.

— Это человек не похож на Кирилла Соколова, вашего бывшего мужа? — спросил Сергей.

— Не знаю. Наверное, нет. Я боялась Кирилла, но не так. Не так смертельно. Но ничего не значит то, что я чувствую. Это же не факты.

— Когда речь идет о таком впечатлительном человеке, как вы, Алена, интуиция может значить больше фактов, — заключил Масленников.

Они просидели у нее на кухне до утра. Дождались звонка Алексея из Америки. Алена облегченно вздохнула, поговорив с ним.

— Я боюсь, что и Леше что-то угрожает. Хорошо, что он так далеко.

Сергею позвонил Земцов. Детектив молча выслушал, сказал:

— Интересное кино. Сейчас посмотрим. Мы у Алены.

И встал как для доклада:

— Дела такие. В новостях появилось сообщение: во Франции убит помощник Александра Кивилиди. Застрелен при пикантных обстоятельствах. В квартире жены Кивилиди. Задержан и убийца, который уже дал признательные показания. Это начальник охраны Александра Кивилиди Евгений Фролов, бывший офицер ГРУ России.

Покинул страну после двух уголовных дел. Оба — убийства при исполнении. Оба раза оправдан. Но, как говорит Слава, там не все так просто.

— Кивилиди рассматривается как заказчик? — спросил Масленников.

— Не знаю, наверное.

— Нет, — сказала Алена. — Александр мог бы убить сам, но он никогда бы не послал другого человека. И потом, он очень хорошо относился к своему помощнику…

Часть седьмая
ПЛЕН ПРОЗЕРПИНЫ

Глава 1
ГОСТЬ ВЕРНИСАЖА

Билеты на выставку фотохудожника Николая Стоцкого были проданы за несколько часов. Его работы хорошо известны и киношникам, и журналистам, и меценатам-коллекционерам. Но люди не были готовы к тому, что увидели на этот раз. Огромное полотно с узнаваемой актрисой в качестве модели — таким был центральный экспонат. Художник воссоздал и обработал кадр еще не вышедшего фильма, который уже имел скандальную известность. Любовница известного финансиста, которая досталась ему в наследство от убитого отца, в постельной сцене с ним. В жанре «ню».

На второй день выставку просто брали штурмом. Распорядители несколько раз увеличивали часы работы, а в последние дни просто перешли на круглосуточный режим.

В зале, где висела работа «Похищение Прозерпины», работали камеры Дымова, там часто прогуливался Сергей Кольцов. А измученный Коля отбивался от потенциальных покупателей, объясняя, что это первая, но не последняя выставка, на которой он собирается представлять работу.

Разумеется, там было много знакомых лиц. Приглашения получили сотрудники фирмы Кривицкого. Пришли Григорий Зимин, Ибрагим Шукуров, все подчиненные Алексея.

Сергей вошел в маленькую подсобку, где Коля прятался от слов, рукопожатий и деловых предложений, курил и даже пытался вздремнуть.

— Я пришел к тебе с приветом, пивом и жвачкой. Запаха не будет. Какие мысли?

— Одна. Взвинтить сейчас сумму по максимуму, пока, как говорится, железо горячо, взять бабки, разделить с оператором, который, собственно, и снял этот кадр. А дальше плюнуть на работу и пожить как белый человек. Как тебе?

— Красивая идея. Светлая. Но не интересная. Снимается кино, как тебе известно. Ходом интересуется следствие. Ты, Коля, сейчас действующее лицо. И при всей своей гениальности фигура подчиненная. Даже я тебе хозяин как представитель следствия. А нам всем нужно выбрать такого покупателя…

— Какого? Не того, который даст больше всех денег?

— Возможно, и его, но не это главное. Нужна перспектива. И клиент, который поведет нас к финалу. Так, выражаясь языком драматургии.

— Алена приедет?

— Сначала отбивалась. Потом согласилась. Масленников ее привезет. Я уже занимаюсь утечкой информации. Думаю, ее появление подогреет интерес к твоему творчеству.

— Еще пиво есть?

— Есть, но…

— Я допью, потом лягу на этот диван и посплю часок. А ты меня посторожишь, как положено детективу. В противном случае выставка закроется в связи с безвременной кончиной автора.

— О втором варианте можешь даже не мечтать. Ты еще нужен народу. Давай, дрыхни. Я за честь считаю охранять твой сон, чтобы не выкрали последнего гения.

Сергей заботливо, как мать, посмотрел, как Коля сворачивается клубочком на небольшом диване, накрыл его снятой с вешалки курткой, тихо покинул комнату и закрыл дверь на ключ снаружи. Ключ положил к себе в карман. Это для спокойствия Коли, и только. В том, что ему похищение не грозит, Сергей был уверен. А вот с его работой может случиться всякое.

По залу высокий, сутулый мужчина вел под руку женщину в черном платье, которая шла по полу неуверенно, как по голому льду. Все провожали их взглядами. Никто пока не подходил. Видимо, знакомые не поняли, с кем пришла Алена.

Она видела все сквозь пелену собственной паники. Алене не нравилась эта работа, хотя она ее в оригинале еще не видела. Только снимки в планшете Сергея. Ее пугало то, что они все затеяли с этой выставкой и продажей. Что-то вроде ловли на живца. Опять эта их слежка, подозрения, опять попытки вывернуть наизнанку ее судьбу, чувства, воспоминания.

— Вот, Алена, — сказал Александр Васильевич. — Отличная работа, правда?

А это была вовсе не работа. Это был такой тайный, интимный кусок жизни Алены, что она едва сдержала стон, побоялась повернуть голову. Неужели это видят и другие люди? Неужели чужие глаза скользят сейчас по ее обнаженной коже, ловят предательский трепет боли и страсти, смотрят на эту мужскую руку, сжимающую ее бедро... Они все думают, что это рука Алексея. Так и есть. И только Алене вдруг показалось, будто... Да, это какая-то мистификация! Она узнала вдруг руку

Александра Кивилиди. Она видела ее тогда в зеркале на своем теле, и то воспоминание прожгло сейчас ее вдовье платье.

— Алена, — вдруг мягко произнес мужской голос рядом с нею. — Какой прекрасный портрет. Какой чудесный кадр. Вы — ожившая Прозерпина. Только лучше.

Теплые темно-карие глаза Ибрагима Шукурова смотрели на нее восхищенно и нежно.

— А мне как-то не очень нравится, — призналась Алена. — Здравствуйте, Ибрагим. Но я очень рада вас видеть. Мне кажется, слишком крупный план, слишком большой формат и как-то все гипертрофированно. Это всего лишь кадр из фильма. В картине у нас все по-другому. Проще, естественней, без этой демонстрации. Это пара секунд на экране.

Они поговорили, прошлись вместе по залу, Масленников остался у «Похищения Прозерпины». И вдруг Алена вернулась к нему, бледная, с трудом переводя дыхание.

— Что-то случилось? — спросил он.

— Нет, просто устала, стало нечем дышать. Давайте уедем.

Масленников не задавал больше вопросов до самой квартиры. Лишь когда Алена порозовела после нескольких глотков чаю, он произнес:

— Интересный человек этот Ибрагим Шукуров. Если я не ошибся, вы узнали своего второго партнера по ночным кошмарам. У вас было именно такое выражение лица после разговора с ним.

— Да. Горячий, темный взгляд. Он во сне тоже стоял так, что лица я не видела. А взгляд чувствовала. И пальцы. Он протянул ко мне руку во сне, я увидела такие, точнее, эти — тонкие, длинные пальцы.

Глава 2
МЕСТЬ КРИСТИНЫ

Александр Кивилиди прочитал в новостях о московской выставке фотохудожника Николая Стоцкого. Этого парня хорошо знали на международных кинофестивалях. Александр и сам хотел организовать его выставку. А тут... Он прочитал, что Николай сделал уникальную большую работу по кадру из фильма, в котором снимается Алена. Он нашел в гугле этот снимок. Увеличил, долго рассматривал. Это хорошо. Нет, это хуже, чем хорошо. Слишком великолепно. Слишком страшно. Все, что Александр чувствовал в ту ночь, все, что было в его обугленной душе поверженного воина после той ночи, все, что осталось от его главной мужской победы и самого окончательного поражения, — все есть в этом снимке-картине. Глаза Александра горели, как будто прикованные к телу Алены, такому живому и осязаемому. К ее страдальчески изогнутым губам, к ресницам, под которыми прячется желание: она опять с ним не справляется. А эта рука... Александр сжал в кулак свою руку, чтобы не дрожала. Невозможно видеть, как крепко держит его Алену рука другого мужчины. После того как она освободилась от своего мужа. Точнее, после того как ее освободили из того плена. Муж Алены был жестким собственником. Александр это сразу понял, когда прочитал о том, что она вышла замуж за бизнесмена Кривицкого. Достаточно было одного взгляда на его лицо. Да, она должна притягивать мужчин такого склада. Ее нынешний любовник очень похож на отца, но кажется другим человеком. Более мягким и слабым. Но в одном он, кажется, унаследовал хватку отца. Вот так он держит свою добычу. Так играет с огнем своей судьбы.

Александр резко поднялся, чтобы позвонить Владу, от потрясения он на мгновение забыл, что Влада больше нет. Другого помощника он пока не нашел. Придется самому выходить на Колю. Эту работу необходимо срочно купить.

Раздался звонок в дверь. Александр открыл и увидел жену Кристину. После трагедии в ее квартире он видел ее второй раз. А хотелось бы обойтись без встреч в принципе. Все формальности решаются и заочно. Все подробности того, что произошло, найдут его и так.

— Зачем ты приехала, Кристина?

— Ты хочешь сказать, что нам не о чем говорить?

— Я именно это сказал.

— И все же я приехала. Разреши мне войти.

— Ради бога. Проходи.

Кристина сидела в кресле, положив нога за ногу, курила, смотрела на обстановку комнаты, в которой жил только ее муж. Комнаты, которая отторгала ее с первого дня, как чужеродный элемент. Впрочем, наверняка она так отторгает и других людей. Ибо он не совсем обычный человек, ее муж. Ей кажется сейчас, что Александр и не совсем человек. Прекрасный, опасный зверь, не знающий любви, жалости и даже человеческих страданий. Он хотя бы ревнует? Она хотела узнать лишь это.

Александр поставил на стол два бокала с коньяком и две чашки горячего черного кофе. Сел напротив. Посмотрел прямо и внимательно ей в глаза. В ее серые, ясные, умные глаза. Глаза женщины, с которой можно объясниться без слов. Это все решило в их случае. Александр понял, что лучшей спутницы ему не найти. Ему нужна была именно такая женщина. Сама по себе, уверенная и стойкая, привлекательная и знающая все о чувстве меры. Что значит это ее разрушение порядка и меры? Такое невероятное, почти истерическое, вульгарное и кровавое разрушение.

— Ты пришла за каким-то ответом, Кристина? Только в этом случае наша встреча имеет смысл. У меня нет к тебе вопросов.

Сердце Кристины сжалось и оборвалось от этих слов. Она видела совсем рядом лицо мужчины, прекраснее которого не было ничего в ее жизни. Она так и не привыкла к нему. Не было такой возможности. Если бы сейчас она увидела хотя бы тень обиды, горечи, пусть даже злобы или ярости. Пусть ненависти... Если бы она это увидела, она бы бросилась на колени, она бы вымолила прощение. Или попросила бы убить себя. И была бы счастлива, погибая от его руки. Любую цену можно заплатить за такое знание: ее измена причинила ему боль. Она ему не безразлична. Но он холоден, как статуя. Какая ревность... В лучшем случае брезгливость. Даже это лучше, чем полное равнодушие.

— Да, — сказала Кристина. — Я хотела узнать, как ты пережил смерть Влада. Я думала, ты к нему привязан. Сейчас я не вижу грусти даже по этому поводу. А я хотела выразить тебе свое сочувствие. И все же сказать: я виновата в том, что произошло, но я не хотела этого.

— Смерть Влада — тяжелое событие для меня. Потеря. Но я не собираюсь развивать эту тему в принципе, тем более с тобой.

— Ты говорил, что уважаешь меня. Этому конец?

— Ну почему? Ты свободный человек, и я принимаю твое право на любой твой выбор. Просто мое участие в этом уже не имеет к тебе отношения. Ты больше не моя женщина, вот и все.

— Твоя женщина...

Кристина встала, опрокинув чашку с кофе, подошла к окну и повернулась к мужу спиной, чтобы он не видел, как исказили ее лицо горечь и разочарование. Но он видел, в каком отчаянии она подняла руки, стиснула виски. Хороший кадр. Женщина в крайнем горе. И это горе не имеет отношения к тому, что она стала причиной гибели одного мужчины и преступления другого. Это горе жены, которой нужно, чтобы законный муж ее просто хотел, просто ревновал, просто собирался отомстить или наказать. За чем-то таким пришла Кристина, идеальная спутница по критериям Александра. Но она окончательно разрушила свой рисунок. И не искать же ему в себе жалость. Нет этому места в сердце Александра. И он произнес:

— Моя женщина — в рамках нашего соглашения, которое перестало существовать. То было соглашение свободных партнеров. Ты попала в какую-то ловушку, Кристина, но я не пойду туда за тобой.

Кристина медленно повернулась. Ее лицо было почти спокойным. Только совершенно белым с обострившимися скулами и высохшими губами.

— Александр, ты не все понимаешь. Точнее, ты не хочешь узнать ничего травматичного для себя. И поэтому я тебе кое-что расскажу. Объясню. И ты как человек, который умеет ценить свободу и права других, не посмеешь меня сейчас прервать. Наверное, это последняя наша встреча. Между нами не было слова «любовь», и поэтому я произнесу сейчас другое. Ненависть. Перед тем как убили Влада, произошло еще одно убийство. Убили меня. Ты убил во мне женщину, возлюбленную, жену, которая ждала тебя дни и годы, которая ловила каждое теплое слово и любое обещание родства. Я никогда бы тебе не сказала в обычной ситуации, как мечтала родить от тебя ребенка. Ведь у такого красивого человека, как ты, должно быть продолжение. Я была бы счастлива выносить его. Но ты мне доступно объяснил, что не хочешь быть началом новой несвободы, нового несчастья на земле. Может, ты так и думаешь, но для женщины это значит одно: ее настолько не любят, что не хотят ничего общего. Я разбилась о тебя, как о скалу. Ничего, кроме мести, мне не оставалось. Вот и оставайся с тем, что произошло. Я всего этого хотела. Все произошло, как я задумала. Я была любовницей Влада, потом изменила ему с Евгением. Это хладнокровный убийца, он привык так решать все проблемы. А меня он любит… И думает, что я беременна от него. И я пригласила их обоих с разницей в час. Ты мне веришь?

— Конечно. Не вижу причины для тебя обманывать меня сейчас.

— И что? Скажи хоть что-то.

— Ты хотела мне отомстить. Ты сделала это. Постараюсь пережить. Кристина, к тебе приедет мой адвокат. Ты останешься довольна условиями развода. А эту душераздирающую сцену ты явно затянула. Позвонить водителю, чтобы он тебя отвез? Ты слишком взволнована.

— Нет. Я больше не взволнована. Я довольна. Эта сцена стоит того, что я за нее заплатила. Ты сжег сейчас во мне все: и мою любовь, и мои страдания, и мою вину. Ты сжег даже мою ненависть. Нельзя ненавидеть подобие человека.

Кристина прошла мимо него. Александр придержал ее за локоть.

— Только одно. Если ты действительна беременна, если ты родишь этого ребенка, я вас не оставлю без поддержки. Кто отец?

— Вот сейчас тебе будет по-настоящему интересно: я не знаю, кто отец — Влад или Евгений.

— Не имеет значения на самом деле. Мое предложение в силе.

— Да пошел ты со своей поддержкой!

И Кристина все же не спрятала от него своих злых и несчастных слез.

Глава 3
ИСТОРИЯ ЛЮБВИ

Масленников удобно расположился в кресле перед столом Земцова, вытянул длинные, редко отдыхающие ноги и ответил двум удивленным взглядам — Сергея и Славы.

— Да, хочу развлечь вас историей одной любви. Вроде есть у нас сейчас пауза. Расслабьтесь, друзья. История любопытная. И может в результате показаться вам уместной.

Он начал рассказ:

— Давно это было. Тридцать семь лет назад. В одну московскую школу пришла новая учительница. Ее звали Эльвира, и было ей двадцать восемь лет. Девушка была миловидной, скромной, приветливой. Ученики ее полюбили. А один парень из выпускного класса влюбился всерьез. Он был сыном богатого бизнесмена, который переехал в Москву из Азербайджана. Очень яркий, сильный и красивый парень. Назову его Ромео для начала. Опущу подробности, дам потом ссылку на один текст, и вы сможете прочитать о том, каким настойчивым и пылким влюбленным может быть парень семнадцати лет. Эльвира не устояла. Дальше по законам жанра. Ее выгнали из школы. Обошлось без возбуждения дела, потому что к моменту их разоблачения Ромео уже исполнилось восемнадцать лет и он окончил школу. Но от любовников отреклись их родители. Ромео снял квартиру, привел туда Эльвиру. Сам работал грузчиком, курьером, параллельно учился на курсах программистов, искал какие-то возможности для бизнеса. Они были счастливы. Такой рай в шалаше. И вот пришел однажды Ромео в свой шалаш раньше времени. Днем, а не глубокой ночью. И застал возлюбленную Эльвиру в постели с мужчиной. Опускаю подробности его потрясения, драматургию этой сцены, расставания, глубокого горя и депрессии Ромео. Эльвира уехала из шалаша в богатый дом начинающего и уже довольно известного финансиста. Ромео в прямом смысле выживал. Ему это удалось. Ему все удалось. И бизнес, и семья, он даже дорос до уровня человека, который увел его женщину. Они оказались людьми одного круга. Отличные отношения, дружили семьями. И мало кто знал, что для Ромео та трагедия не закончилась. Что он все еще пытается изжить свою боль, публикуя записки «Преданного волка», такой он себе взял псевдоним на сайте «Проза. Ру». Он там даже приобрел литературную известность, потому что пишет хорошо. Страстно, горячо, на разрыв. Пишет, в частности, и о том, как дальше живет его Эльвира. А ее бросил богатый муж. Он смертельно влюбился в очень красивую актрису, вдвое моложе, — ровесницу сына. И женился на ней…

— Вы замолчали, Александр Васильевич, чтобы мы имели возможность для правильного ответа? — спросил Сергей. — Я готов. Эльвирой зовут жену покойного Валентина Кривицкого. Ромео, он же «Преданный волк»… Это Ибрагим Шукуров?

— Точно. Так и знал, что ты ответишь первым.

— Дела... — протянул Слава. — Ложится все в версию мести Кривицкому и Алене, как в специально приготовленный футляр. Но ведь это уважаемый, приличный человек, Александр Васильевич. Что вас заставило рыть под него?

— Сны Алены. Он там появляется как фигурант номер два. Она его узнала на вернисаже. Вспомнила взгляд и длинные пальцы. Рассказала, что они встречались с Ибрагимом, когда был жив Валентин, в разных ситуациях. У него дома, в его студии, где он что-то писал, рисовал, собирал коллекции, на разных мероприятиях. Алене всегда казалось, что он очень хорошо к ним обоим относится. К ней — особенно хорошо. И только сейчас, в своем болезненном прозрении, она начинает вспоминать тревожные детали. Я ее не тороплю.

— С удовольствием почитаю его произведения, — сказал Сергей. — Всегда мечтал наткнуться на что-то типа исповеди преступника.

— Не забегай все же так далеко, — сказал Масленников. — Это копание в себе жертвы, пока все, что могу сказать как профессионал. Очень глубокой и ничего не забывающей жертвы. Да, он не простил, не разлюбил, а чувства его к разлучнице, ради которой муж бросил его Эльвиру, очень сложны.

— Сложны, конечно, — вмешался Земцов. — Он — один из первых претендентов на «Похищение Прозерпины». Впрочем, может, он такой маньяк, что подарит это своей Эльвире, чтобы она разрезала полотно ножом или навтыкала в картину булавки.

— Ничего себе воображение, — присвистнул Сергей, — я в шоке, Слава.

— Это не воображение. Это материалы других дел. Не так красиво и романтично, но по сути все та же любовная дребедень, из которой получаются большие преступления. Я, конечно, среди вас такой Иванушка-дурачок, не читающий непризнанных гениев на «Прозе. Ру», но все же жду возможности, господа, сообщить важную новость. Не успел до начала этой истории любви. Я тоже любопытный. Но меня занимают все больше заведенные дела по свершившимся убийствам. Убийство помощника Кивилиди показалось мне интересным в связи с личностью убийцы. Евгений Фролов, который ушел от нас после ряда убийств заказного характера, появился в качестве начальника охраны Кивилиди не так давно. Точнее — после убийства Кривицкого. На момент убийства Кривицкого он был еще в Москве.

— Это все, что у тебя против него есть? — изумленно спросил Сергей. — Да таких может быть сотни, если не тысячи, — киллеры, которые на момент убийства Кривицкого были в Москве.

— Ты прав, как всегда. Но у меня была возможность связаться с товарищем из французского департамента полиции. Мы вместе уже работали. Так вот. Они обнаружили восемнадцать миллионов долларов, которые Фролов получил от кого-то на свой счет и в тот же день кому-то отправил семнадцать. Это было уже во Франции. Восемнадцать миллионов долларов — деньги, которые снял со своего счета Кривицкий перед смертью. Вот поэтому я просил разрешения у французских коллег допустить к работе моего заместителя Попова. Он самый умный мой помощник. Мы тоже сможем быть им полезны. Я всерьез когда-то разбирался в подвигах Фролова. Разбивался об его статус — честного офицера ГРУ, потом честного вохровца. У него всегда были покровители. Судя по этим денежным передвижениям, дело серьезное. И он может быть не просто исполнителем.

— А не получается... — задумчиво произнес Масленников, — не получается ли у нас такая интересная вещь? Фролов убил соперника во Франции, чтобы сесть на не очень большой срок за преступление из ревности во французскую тюрьму. И не получить на полную катушку за заказное убийство с ограблением и поехать на нашу суровую зону.

— Есть и такой вариант, — заключил Земцов.

— Есть и следующий вариант, — заметил Кольцов. — Он приехал сразу к Кивилиди, который взял его без колебаний начальником охраны. Человека с таким прошлым. Напрашивается, конечно, мысль, что он приехал к заказчику под крыло.

— Напрашивается, — согласился Масленников. — Только как-то чересчур навязчиво напрашивается. Для нас слишком удобно.

Глава 4
ОПЫТ РАЗЛУКИ

Алексей даже не предполагал, что такой уровень медицины возможен. Результат первой операции на лице Тани был заметен уже на третий день. Никаких повязок, заклеек. Девочка почти не испытывала дискомфорта. А через неделю им с Марией разрешили взять ребенка на прогулку. Алексей составил программу, для ужина выбрал маленький и дорогой ресторанчик с террасой, выходящей на океан. Девочка была в красном платье, купленном Аленой. Ее длинные волосики сестры клиники вымыли и красиво уложили легкой волной. Она поправилась, руки и ноги уже не были такими спичками. Не только Марии, но и Алексею она казалось очень хорошенькой.

Таня ела мороженое и фрукты. Алексей с Марией выпили вина. Он рассказывал смешные истории, какие так любили его дети. Таня сначала слушала серьезно, а потом вдруг рассмеялась. Беззаботно и легко. Как счастливый ребенок, который не знает о существовании зла и боли. И этот смех вдруг так согрел Алексея. Смыл его неприкаянность, сомнения, смягчил тоску по Алене. Он был в том месте, где нужен, делал то, что может. Что еще нужно доброму человеку для того, чтобы душа отдохнула, перестала ныть и томиться? А эта нежная истерзанная девочка и ее суровая мама, которая тоже начала оттаивать, — они становятся для него по-настоящему родными. По такой простой причине: у них, кроме него, нет никого на свете.

Развеселившаяся Таня вдруг посмотрела на соседний столик, неподалеку от них. На террасе было их всего два. Смешинки в Таниных глазах стали ярче, рот приоткрылся от веселого удивления. Алексей проследил за ее взглядом.

Да, компания за тем столиком была презабавная. Солидный дядечка, который сидел на большом расстоянии от стола и тянул руки к своим тарелкам и бокалам над большим животом. А по обе стороны от него — тщедушные существа явно женского пола, судя по лифчикам на аномально больших силиконовых вставках, которые с трудом держались на выступающих ребрах. Это были очень юные девушки, лет по восемнадцать. Алексей, как и Таня, в изумлении смотрел на два неподвижных, одинаковых лица. Нет, девушки не были близнецами. Один пластический хирург, наверное. Глаза, искусственно расширенные, смотрели прямо и без выражения, скулы торчали, как отточенные, но особенно выделялись на лицах рты. Огромные, как будто резиновые губы, похожие на вареники из кулинарных книг. Девушки озабоченно пытались ими управлять: приоткрывать с усилием, чтобы демонстрировать крупные зубные импланты, вливать осторожными глотками воду, вкладывать какие-то крошечные кусочки. Кусочки часто выпадали, потому что владелицы не чувствовали ничего. А за спинами колоритной компании стояли мрачные мужчины в шортах — бритые наголо, но с черными бородами. Одна девушка встала и картинно прошествовала к подоконнику террасы, чтобы полюбоваться видом. Она была в крошечном парео, которое комично торчало на ягодицах, таких же искусственных, как груди. Они жили какой-то своей жизнью мультяшных персонажей — эти ягодицы. Таня звонко рассмеялась, и в детской непосредственной манере объяснила, что ее рассмешила во внешности тети. За соседним столиком услышали.

И в тон детскому смеху раздался звон разбитой посуды. Вторая девица вскочила со своего места, бросила один бокал на пол, затем второй, хрустальный графин с соком. Из ее раздутого рта полились визгливые и грязные слова на русском языке. Алексей с ужасом услышал: «Мразь! Уродка! Кто пустил эту шваль?» Таня заплакала. Бородатые охранники сдали шаг по направлению к столику Алексея. Толстый папик подозвал менеджера, показал на Таню. Мария встала и потянула дочку к выходу. Девочка дрожала. Алексей решительно усадил спутниц на место.

— Успокойтесь, это недоразумение. Я сейчас все улажу. Мы уйдем отсюда только тогда, когда Таня сама захочет. Когда она опять улыбнется. Подождите.

Когда Мария и Таня опять сидели, Алексей подошел к соседнему столику. Одарил своей коронной обаятельной улыбкой и папика, и менеджера, что-то успокоительное произнес девицам, которые уже стояли и шипели вместе.

— Мне кажется, мы где-то встречались, — сказал он мужчине. — Я Алексей Кривицкий.

— Извините, не сразу узнал, Алексей Валентинович, — поднялся поводырь силиконовых девушек. — Армен Бугров, «Сибалюминий». У нас были с вами контакты.

— Да, конечно. Наверняка. Отдыхаете? Это ваши родственницы, знакомые? Симпатичные девушки. Возникла небольшая проблема. Моя племянница здесь лечится. Ей нельзя волноваться. Девушкам придется извиниться. Или вам всем покинуть этот ресторан. Это серьезно. Мы в Америке. Дискриминация, знаете ли. Не хотелось бы привлекать полицию. Но и оставить так не могу.

Девушки зашлись в истерике. Нечленораздельный лепет эскорта, который решил, что он стоит тех денег, которые ему платят. Бугров стал красным и покрылся крупными каплями пота. Это не то, что ему нужно. Скандал, огласка, информация, которая получит распространение.

— Мы уйдем, — поднялся он. — Давайте, девки, на выход. Потом поговорим.

Он отвел Алексея немного в сторону и проговорил:

— Они не будут извиняться. Это не обычные шлюхи. Дочери моих партнеров. Я могу как-то компенсировать?

— Достаточно, если вы просто уйдете.

Алексей повернулся, сделал шаг по направлению к своему столику и вдруг вернулся и спросил неожиданно для самого себя. Причем не шепотом, а довольно громко:

— Не могу сдержать любопытство, Армен. А как вы с ними общаетесь? Близко, я имею в виду. Ничего не мешает? Давно в таких случаях пытаюсь ответить себе на этот вопрос. Просто резиновые женщины из секс-шопа, кажется, удобнее, нет?

Повисла гробовая тишина. В которой вдруг раздался смех. Это рассмеялась Мария. Впервые за все время, что Алексей ее знает.

— Извините, сорвалось, — почтительно протянул руку Бугрову Алексей. — Сказался стресс. Испугался за племянницу. Всех вам благ.

Бугров растерянно ответил рукопожатием и пробормотал: «Это не то, что вы думаете». А в спину Алексею блеснул, как клинок, черный взгляд одного из охранников девиц.

Таня улыбалась, когда они возвращались в клинику. Прощаясь, потянулась к Алексею, и когда он склонился к ней, поцеловала в щеку.

Он не спал в ту ночь. Разговаривал мысленно с Аленой. К утру написал ей электронное письмо.

«Один мой товарищ сказал, когда ты вышла замуж за отца: «В шоколад попала актрисуля». И я пошел посмотреть на вашу жизнь поближе. И понял, что в шоколад, в раскаленное блаженство попал именно отец. Что так не везло еще ни одному мужчине на земле. Разве мог я тогда предположить, что окажусь еще большим счастливчиком, чем папа. Только сейчас, в этой первой разлуке, так далеко от тебя, я пытаюсь оценить, взвесить масштаб своего везения... Но у этого нет предела. Это счастье, которое не может изменить ни мое страдание, ни тоска, ни бесконечная потерянность, когда ты скрываешься на время из виду. Вот и все, о чем я думаю сейчас. А дела у нас хорошие. Первая операция успешная. Девочка поправляется, становится красивой. Передает тебе привет. Была сегодня в красном платье, которое ты для нее выбрала».

Глава 5
ПРОСТО ЭПИЗОД

Отпуск Алены продолжался. А работа над фильмом «Без тебя» была в разгаре. Максим и актеры «переигрывали» документальные куски. Исполнители реальных прототипов искали свой рисунок внешности и характера, уходя в неузнаваемость. Актеры были соавторами сценариста. Они играли уже себя и тот образ, который казался им интересным, логичным, интригующим.

В то утро Максим позвонил Алене, чтобы справиться о здоровье, и уже в процессе разговора предложил:

— А не приехать ли тебе сегодня на короткое время? Просто эпизод. Небольшой эпизод, который прояснит твою ситуацию сейчас и даст нам программу для дальнейшей работы.

Алена согласилась. Она одна в своей квартире уже пугалась стен и любых звуков за окном и дверью. Сил не осталось. Но была надежда утомить себя до такой степени, чтобы провалиться хотя бы на одну ночь в полную темноту. Темноту и тишину. Без мыслей совсем.

Она вошла в ванную, зажгла все светильники, с тоской посмотрела на свое отражение. Страдальческие глаза, темные тени под ними, припухшие скулы и скорбный рот с опущенными уголками губ. Алена не помнила, когда улыбалась в последний раз. А ведь ничего плохого с ней не происходило после того нападения на квартиру. И о нем она почти забыла, да и не переживала особенно. Горе — это гибель Валентина, боль — это разлука с Алексеем, все остальное, казалось, можно пережить. Так казалось… Но Алена увязла в собственных тайнах, так надежно вроде бы спрятанных от себя самой. Она чувствует то, что еще не произошло. И почему-то это важнее того, что уже состоялось.

Алена и не подумала краситься. Надела джинсы, свитер и куртку с капюшоном. Только на улице заметила, какой сильный мороз. Но не стала возвращаться, чтобы одеться теплее. Идти не очень далеко. И даже если съемки на улице, ничего страшного, не замерзнет.

Максим встретил ее радостно. И сказал почти с восторгом:

— Прекрасно. Ты очень плохо выглядишь. То, что надо.

Алена невольно рассмеялась. Она попала в рабочую обстановку с сумасшедшим профессионалом.

— Нет, ну, правда, — развил Максим тему. — У нас слишком много твоих красивых планов. А мне нужно сейчас, чтобы ты, без грима, вот в таком виде — тоскливой общипанной курицы, задала нам тон, настроение. Для меня это лучше, чем твой текст — о потерях и муках. Я сделаю шедевральные крупные планы. То, что не нужно объяснять словами. Не обижайся. Ты понимаешь, о чем я. Ты по-прежнему хороша на самом деле. Только лучше. Богаче, интереснее, драматичнее. Моя идея такая. Ты больше не ищешь одиночества, не блуждаешь в поисках потерянного прошлого. Ты даже не стремишься к своему возлюбленному. Ты из какого-то своего провала пытаешься вернуться в мир обычных, счастливых, бездумных, чем-то занятых людей… Ты идешь туда, где их много. Где, как тебе кажется, они дружны, едины, сплочены тем, чего ты не понимаешь. Перестала понимать. И хочешь опять понять. Ты хочешь, чтобы тебя приняли. Схватила мысль?

— Конечно. Да, это хорошо. То, что мне сейчас и нужно. Где работать?

— Иди по самой людной улице к метро. Отвечай, если к тебе обратятся. Смотри на витрины, рекламу. Может, тебе что-то захочется купить. Я скажу, когда можно возвращаться.

Алене сначала было тесно и неуютно в этой толпе. В этой мрачной и, в общем, безликой толпе. Какие счастливые люди... Они идут, как на убой, не глядя друг на друга. На нее налетел какой-то малыш и засмеялся: «Тетя, ты мне подвернулась». Ей стало смешно. И как будто теплее. Она сняла капюшон куртки, ветер и снег запутались в волосах, крошки льда падали на ее плотно сжатые губы, и Алена приоткрыла рот, чтобы попробовать их на вкус. У метро люди были оживленнее, многие говорили по телефонам, торговки раскинули товар на картонных коробках-прилавках. Алена посмотрела и вздохнула от восхищения. Тонкий ажурный оренбургский платок был цвета тумана. Такой нежный, сложный цвет.

— Померь, дорогая, — предложила ей толстая, смуглолицая продавщица. — Чистый шерсть. Оренбург. Тебе пойдет. А ты замерзла.

— Вы сибирячка? — вежливо спросила Алена.

— Я из Киргизии, сама видишь. А товар у меня самый лучший. Мне привозит кто надо.

— Не знаю, хватит ли у меня денег.

— Давай накину. Посмотри сначала. А там договоримся.

Торговка закутала голову Алены туманным платком, показала ей зеркало. Алена удивилась сама себе. Она разрумянилась, глаза стали ярче и светлее, лицо засияло в кружевной рамке. Она начала считать деньги, которые вынула из кармана. Сумку с кошельком она не взяла.

Продавщица, не глядя, сгребла то, что было в ее руке, положила в свою коробку.

— Не ищи больше, дорогая. Это твоя вещь. Пусть тебе будет тепло. Вспоминай Аллу-Алтынай.

И Алена пошла дальше в своей неожиданной обновке. Когда ее окликнул сзади незнакомый мужской голос, оглянулась доверчиво.

— Девушка, вы сейчас потеряете свой платок, он у вас развязался. Ветер.

И мужчина — Алена даже не успела его рассмотреть — взял конец платка, стал его завязывать на ее шее…

Оператор, который был совсем недалеко, думал, что так и надо, снимая, как Алена пошатнулась, сначала пытаясь удержаться за руку этого мужчины, а потом стала опускаться прямо на землю. Упала в сугроб на обочине. Максим с помощником уже мчался к ней, звонил по телефону. Алену нашли без сознания. «Скорая» отвезла ее в ближайшую больницу. Приехал Масленников. Через полчаса он вышел к Максиму.

— Укол сильного снотворного, практически наркотика, в шею. Большая доза. Слишком большая. Выводят. Вот что бывает, когда режиссер думает, что он царь и бог, и не считает необходимым советоваться с кем-либо. Возможны любые последствия. Укол прямо в вену.

Земцов у себя поднимал команду.

— Брать всех дружков-подельников Тагира Джураева, что проходили в статусе свидетелей, у нас уже тонны их вранья. Задерживаем по подозрению во всем. В убийстве Кривицкого, поджоге его дома, налете на съемочную квартиру, повторное нападение на Алену с целью убийства, что не исключено. Мы получим теперь заказчика, где бы он сейчас ни сидел, смеясь над нами, — тут, во Франции, на облаках.

Глава 6

НЕ ТОТ ПЛЕН

Алена была уже в сознании. Но в полусне, который уже не обморок и еще не жизнь. Это самостоятельный полет души и мысли за пределами реальных обстоятельств. Над тем, что было, есть и может быть. Как в младенчестве, наверное, когда все возможно. Она открывает глаза, а ресницы тяжелее взгляда, они опускаются, чтобы взгляд не наткнулся на острые углы. На жизнь. На ставшую такой неудобной и опасной жизнь Алены.

А над ней склоняется тень. Крупная тень в медицинском халате. Сухая рука касается ее лба, губ, запястья. И что-то мягкое ложится на лицо, душный запах, Алена опять опускается на дно. А мысль почему-то не подчиняется, она бьется, волнуется, тащит Алену к пониманию.

Когда Алену завернули в одеяло и понесли, она не могла шевельнуться, но ей казалось, что ее уносит Александр Кивилиди. И она даже не пыталась закричать. Она не хотела, чтобы ее спасли. Это должно было случиться, и будь что будет.

Проснулась она в незнакомой комнате, светлой, яркой, теплой. Лежала и ждала. Дверь открылась, к ней неторопливо приближалась мужская фигура. Пелена мешала рассмотреть лицо. Но когда это лицо склонилось наконец над Аленой, она закричала от ужаса. Она хотела сейчас же вернуться в сон, а еще лучше — в смерть.

Она узнала его, Аркадия Рискина, хотя, кажется, не встречала в жизни. Но кто не видел по телевизору, в газетах, Интернете лицо этого олигарха, человека, чьи пороки, цинизм и алчность — все предательски отразилось на лице. Любой считал бы себя изгоем на месте Рискина. Природа отметила его таким непоправимым уродством черт и выражений. А он ответил природе силой и наглостью. Железной хваткой и отсутствием нравственных преград. Много слухов ходило о том, что было личной жизнью Рискина, — об оргиях, скандалах, жертвах и размерах откупных, чтобы не допустить настоящих разоблачений и обвинений.

— Рад вас приветствовать, Алена, — сказал Рискин. — Мне кажется, вы узнали меня. Мы встречались однажды, не помните?

— Нет.

— Встречались. На премьере вашего фильма. Просто я не подходил близко. Трудно было пробиться. Но никогда не выпускал вас из виду. И вот сейчас — поучаствовал по мере сил в вашем проекте. Пожертвовал, сколько мог, на съемки фильма с вашим участием.

— Что все это значит? — спросила Алена.

— Похищение это значит. Просто похищение Прозерпины. Так ведь называется ваша фотография на вернисаже Стоцкого? Он мне и подсказал идею. Только мне фотография не нужна. Я решил похитить оригинал.

Рискин наклонился и прикоснулся губами к обнаженному плечу Алены. Она содрогнулась от отвращения. Он улыбнулся. Научился получать удовольствие от реакции других людей на свое уродство. Особенно в такой ситуации, когда его жертва беспомощна.

— Зачем вы это сделали?

— Это длинный разговор. Отложим его на потом. А сейчас вам принесут одежду, еду, вы сможете встать, осмотреть дом. Здесь все к вашим услугам. Вы даже можете встретить знакомых. Так что вы не в подземелье и не в тюрьме. И, кто знает, может, и ко мне измените отношение. Так бывает.

Он ушел. Через несколько минут женщина в черном платье с белым фартучком принесла поднос, на котором стояли еда и высокий стакан с соком. На стул рядом с кроватью она положила не одежду Алены, а розовый банный халат. Без слов, как немая, открыла дверь, за которой была ванная. И ушла. Алена приподнялась на локте. Странно, но есть захотелось. Она села, поставила на колени поднос. Съела омлет с сыром, салат, выпила сок. Прошла в ванную, полежала в теплой воде и почувствовала, что опять уплывает в сон. В настоящий сон, а не в беспамятство. Похоже, они добавили снотворное в сок. Ну, что же. Это единственное, что поможет ей как-то вынести все это. Только не это. Не Аркадий Рискин. А потом… Если ее не спасут, надо что-то придумать.

Алена проснулась часа через два. Все сразу вспомнила, умылась холодной водой. Надела пушистый халат, сунула ноги в тапочки ее размера и открыла дверь своей комнаты. За нею оказался широкий коридор. Алена пошла по нему. Комнаты с двух сторон, в некоторые двери были открыты. Там стояли большие, высокие, низкие, круглые и прямоугольные кровати. Так стояли, в таком интерьере, что сомнений не осталось: это не спальни. Не комнаты для отдыха и сна. А впереди был просторный зал с людьми. Все женщины. Они сидели вокруг большого стола. Передвигались, были одеты по-разному: кто в халатах, как Алена, кто в вечернем платье, кто в обычных джинсах. Алена даже обрадовалась. Шагнула к ним, остановилась, присматриваясь. И вдруг ее окликнули по имени. И она увидела знакомую актрису, довольно известную, в ярком кимоно.

— Привет, Оля. Я ничего не понимаю...

— Здравствуй, Алена. Не знаю, кто тебя сюда привез, но я все сейчас объясню. Ты такая бледная, не дрожи. Тут ничего страшного. Не понравится — уедешь. Пошли на тот диванчик. Не хочу, чтобы все слышали. Мы тут встречаемся иногда, но не сильно друг друга любим.

Они сели на диванчик у окна, Алена выслушала приятельницу. Какая тупая и пошлая история. Это банальный дом свиданий. Сюда приезжают женщины, в том числе известные и замужние, и мужчины, тоже обремененные репутацией, семьями. И происходит торг.

— Ты знаешь, у меня высокая ставка, — доверчиво говорила Ольга Губская, исполнительница ролей романтических красавиц, — но я никогда не могла заработать два миллиона за два дня. И меня никто не принуждает, не насилует, ничего такого. Я выбираю приятного мне человека, который меня ценит и уважает. Кроме гонорара за встречи всегда подарит подарок. Ты меня понимаешь?

— Нет. Но это не важно. Дом принадлежит Аркадию Рискину?

— Нет. Он просто тут вроде начальника-распорядителя. Это очень смешно на самом деле. Это элитный санаторий для участников Отечественной войны, инвалидов и всяких героев. Смешно?

— Ужасно смешно, — нахмурилась Алена. — Все-таки криминал. А не просто полюбовная проституция.

— Какая ты! Вот потому тебя не очень любят. Ты резкая и высокомерная. На всякий случай учти: здесь все мило и добровольно, конечно, но за разглашение секрета жестоко наказывают. А кто тебя пригласил сюда?

— Меня не приглашали. Меня украли из больницы. Думаю, меня ищут. Наверняка найдут. Похититель признался мне в сознательном, умышленном похищении. Для того чтобы я молчала, меня надо не наказывать, а убить.

— Аркадий так тебе сказал? Всегда думала, что он очень увлекается своими рискованными приключениями. Это игра, Алена, как ты не понимаешь. Взрослая, щекочущая нервы игра. Нелепо на это реагировать, как заполошная примерная младшеклассница. Он все объяснит, все компенсирует, думаю, более чем. Ты не подставишь нас всех под удар. У меня две взрослые дочери, как тебе известно. Муж занимает серьезную должность. А что касается Аркадия и его выходки... Тут я тебе не советчик. Не знаю, как бы я поступила на твоем месте. Скажу как женщина. Лучше пойти навстречу. Он не остановится перед твоим протестом. Тот случай, когда тебе любой посоветует расслабиться. Мне Аркадий никогда ничего не предлагал. Наверное, недостаточно оригинальна для него. А я бы не отказалась. Это не два миллиона за пару дней. Это столько за час, наверняка. И потом... По-женски мне было бы любопытно. Что-то из серии «Красавица и чудовище». Неужели тебе совсем не интересно? Ты такая ханжа?

— Ты все мне объяснила, Оля. Спасибо. Рассказывать о своих интимных ощущениях сейчас не могу, извини. Ты же слышала: меня украли из больницы. Я была без сознания. Не знаю, где мой телефон. Ты не дашь мне свой?

— Ничего себе, — звонко расхохоталась Ольга. — Ты хочешь с моего телефона позвонить в полицию?

После всего что я тебе рассказала? Ты глупая, оказывается, совсем. Кстати, телефоны при входе сдают охране, а она здесь серьезная. И точного адреса никто из нас не знает. Нас привозят в закрытых машинах, каждую в отдельности.

— Теперь все окончательно ясно. Я вернусь в свою комнату. Голова закружилась. Может, увидимся еще.

— Точно увидимся, — бодро сказала Ольга.

Алена вернулась в ту комнату, из которой вышла, походила, выдвинула все ящики столов и тумбочек, посмотрела на всех полках книжного шкафа и комода... Никакой техники не было. Ни телефона, ни компьютера, ни планшета, ни клочка бумаги и ручки... Даже не выбросить записку в окно или с балкона. Но ни окно, ни балконную дверь она не смогла открыть. Алена легла лицом в подушку и позвала свои слезы, попросила составить ей компанию. Но они опять сгорели в очередной беде.

Часть восьмая
НЕСЛУЧАЙНЫЕ ЛЮДИ

Глава 1
БЕЗ АЛЕНЫ

Алексей, узнав о беде, сумел собрать все мужество. Прежде всего позаботился о Тане и Марии. Он нашел во Флориде бывшего сотрудника, который теперь там жил. Валерий приехал с женой и сыном. Сразу понял ситуацию. Они обогрели растерянную, испуганную Марию уже совсем американским радушием. Сказали, что, как только будет можно, они увезут мать и дочь к себе домой. В любом случае они могут у них жить и восстанавливаться сколь угодно долго. Успокоили Алексея, договорились, что будут постоянно на связи. И только после этого Алексей вылетел в Москву.

Думать о том, что произошло, представлять себе, что может сейчас переживать Алена, кто с ней, где она, — было слишком больно. И совсем непродуктивно. Алексей изо всех сил держал в узде воображение. Чуть отпустишь — мозг просто взорвется. Мелькали рваные мысли: совпадение или нет — то, что Алену похитили во время его отсутствия? По логике — совпадение, потому что он и в Москве не сторожил ее всегда, круглосуточно. Но если подумать о том, что все это происходит в плане мести и ему, — то да, конечно, это не совпадение.

Алексею казалось, что самолет не летит, а застыл в липком воздухе, и он теряет драгоценное время. Ее ищут, конечно. Он не сделает больше, чем Земцов и Кольцов. Но он должен быть рядом, когда… Когда что? И тут холодела кровь, обрывалось сердце. Ведь его немыслимо долгий полет может быть просто отсрочкой. Мысль Алексея мечется, обходя тот почерневший кусочек мозга, где хранятся слова «Алену убили». Вот что Алексей может услышать, возвратившись домой.

Он шел от здания аэропорта к стоянке, высокий, стройный, красивый, уверенный, как всегда. Он отвечал на случайные вопросы, улыбался обычной открытой дружелюбной улыбкой, но тот, кто успевал заглянуть в его глаза, карие бархатные глаза, не сразу мог отвести взгляд. Такая в них была мука.

Алексей вошел в квартиру, сразу позвонил Сергею. Тот приехал через сорок минут.

— Давай сделаем так, — сразу сказал Сергей. — Я не буду тебе рассказывать, что у нас есть, как мы ищем. Есть и ищем. Слава устроил облаву на банду Тагира. Уже попались налетчики на съемочную квартиру. Дают признательные показания. Они же пугали Алену тогда, когда ты улетел. Просто так, сказали. Им велели. Следы похитителей из больницы ищут. Сотрудники больницы говорят что-то невразумительное. Скорее всего, им заплатили. А я тебя ждал, чтобы решить один вопрос. Начну немного издалека. Однажды ко мне обратилась пара. Женщина вышла замуж за брата своего пропавшего мужа. Прошло много времени, но они так и не получили подтверждения гибели ее первого мужа. И они очень хотели знать правду. Ситуация была практически неподъемная. Но ей почему-то казалось, что он жив. И я предложил такой ход. Женщина была известной натурщицей. Мы запустили ложную информацию о том, что она тяжело заболела. Короче, он прилетел из Франции, ее пропавший много лет назад муж. Пропал не по своей воле, был вывезен конкурентами, держали в рабстве, а потом женился на женщине, которая его спасла. Вернуться не смог, дать о себе знать не решился, узнав о втором браке моей клиентки. Но, услышав о беде, не сдержался. Уловил мою мысль?

— Почти. Но у нас ведь совсем другая ситуация. Что мы узнаем, если запустим сообщение о том, что Алену похитили? Разве этого нет в криминальных хрониках?

— Земцов дал команду скрыть пока информацию от СМИ. Чтобы не помешали поискам, не приставали с вопросами, не пытались узнать о наших ходах. И в таких случаях нельзя слишком нагнетать. Чтобы не вынудить похитителя совершить большее преступление. Но когда мы будем знать, где Алена и что ее жизни ничего не угрожает, я бы предложил воспользоваться всем этим и привлечь внимание заинтересованных лиц. Есть ощущение, что вокруг истории с убийством твоего отца, с преследованиями Алены сплелись мотивы людей, которые друг с другом не в контакте, мягко говоря. Конфликты интересов. Что и мешает нам выстроить стройный рисунок: заказ-исполнение.

— Ты хочешь сказать, что вы, узнав, где Алена, не будете ее освобождать? Будете нагнетать ситуацию, чтобы кто-то еще проявился? Но это ужасно!

— Детали обсуждаются. Допускаю даже такой поворот: мы ее освободим, и именно это засекретим.

— Сережа, я тебе слепо доверяю, ты знаешь. Чего нельзя сказать о тебе. Прошу ответить мне честно. Мог ли заказать похищение Алены Александр Кивилиди? Где он? И не его ли вы хотите таким способом выманить? Вы все так оберегаете меня от этого имени, от информации, связанной с этим человеком, что это само собой меня навело бы на всякие мысли. А я ведь живу рядом с Аленой. И я умею не просто ловить каждое ее слово. Я умею слышать то, о чем она не сказала. Она проговаривается, что-то произносит во сне. Она, наконец, не умеет от меня скрывать того, что чувствует. Совсем не может. Не только потому, что такая искренняя, но и потому что она — моя жизнь.

— Оберегаем. Ты прав. Именно это слово. Нельзя тебе ломаться, когда еще ничего толком не ясно. Ты и так идешь босиком по гвоздям. Эту тему и Алена, и ты сейчас воспринимаете воспаленно. А нам нужно просто во всем разобраться. Как в обычном деле: это есть, этого нет. Это может быть, это невозможно. И речь только о действиях, мотивах, но не о чувствах. С чувствами вам придется разбираться без нас. Сложная это тема. Так вот: Кивилиди во Франции. Я узнал об этом сразу после похищения Алены. Алену, по информации Земцова, из страны не вывозили. Говорить о том, что это был заказ Кивилиди, мы сможем только тогда, когда получим признание исполнителей. И последнее. Да. Если мой ход заставит как-то проявиться Александра Кивилиди, мы продвинемся в нашем общем расследовании. Много места он стал занимать у нас по разным поводам, связанным с вашей семьей. Ты не в курсе, что мы подозреваем его охранника в убийстве твоего отца. Он сейчас задержан во Франции по поводу другого убийства.

— Какой страшный, криминальный тип этот Кивилиди, — произнес Алексей, чувствуя смертельный холод в крови. — Я в Америке ночами искал его фотографии, статьи о нем. Такое жестокое, ненормально красивое лицо. Моя бывшая жена сказала бы, что это лицо дьявола. Он точно способен на все.

— Я далек от представлений о красоте дьяволов, — спокойно заметил Сергей. — А люди способны лишь на то, что мы им позволим. Давай закончим тему так, оптимистично. Я правильно понял: ты дал «добро»?

— Конечно.

Глава 2
СТРАСТИ АРКАДИЯ РИСКИНА

Проходили часы, в течение которых Алена спала, что-то пила, что-то ела. Окна уже два раза становились черными, и тогда в ее комнате сам собой зажигался мягкий свет. Так Алена поняла, что прошли два дня. Она выходила еще несколько раз в коридор, заглядывала в другие комнаты, в тот зал, где говорила с Ольгой, но никого больше не увидела. Тишина была абсолютной. Полное впечатление, что в доме Алена одна. Если не считать женщину-горничную, которая больше похожа на робота.

Днем в ее комнате включался большой монитор. Показывали хорошие фильмы, клипы на красивые, успокаивающие мелодии. Алена поняла, что люди, которых она видела, были собраны именно для того, чтобы снять ее панику. Дали понять, что это не преступление, а какая-то игра, как сказала Ольга. Что ей ничего страшного не грозит. Ольга даже говорила о возможных наградах. Так то Ольга. Она приходит сюда, чтобы продаваться. Для Алены произошло страшное. Ее схватили, как вещь, с ней собираются что-то делать против ее воли. Она не может связаться ни с Алексеем, ни с друзьями. Она хочет домой. Туда, где страдала и тосковала. Сейчас она понимает, какое это благо — страдать и тосковать у себя дома. Быть с собой. Не видеть чужих людей, если ты этого не хочешь. Не пить, не есть из чужих рук. Ей явно продолжают добавлять какие-то антидепрессанты. Была мысль — отказаться от еды. Объявить голодовку. Но Алена понимала, что ей в любой момент могут понадобиться силы. Вдруг появится шанс сбежать. И потом она актриса. Жестокая тренировка психики. В любой ситуации и в любом состоянии пытаться держаться, быть в форме и даже следить за своей внешностью. И Алена принимала ванну, холодный душ, мазалась кремами, которыми были уставлены полки, пыталась делать гимнастику.

А тем временем программа ее успокоения начинала действовать. Алена засыпала все глубже, просыпалась с менее тяжелой головой, без страшной мути на сердце. Не сразу вспоминала, что она не дома.

И на третий вечер она заснула быстро, крепко и без снов. Проснулась от чужого навязчивого взгляда. Он стоял рядом с ней, Аркадий Рискин, а временами ей казалось, что это кошмар, которого не было. И в мягком свете она смотрела на его лицо. На широкий рот, который приоткрывал хищные зубы. Он был похож на провал во время землетрясения, этот рот. На узкий лоб в резких морщинах, как за решеткой. И, главное, Алена пыталась прочитать взгляд небольших, глубоко посаженных светлых глаз. Что там? Что может быть в глазах существа, способного лишить другого человека свободы и всех прав? А там было все, о чем Алена не знала бы тысячу лет. Не хотела бы знать. Упоение своей убогой победой, наслаждение униженностью Алены и радость вора. И прямой, жестокий ответ на вопрос, который она не произнесет. Да, он пришел всем эти воспользоваться. И он ничего не боится. Он уверен в своей безнаказанности. Это его опыт.

Алена отвернулась и закрыла лицо руками. Только так, по-детски, она сумела спрятаться. На мгновение, на минуту, на несколько вздохов до пытки.

Вдруг погас свет. И уже в полной темноте ее обнаженное тело нашли горячие, жадные и бесстыдные руки, а сдавленный шепот увяз в ее барабанной перепонке. Он повторял слово «моя». И все. Это, видимо, вершина красноречия, девиз и единственная идея Аркадия Рискина.

Как Алена сопротивлялась! Она даже не шевельнулась. Но он не мог ею овладеть. Все протестовало в ее тренированном организме актрисы. Мышцы, застывшая кожа, окаменевшие губы, которые ему не удавалось поцеловать. А когда его ярость прорвала ее немую и беспомощную оборону, он издал стон, жалкий и почему-то тоскливый. Как будто пожаловался, что его не любят даже сейчас, когда он хозяин тела женщины, прокусившей до крови губу от отвращения к нему.

Аркадий нажал то, что Алене казалось рисунком на стене, и мягкий свет опять осветил их. Ее, заставляющую себя не плакать, и его, который смотрел на нее пристально, со странным выражением. Как будто не радость он испытал, а боль. Как будто не то он получил, чего хотел. Как будто он вообще не знает, как получить то, что хочет. Так прочитала бы его взгляд Алена, если бы он был ее партнером в кино. Но все происходит на самом деле, и Алена непримиримо закрыла глаза. Она откроет их, когда он перестанет дышать рядом с ней.

Аркадий Рискин смотрел на женщину, которая по факту сейчас стала его любовницей. Или жертвой, как она сама, конечно, считает. И он, утомленный и ее протестом, и своим почти безумным взрывом страсти, ощущал только грусть. Самую редкую гостью своего сердца. Эта женщина так прелестна, она создана для любви. Она любит любовь, это скажет каждый, кто видел ее на экране. Если бы все было иначе. Если бы они встретились когда-то и где-то, где бы им ничего не мешало. Ему — терпеливо ждать, ей — привыкать, понимать и потихоньку прирастать к нему, как цветок к скале. Но все не так. И он ей может дать лишь то, чего она не захочет получить. Аркадий провел ладонью по нежному, чудесному лицу. А поцеловать не решился. Пусть не останется у нее воспоминания об его уродстве. Пусть помнит лишь его тело. Его сильное и красивое тело мужчины, который умеет желать и любить.

Он встал, взял свою одежду, оделся уже в ванной. Уходя из комнаты Алены, погасил свет. Женщине-работнице велел принести ей глинтвейн с успокоительным.

В машине Аркадий долго сидел с полузакрытыми глазами. Он представлял, как сладко мог бы сейчас заснуть рядом с самой красивой женщиной, какую встречал в своей жизни. Это похищение — такая сумасшедшая выходка. Это крест даже на идее попытаться купить благосклонность Алены. Ее уже ищут, он, конечно, сделает все, чтобы не скоро нашли, а потом вообще забыли о том, что она терялась. Но дело вообще не в этом.

Аркадий встряхнулся, достал телефон и позвонил.

— К тебе можно? — спросил он. — Люблю тебя.

Глава 3
ВСЕ НАЧИНАЕТСЯ В ПРОШЛОМ

Сергей мерил шагами кабинет Земцова, пытаясь прочитать по лицу Славы, есть ли какие-то успехи. Прочитал лишь, что настроение у друга хуже некуда.

— Найдены две машины, — сказал Слава, не дожидаясь наводящих вопросов. — На них по очереди везли из больницы Алену. Сейчас Масленников подтвердит это: он нашел материал для экспертизы. Возили ее в разные стороны, кругами. Машины бросили. Обе числятся в угоне. Увезли, стало быть, на третьей. Из хорошего: крутят в пределах небольшой территории. За это время не могли увезти в другой город. Видимо, это не требуется. Вот, собственно, и Александр Васильевич.

— Привет, Сережа, — произнес Масленников. — Да, Алена там была, в этих салонах. Слава, что у тебя по трупам?

— Сидит на этих сообщениях пол-отдела. Ничего похожего.

Масленников опустился в кресло, достал свои сигареты. Сергей дождался паузы. И начал элегическое повествование:

— Любите ли вы, друзья, вспоминать детство, юность и прочие сладкие периоды своих бурных жизней?

Ответом ему послужили два усталых взгляда. Ему дали возможность выступить, разрядить атмосферу недовольства собой. Сергей так и понял, кивнул и продолжил:

— А я люблю. Не столько свои воспоминания. Как человека, патологически любопытного, меня магнитом притягивают воспоминания других. Всех остальных. Сейчас для такого занятия, как чтение чужого прошлого, — масса возможностей. Есть социальные сети, есть сайты свободного выражения графоманов, да чего только нет. И эта милая манера. Когда кому-то одному приходит в голову глупость, а ее подхватывает весь мир. И пошел гулять по сетям флешмоб, к примеру, «Где мои семнадцать лет?».

— Занятно, — заметил Масленников.

— И, главное, уместно, — добавил Земцов. — Но я порадовался тому, что у тебя, Сережа, так много интересов и столько свободного времени.

— Спасибо, — улыбнулся Сергей. — В общем, такая вещь. Блуждаю я по страницам людей, которые участвуют во флешмобе «Где мои семнадцать лет?». Нахожу знакомые имена. Смотрю, очень ли они изменились по сравнению с теми годами, когда им было всего семнадцать. Читаю трогательные, душещипательные тексты тоски по прошлому. Сравниваю. В некоторых местах смахиваю скупую слезу. И понимаю, что никто так здорово не умеет тосковать и описывать свои сладкие чувства, как Ибрагим Шукуров, с чьим творчеством я познакомился благодаря вам, Александр Васильевич. Действительно, класс. Быть ему литературным лауреатом. И красив он был в свои семнадцать, как герой итальянского кино. Понятно, что пользовался успехом у женщин, в частности Эльвиры Разиной, которая впоследствии стала Кривицкой. У него были и верные товарищи. Их было трое, как мушкетеров. Так он и пишет, Ибрагим.

— Показывай, — улыбнулся Масленников.

— Вот. — Сергей с готовностью положил на стол планшет.

Масленников и Земцов подошли и стали внимательно разглядывать снимок трех юношей, одного возраста, роста, сложения, с очень похожими выражениями лиц. Такая ясная, юная отвага, открытость и уверенность была в этих лицах. Они были похожи в чем-то главном, как и положено близким друзьям.

— Это Осоцкий, — показал Масленников на мальчика, который стоял слева от Ибрагима.

— А это Фролов, — спокойно узнал Земцов того, который справа. — Я так тщательно изучал досье на него, что видел и семейные альбомы. Да, хороший был парнишка этот киллер Фролов.

— Ну, как вам мое хобби? — поинтересовался Сергей.

— Отлично, — ответил Слава. — Работаем по версии преступного сговора. Похоже, люди не выходили из круга давнего общения. Это очень дальновидно в смысле отсутствия ненадежных людей. Вот потому твои нити, Сережа, так и рвались. Хороший план, надежный. Не хотелось бы забегать вперед, но кто-то из них может иметь отношение и к похищению Алены. Спасибо, друг.

— Кстати, о похищении, — сказал Масленников. — У вас есть контакт с фотохудожником? Чем закончилась его выставка? Есть списки желающих купить «Похищение Прозерпины»?

— Да, — ответил Земцов. — Отличный список. Коля был в шоке. Ему напрямую позвонил сам Кивилиди. Предложил баснословную сумму. Он склонен соглашаться. Считает, что упустит шанс.

— А позвони ему сейчас, — вдруг озабоченно сказал Масленников.

Пока Слава говорил с Колей, Масленников так напряженно смотрел на него, что Сергей тоже понял его мысль. Слава говорил только «да», «понятно». И лишь потом, разъединившись, сказал друзьям:

— Это идиот, на котором пробу негде ставить. Никогда не видать ему больших денег при всем его таланте. После закрытия выставки мы там все опечатали, экспонаты спрятали, охрана, сигнализация. Вывозить должны были с моими людьми. В специальное хранилище. Но Коля перестраховался! Он ночью потащил «Похищение Прозерпины» к себе домой. Под подушку, полагаю. Потом к нему заглянули какие-то друзья, выпили за успех. Он вырубился. Проснулся за пять минут до моего звонка. Нет у него «Прозерпины»! А почему вы спросили, Александр Васильевич?

— По закону жанра, — грустно объяснил эксперт. — У нас в деле появились литературно одаренные личности. Вдруг подумал: похищение копии и оригинала может быть прописано в их причудливом сценарии. Может, этим сюжетом Коля даже дал идею. Вы охраняли снимок, а они похитили натуру. Такие были соображения. К сожалению, сбылись.

Глава 4
КРЕСТ ЦЕЛОМУДРИЯ

Полина стояла посреди комнаты в своем привычном наряде. Черная длинная юбка, черная водолазка под подбородок, черные плотные чулки, черный платок на голове. Она оставила в прихожей лишь сапоги и меховой жакет. Полина привела в порядок дыхание. Медленно прошлась по мягкому, золотистому ковру. Подошла к зеркалу. В полутемной комнате, где горели лишь ночники над кроватью, ее лицо белело и как будто светилось в темной воде. В который раз ей показалось, что это не зеркало, что это окно в чужую жизнь. Вот она остановилась на пороге — и еще не поздно уйти. Еще не поздно вернуться. Туда, где все привычно. Где все ясно. Здесь свет, там — чернота беспросветная. Здесь — порядок, там — хаос. Здесь уважение к самой себе, там — чьи-то пороки и божье возмездие. Но вот она переступила порог. И все поменялось местами. Она — там. И вернуться в свои границы никак не может. Ноги ее не понесут. Сердце ее бьется только тут.

Полина взглянула на часы. Отвернулась от зеркала. Если бы оно было не таким огромным — до потолка, она бы его завесила покрывалом. Никто, даже зеркало, не может видеть грех Полины. Она сама потом с этим разберется.

Дальше начался ритуал, который привел бы в изумление любого, наверное. Любого, кто не в теме жестоких догм и запретов в тот миг, когда их разрушает проснувшийся инстинкт, зов плоти. Полина медленно сняла платок, юбку, свитер, закрытое, черное же белье — простое и суровое, как спецодежда, плотные чулки. Затем достала из сумки длинную белоснежную сорочку с рукавами и вырезом под шею, скользнула в нее, после чего надела на ноги белые гольфы до колен. Потом опять взяла в руки платок и заколебалась. Ей хотелось его завязать, для нее открытые волосы — это такой же дискомфорт, как отсутствие одежды. Но она не решалась.

— Надень его, — произнес с порога Дмитрий. — Без него твой образ будет неполным. И потом, знаешь, что я тебе скажу. Ничего более порочного и возбуждающего, чем ты в этом наряде, я еще не видел. Оставайся собой, моя дорогая.

Он подождал, пока Полина завяжет платок концами на затылке. Затем подошел и просто провел рукой по этой рубашке, похожей на смертный саван. А под нею забилось дрожью, переходящей в конвульсии, иссушенное постами тело, сухое и легкое. Оно загорелось, как листок бумаги от спички. Изогнулось от невыносимого зноя.

— Погаси свет, — прохрипела она.

— Нет, — нежно ответил Дмитрий. — Я не откажусь от такого зрелища.

Все знал о женщинах Дмитрий. Так ему казалось. Но то, что он открыл в этой монашке по призванию, которая умудрилась стать многодетной матерью, его и развлекало, и забавляло, и... Да, это его затягивало. Как хочется льда на жарком берегу, как хочется острого на пиршестве сладости, как привлекает угрюмая прямолинейность фанатички после кокетливой и жеманной женской любовной игры. Полина была не в состоянии контролировать свои выражения, звуки и позы. Она вела себя как в жесточайшей горячке. Приступы желания переносила, как нестерпимую муку, которая приводила ее к еще более нестерпимому блаженству. Дмитрия временами даже пугали ее оскаленные острые зубы, побелевший рот, почерневшие глаза. Он боялся, что она умрет. Но в этом и был секрет его влечения и любопытства. Кто из любовников доводил женщину не до оргазма, а до агонии?

Полина смотрела на его обнаженное тело, как на мираж родника в пустыне. Она лихорадочно гладила его, прижималась лицом. Она впитывала кожей запах, чтобы унести с собой.

Потом Полина возвращалась к жизни. Ее взгляд начинал метаться, как будто она ждала мгновенной расплаты, была готова к любому возмездию. Она отворачивалась от Дмитрия, вытаскивала из-за ворота рубашки крест на простом шнурке, что-то шептала, целовала его. Потом шла к своей одежде. Он ждал этого момента. И никогда не уступал ее просьбе: не смотреть. Она совершала обратный ритуал. Снимала рубашку и гольфы, влезала в черный футляр. Но с лицом не могла ничего поделать. Она поворачивалась и смотрела на него, как перед казнью, перед разлукой навеки. И ее бледное лицо, лишенное всех женских примет и ужимок, не то чтобы розовело, просто проступала вдруг в нем женская красота. Она была сплетена из благодарности, преданности, счастья. Всего того яркого и пряного, чего не собиралась знать в этой жизни Полина. А теперь она не вернется за этим лишь в двух случаях: если ее убьют или если он ее прогонит. И первый случай предпочтительнее.

Дмитрий ведет ее в гостиную, к столу. Они, не присаживаясь, пьют: она — воду, он — вино. Дмитрий знает, что она должна спешить к детям. Только здесь они разговаривают.

— Как дела с судом? — спрашивает он.

— Ждем его возвращения.

— А ты знаешь, куда он поехал?

— С каким-то ребенком в Америку. На операцию.

— Не с каким-то ребенком. Твой муж как-то вышел на девочку, которая проходила по делу монастырского приюта Катерины. Там тяжелый ожог. Вот ее он и повез.

— Не поняла, а как он нашел этого ребенка?

— Вот это нас интересует. И меня, и Катерину. Понимаешь, это могла быть просто случайность, но произошло после его угроз «Благости». По моим каналам есть такая информация. Твой муж нанял частного детектива. Тот и навел Кривицкого на это дело и этого ребенка. А это очень серьезно.

— Что я должна делать? Мы не общаемся.

— Возможно, придется.

— Как скажешь.

Полина въехала в Москву на своем «жучке» и лишь примерно через час после разговора с Дмитрием оказалась в состоянии понять суть сказанного, подумать об этом. Она наконец перестала ощущать свое напряженное и тлеющее тело как самостоятельный организм, который освободился от контроля самой Полины. И она совершила ритуальный жест: оторвала руки от руля и поднесла их к лицу. Она вдыхала запах своей любви и порока, она целовала этот запах. Она прощалась, уходя в броню своего целомудрия. До поры.

А то, о чем рассказал Дмитрий, — это странно и непонятно. Зачем Алексею понадобилось копаться в той истории? Катерина говорила, что это происки каких-то ее врагов, которые пытались воспользоваться неприятностью с детьми и оклеветать ее. И что за идея и необходимость — везти чужого ребенка на операцию в Америку? Только сейчас Полина подумала, что в этом богоугодном поступке может быть что-то, направленное против нее. Какая-то часть обещанной войны. Сейчас она как раз уязвима для такой войны. Она оставляет родных детей, чтобы ездить к любовнику. А ее муж, которому она прерывает связь с детьми, бросает свои дела, чтобы помочь искалеченной девочке. И это перед процессом, на котором Полина собирается выставить на всеобщее обозрение личную, порочную жизнь бывшего мужа. Степан, адвокат, наверняка скажет, что это не случайно. И что будет, если в результате процесса раскроется и тайна Полины, окажется, что ее дети перед таким выбором.

Полину затрясло от озноба. Она нередко читает, с какой радостью сейчас чиновники отбирают детей у нормальных в принципе родителей. Пишут, что у них какая-то материальная заинтересованность в том, чтобы создавать новых сирот. И она впервые почувствовала смертельный страх. Вот какой может быть расплата. В том числе и за ее месть Алексею. Нужно срочно искать Катерину, давнюю подругу, чтобы узнать какие-то подробности. Полина набрала номер.

— Здравствуй, Катя. Можешь говорить?

— Не очень. А что случилось?

— Отец Дмитрий рассказал мне, что Алексей повез лечить девочку из твоего приюта. Это так?

— Бывшего приюта. Да, это так. Ты сейчас дома?

— Я еду домой. Была у отца Дмитрия по делам.

— А я в Москве. Давай приеду к тебе через час. Нормально?

— Да.

Глава 5
ЕДИНСТВЕННАЯ ПОДРУГА

Полина вошла в квартиру, почти пробежала в свою комнату с отдельной ванной. Очередной обряд перехода. Снять всю одежду, в которой приехала, достать домашнюю, которая не очень отличается, долго тереть себя под горячей водой, чтобы ошпарить затем ледяным душем. Влезть в чистое, ни разу не взглянув на свое отражение. Потом войти в детскую, где детей готовят ко сну. Сдержанно поцеловать каждый лобик, легонько перекрестить каждого. И думать при этом, не ощущают ли дети, как она, запаха греха от ее рук и губ. Полина даже не догадывалась о том, какую странную шутку с ней сыграла собственная чувственность. Ей были неведомы материнские радости обычных, не закованных в заповеди и обеты женщин. Просто мам, которые умеют растворяться в сладости детского тепла и аромата. Полина делает исключительно то, что требуется. В каком-то дальнем месте пряталась ее чувственность, была плотно завалена грузом суровых, не земных представлений, а когда неожиданно и ярко проявилась, оказалось, что у нее другой адресат. Не дети. И не мужчины, не все мужчины, включая бывшего мужа. А только один, и она даже от него скрывает, что он потеснил в ее сердце бога.

В ожидании подруги Полина сварила кофе, разогрела тосты и отнесла поднос в свою комнату. В какой-то момент ей страстно захотелось поговорить с Катей о том, что ее больше всего волнует. О том, что она переживает. Катя — опытная. Она все знает. Тоже неизвестное доселе желание — чем-то поделиться, доверить другому человеку то, что является собственностью души Полины, ее тайной. Для Полины все, что есть в душе, — ее тайна. Неприкосновенная. Она не верит людям. Даже Кате не верит в такой степени, чтобы все рассказать. А сейчас так захотелось... Рассказать, пережить все заново.

Полина училась с Екатериной Истоминой на одном курсе в институте народного хозяйства. Катя, уверенная в себе и яркая, как-то взяла под опеку худую, бледную, замкнутую и застенчивую Полину. И приобрела в ее лице преданного и во всем согласного даже не друга, скорее подданного. Что Кате и требовалось. Полина принимала и Катин диктат во всем, и ее бесконечный практицизм, и ее обильный опыт с мужчинами. Они обе были из простых, малообеспеченных семей. А к жизни относились по-разному. Полина — с суровой покорностью, она не знала таких желаний, на которые ей бы не хватало самой скромной суммы. Не знала таких лишений, которые ей тяжело было бы переносить. Голод могла утолить куском хлеба с кипятком. От холода спасала любая одежда. У Кати было другое отношение. Она хотела все и в большом количестве. Она с первого курса искала свою тропу в бизнесе. Нишу, которую именно женщине удобнее всего занять. Кате нужны были и деньги, и власть над людьми. Так получилось, что не Полина с ее смирением и привитой в семье верой пришла к церковной активной деятельности, а именно Катерина. Имела ли деятельность отношение к вере — это было задачей не для Полины. Она бы и не сумела найти какой-то другой мотив. А у Катерины он был. Именно другой. Она вошла в круг церковных чиновников, туда, где делили деньги и как раз власть. Катя нашла свою нишу. И вскоре после института стала матушкой Екатериной. Затем учредителем благотворительного фонда. Заняла пьедестал божества для Полины и ей подобных. При этом осталась подругой, которая привлекала Полину к разным акциям, мероприятиям. И опять же: Полина ни за что бы не допустила мысли о том, какую важную роль сыграло в укреплении этой дружбы ее замужество. Брак с Алексеем, сыном финансового магната. Полина продолжала верить, что единственная подруга Катя послана ей богом. Тем временем пожертвования семьи Кривицких на дела и мероприятия фонда Екатерины все увеличивались. Катя и познакомила Полину с отцом Дмитрием, он входил в состав директоров нового, международного фонда. «Благость» была в большей степени его проектом. И за это знакомство Полина сейчас ноги готова была целовать подруге. А решимости не хватало даже на то, чтобы рассказать о связи.

Она подошла к небольшому бару. Там у нее стоят бутылки с водой: из разных источников, освященной, на все случаи жизни. А в уголке осталась бутылка коньяка. Осталась с тех давних пор, когда к ней мог прийти ночью Алексей. Он его пил перед выполнением супружеского долга. То ли просто привычка, то ли набирался духу. Полина взяла эту бутылку, два бокала и поставила на столик рядом с кофе и тостами. Катя уже звонила в дверь.

Она сбросила в прихожей свою длинную соболью шубу, вошла в комнату Полины и почти упала на жесткий диван.

— Замучилась сегодня. Но зато все успела. Тысячу дел сделала.

Екатерина сейчас была мало похожа на матушку Катерину. Властную, уверенную и жесткую особу, закованную в черно-белую броню костюма, который отделял ее от всего земного и грешного. Сейчас на Кате было короткое черное платье с декольте, на лице — яркий макияж, в ушах, на шее и на пальцах — крупные и дорогие украшения. Ее дела связаны с разными людьми. Это светские чиновники, бизнесмены. Им приятно общаться с обаятельной, модной и современной женщиной.

— Ты очень хорошо выглядишь, — сказала Полина. — Все нормально у вас?

— По-всякому, — ответила Катя. — Что я вижу: ты для меня коньяк в кои-то веки приготовила? Вот спасибо. Просто очень кстати. Продрогла, растеряла весь энтузиазм. Так что тебе рассказал отец Дмитрий?

Полина пересказала. Сказала и об идее ее встречи с Алексеем.

– Ну, может, и стоит. Нужно только заранее обсудить, о чем ты у него спросишь. Кстати, ты в курсе, что он прилетел в Москву?

— Нет. Еще вроде рано.

— Да, но ты, видимо, и главного не знаешь. Это пока закрыли от журналистов. Любовницу твоего мужа похитили. Мне сегодня по секрету рассказали в одном месте. Там были люди из МВД.

— Вот как, — непримиримо произнесла Полина. — Не удивлена. Понятно, что Алексей прервал свою поездку. Надо Дмитрию сказать.

— Да, скажу. Ты стала часто с ним встречаться. Он тебя исповедует, что ли?

— Мы просто обо всем говорим. Я ему очень верю. Советовалась по бракоразводному процессу, сейчас вот — по лишению прав Алексея на детей.

— Вот не пойму: а зачем ты так на него наезжаешь? Не потому ли он полез в мои дела? Да еще частного детектива нанял? Я уже не говорю о той глупости, которую ты устроила, заказав идиотскую брошюру в моей типографии. Мне Дмитрий рассказал, что ты выбрала картинку, на которой грешница похожа на Алену.

— Я так вижу грешницу, — твердо и сурово сказала Полина. — И хотела, чтобы дети научились их узнавать. И знать, как они расплачиваются.

— Как примитивно ты все себе представляешь, — вдруг зевнула Катя. — Я выпью, если не возражаешь.

Катерина налила себе полный бокал и выпила его медленными глотками легко, с наслаждением. Полина тоже отпила от своего. На ее организм, измученный постоянным воздержанием и терзаниями, алкоголь действовал болезненно и остро. Сердце заколотилось, кровь застучала в виски, а жаркая, постоянная и настойчивая мысль вновь стала проситься наружу. Полина молчала, она искала слова. А Катя ела, вновь пила, ей звонили по телефону, который лежал рядом на столе. Полина почти собралась с духом, чтобы заговорить, как телефон опять позвонил: она увидела на дисплее номер Дмитрия. Чуть не схватила чужой аппарат механически.

— Да, — медленно ответила Катя. — Как раз собиралась позвонить. Я в Москве по делам. Сегодня? Сейчас? Ты серьезно? Не наш вроде день. Я бы по-другому оделась. Но о чем ты... Еду, конечно. Мчусь, дорогой.

Она быстро допила свой бокал, схватила из вазочки горсть орешков, сунула в сумку: «Пожевать, чтобы не было запаха», — и действительно помчалась к выходу.

Полина, как в дурном сне, смотрела в спину подруги, затем на дверь. В ее воспаленном мозгу загорелось пламя, трещали и корчились мысли, и лишь одна догадка — чудовищное открытие — гасила своим ядом даже огонь.

— Постой! — рванулась Полина.

Она схватила Катю за рукав шубы в прихожей.

— Скажи мне: зачем тебя позвал отец Дмитрий? Ты с ним спишь?

Катя повернулась. Она все поняла. Она смотрела уже не на бледное, а на смертельно белое лицо подруги. Панически расширенные глаза, скачущий подбородок, сбитое дыхание, как будто в сердце Полины попала пуля. Катя отодвинулась, оставив в руках Полины свою шубу. Какое-то время смотрела на нее пристально, яростно, презрительно и горько. А затем расхохоталась.

— Ах, мы две... Ах, наш общий отец Дмитрий. И кого еще он там у себя так здорово исповедует? Ты хороша, конечно. Святоша, мужененавистница, сухарь и доска стиральная. Как же тебя угораздило? И ты, конечно, думала, что это случилось только с тобой, с единственной на свете? Такая благость. Самый большой на свете праведник клюнул! Так я тебе открою на все глаза очень легко и просто. Он такой же отец, как я святая. Он — вчерашний уголовник, срок отмотал. За убийство, кстати. И любит только деньги. А больше денег, наверное, баб. Любых, которых захочет иметь. Нет, поправочка. Не только баб. Он любит детей. Так же как и баб. И кое-что было на том суде, после которого исчезли документы. Потому он на свободе. А что было, знаю только я. И я сейчас поеду к нему. И да. Буду с ним спать и смеяться над тобой. А потом ты будешь делать то, что он тебе прикажет. Поедешь к своему бывшему мужу шпионить. Значит, Дима тебя консультировал, как лишить его прав?

А как интересно все совпало: Алексей перед твоим процессом начал собирать материал на наш фонд, рыться в наших делах. Его детектив запросто мог узнать, кто твой наставник и каким способом наставляет. Еще немного, и тебе мало бы не показалось. Неизвестно, у кого отобрали бы детей. И вдруг так кстати похищают его женщину. Ту, которую ты больше всех ненавидишь. И получается, что ему теперь не до разоблачений. А знаешь, что я скажу и повторю это сейчас Диме. Если следствие доберется до меня, я не собираюсь ничего скрывать. Сейчас поняла, что это уже не имеет смысла. Вы все спалили. Надо успеть урвать удовольствия наперед. Что завтра, я уже и не знаю. Ночь у меня впереди, подруга. Думай о том, чем я занимаюсь. Чем мы занимаемся. Тебе будет приятно.

Она схватила свою шубу из ослабевших рук Полины и выбежала из квартиры.

И попала Полина в ночь своей жизни. О таких муках она еще не знала. Наверное, до этой ночи таких мук никто еще не знал. Потому что этого нет ни в одной, самой страшной книге о возмездии за грехи.

Глава 6

ПО СЛЕДУ АЛЕНЫ

Слава Земцов ждал Сергея и Масленникова в своем кабинете. Он был необычайно собран и выглядел почти торжественно. Черный костюм с белой рубашкой. Масленников ответил на взгляд Сергея:

— Да. Вижу. Дело пошло.

Слава стоял у стола, когда они располагались напротив него на стульях.

— Времени у нас немного. Выкладываю информацию в произвольном порядке. Потом выслушаю, если будут соображения. Первое. Рахим Джураев признался в организации поджога особняка Кривицкого. Сдал своих людей — исполнителей. Назвал сумму, которую они получили от заказчика. Она уже обнаружена на его счете. Утверждает пока, что личность заказчика ему мало известна. Общались по делам наркотрафика. Рахим утверждает, что знает человека лишь по кличке. Скромная кличка — Сенатор. Второе. По следу Алены мы вышли на одно закрытое учреждение. Засекли по видеорегистраторам третью машину, на которой ее везли до пересечения шоссе. Там пересадили в четвертую, за ней удалось проследить. Заведение, у которого машина ушла от слежки, на балансе Министерства обороны. Значится в реестре как «оздоровительно-лечебное учреждение для особых категорий населения: ветеранов ВОВ, героев боевых действий, лиц, пострадавших во время операций по спасению людей». Финансируется группой компаний, не только российских. Расходы у этого санатория фантастические. Помещение… Это дорогущий дворец на самом деле. Охраняется как секретный объект. А при осмотре, небольшом таком наблюдении со стороны и сверху, не были обнаружены ни гуляющие инвалиды в колясках, ни родственники с сумками передач. Добраться туда на общественном транспорте невозможно. А тачку засекли одну. «Майбах» Аркадия Рискина. Да, того самого.

— Фактический владелец? — спросил Масленников.

— Да нет. По крайней мере, мы пока финансовой связи и тайной собственности не обнаружили. Похоже, он там вроде администратора-распорядителя. А сейчас начнется самое интересное. Среди наших партнеров и информаторов нашлись люди, которым известно о данном объекте больше, чем сказано в реестре. Это закрытый и секретный, страшно элитный, дом свиданий, не больше и не меньше. В качестве клиентов там сплошные бугры, «девочки» — светские дамы. Есть жены известных чиновников и политиков. Есть и просто известные женщины. Например, актрисы. А одна «девочка», постоянная гостья этого милого уголка, вообще по званию майор. Сотрудник дружественного нам отдела по экономическим преступлениям. Они давно пасут объект, фиксируют счета — туда и оттуда. Подобраться им близко не дают. По понятным, полагаю, всем причинам.

— Еще бы. Я бы на месте Рискина и прочих счастливых клиентов к такой прелести на дух бы никаких ментов не допустил. И с контролерами-ревизорами я бы, как с предателями, — деловито сказал Сергей. — Скажи нам только просто. Они там спрятали Алену?

— Возможно. Информатору показалось, что она там была. Дня три назад.

— Этого мало, такого приблизительного свидетельства, — озабоченно произнес Масленников.

— Понятно, что мало, — кивнул Слава. — Но мы там. Вокруг. По ходу будем решать: войти получится открыто, по ордеру, или нужно искать другую возможность.

— Информатор туда может приехать в любое время? — спросил Сергей.

— Нет, конечно. Каждую «девочку» вызывают на конкретное время и присылают за ней закрытую машину. Лиду больше не приглашали с тех пор, как ей показалось, что она видела там Алену. Какие соображения?

— Одно, — сказал Масленников. — В таком месте пленницу не убивают. Судя по профилю учреждения, ее там держат — если держат — совсем для другого. Это может и не иметь отношения к преследованиям семьи Кривицких.

— А может иметь, — заметил Сергей. — Такое унижение для Алены — почти убийство. Если не хуже.

— Да. Это так, — кивнул Масленников. — Пожалуй, это все же следующее звено той же цепи. Я просто упустил похищение Колиной «Прозерпины». Да, настоящий противник покруче, чем банда Рахима Джураева.

— Так у нас вообще контингент покруче всех в этом деле, — пожал плечами Земцов. — С чем и будем работать. Сережа, пока твою идею с преданием гласности этой истории откладываем. Перепрячут Алену так, что мы уже не найдем. Идем, как говорится, по тонкому льду.

Глава 7
ВСТРЕЧА БЛИЗКИХ ВРАГОВ

Ночь, сизая от боли Полины, которая так и не сомкнула глаз, скончалась в муках. Родился черный день. Полина лежала, почти бездыханная, пытаясь найти причину не вставать. Она забыла, как называются все болезни. Полина никогда и ни с какой болезнью не оставалась в постели. А другие лежали. Свекровь, мать, даже няня. Должна быть очень высокая температура. Полина с усилием подняла руку, положила на свой лоб. Он был ледяным. Если у нее есть какая-то температура, то минусовая. Сердце? А оно вроде и не бьется уже. Наконец, в отчаянии Полина решила, что сошлется на отравление. Тем более это чистая правда. Она отравлена нелюбовью и предательством. Если навсегда — это хорошо. Будет угасать вместе со своей болью. И тут позвонил ее телефон. Она смотрела на номер Дмитрия и покрывалась испариной — страха и надежды. Страха, что он велит ей больше никогда не показываться ему на глаза. Надежды на то, что позволит приезжать.

— Не разбудил? — произнес его медленный и вкрадчивый голос.

— Нет. Но еще очень рано. Что-то случилось?

— Нет. Просто хочу тебе напомнить о нашем разговоре. Нужно съездить к Алексею. Так рано, потому что он может уехать по делам. Ты знаешь его адрес?

— Да. Что я ему скажу?

— Тебе виднее, что сказать бывшему мужу. А спросить нужно следующее. Какие у него планы в связи с тем ребенком, которого он отвез в Америку? Нас интересует, насколько он воинственно настроен. Объясню тебе одну вещь. Травмы девочки связаны с ожогами. С тяжелыми ожогами крутым кипятком. Это был несчастный случай. Дети... Она влетела на кухню, опрокинула на себя чан. На суде это было использовано против фонда, монастыря и приюта. Приют закрыли, как ты знаешь. Но травля не прекращалась. И мне удалось изъять эту часть дела. Скрыть от любопытных глаз. Понимаешь, что случилось, то случилось. Это одна девочка, а пострадало много детей. И пострадает еще больше, если Кате не дадут возродить приют. И это не единственная опасность. Много врагов у добра и благотворительности. И, похоже, одним из таких врагов стал твой муж. Когда я тебе советовал начать дело о лишении родительских прав, то очень надеялся на человеческое благоразумие. Я привык иметь дело с людьми, способными понять, что есть Божья кара. Такие люди подчиняются обстоятельствам и принимают условия. Твой муж оказался другим человеком. Он, как бык, попер напролом. Повел себя самым нечестным образом. Чтобы отомстить тебе, он пошел войной против нашего общего дела.

— Я должна его как-то остановить? Не представляю как. У него на меня такая реакция, что может быть только хуже.

— Могло быть хуже. Но многое изменилось. Его ситуация. Похитили его любовницу. Женщину, ради которой он пожертвовал практически всем.

— Какая связь?

— Связь есть. Все та же. Божья кара. Но мне хотелось бы, чтобы ты посеяла в нем одну догадку, даже тень догадки. О том, что что-то зависит и от его поведения. От его скромности, скажем так. Он своим поступком мог разгневать серьезных людей. Как он может усугубить ситуацию — пусть думает сам. Как исправить ее — это уже совсем легко понять.

— Дмитрий, ты предлагаешь мне произнести угрозу? Угрозу жизни Алены?

— Я поручаю тебе лишь посеять мысль. Она на поверхности. Тебе скажу: нет, я не имею отношения к этому преступлению. И я не знаю, есть ли такая связь. Он просто должен допустить, что она есть. Не вижу большой проблемы в том, чтобы это произнести с позиции близкого и сочувствующего человека.

— Близкого... Мы враги, и между нами война. Но я поеду. Если смогу встать. Мне нездоровится.

— Поля. — Голос Дмитрия стал приглушеннее, но с таким обволакивающим тембром, что он раздался сразу во всем теле Полины. — Ты, конечно, думаешь, что между нами что-то изменилось из-за откровений Катерины. Изменилось твое знание, опыт. А мой опыт говорит, что это лишь обогатит наши отношения. Ты выйдешь за границы своего неведения и аскетизма. Нашей мифической изоляции. А за этими границами так много заманчивого и желанного... И я знаю, как тебя провести в волшебные поля нашей близости. И твоя боль-обида станет просто острой приправой к тому блаженству, которое ты познаешь.

— Ох, — не сдержала протяжный стон Полина.

— Не тоскуй, моя дорогая праведница. У тебя нет соперниц в моем сердце. Жду твоего звонка.

Полина была в таком смятении, когда он разъединился, что даже не заметила, как оказалась под ледяным душем, который не мог потушить вспыхнувший зной и жар. Она и мечтать не могла о таких словах. Ее тело получило приказ, на который страстно отозвалось. А ее сумеречная и недоверчивая душа заныла лишь сильнее. И сердце она сейчас почувствовала. Оно, горящее и томящееся, как будто потеряло навеки покой и приют. Свое место, где ему ничего не угрожало. Если бы у Полины был выбор, то она отказалась бы от этого в первую очередь. От нарушения своих границ, от такого вторжения в ее единственную интимную тайну, от нового обещанного опыта. Но он сказал, что поведет ее туда. И это значит лишь одно: она пойдет. И к Алексею. И в запретное, совсем уж греховное блаженство.

Но из дома она шла, не видя белого света. И ступнями ощущала не мягкую подошву теплых сапог, которые шли по асфальту. Она чувствовала высокие гвозди, острые осколки битого стекла, голый лед и адское пламя под ним.

Алексей ждал ее на площадке после звонка по домофону. Две пары таких разных глаз схлестнулись до приветствия. Взгляды были непримиримыми, подозрительными, ничего не простившими. И Полина вошла в квартиру, где ее муж предавался разврату с другой женщиной. Где он теперь убивается, потому что Алену, как вещь, украл у него кто-то другой. Такой же, наверное, похотливый, как он сам. Он посмотрел на Полину как на врага. И как же ей выполнить приказ Дмитрия?

— Чаю? Кофе? — спросил Алексей.

— Воды, — попросила Полина.

Она сняла свое длинное черное пальто, прошла в гостиную, не снимая платка. Посмотрела на огромный портрет Алены на стене. И почувствовала что-то, похожее на вдохновение. Это была ненависть. Только раньше ей казалось, что нет ничего сильнее и ярче ненависти. Теперь знает: есть. Ее любовь. Любовь, ради которой она и пришла.

— Как дети? — вежливо поинтересовался Алексей, когда глоток воды холодным и враждебным комком проплыл по напряженному горлу Полины.

— Нормально. Алексей, я пришла поговорить о другом. Ты объявил мне войну. Скажи прямо: ты нашел этого ребенка с ожогами для того, чтобы отомстить мне? Ты хочешь, чтобы было еще больше жертв? Чтобы пострадало все дело благотворительности?

— Полина, что за бред ты несешь? Я даже не собираюсь развивать эту тему. В любом случае это точно не твоего ума дело. Впрочем, погоди. Тебя кто-то послал ко мне? Кто?

— Я просто узнала от единомышленников. И это так логично, что поговорить с тобой поручили именно мне.

— Так. Ты это сказала: единомышленники, разговор со мной. Жертвы, дело — ваша обычная демагогия. Давай на этом и закончим. У меня не та ситуация, чтобы говорить с тобой о том, что мне неинтересно и не имеет к тебе никакого отношения. Не хочу быть невежливым, но я тебе не рад. Мне в принципе неприятно видеть тебя здесь сейчас.

— Потому что твою любовницу украли? — в узком проеме бледных губ Полины показались острые зубы. — А мстить ты мне начал из-за того, что я пыталась наших с тобой детей предостеречь от греха, в который ты впал?

— Пошла вон! — Алексей резко встал, отшвырнул стул. — Пошла вон, мерзкая, злобная ханжа, враг всего живого и человеческого. Только сейчас я понял, что это тебя нужно изолировать от детей. Ты им опасна. Ты отравишь им жизни. Ты станешь препятствием между ними и другими людьми, между ними и счастьем. Между ними и просто светом.

Полина тоже встала, но ненависть ее вдруг сжалась до размера крошечной точки где-то за взглядом. Эта точка стала расплываться, превратилась в темное озеро. И Полина, ослепнув, сползла на пол. Она пришла в себя от того, что Алексей, сняв ее платок, лил воду из бутылки ей на лицо и волосы.

— Вызвать «Скорую»? — спросил он.

— Ни в коем случае. Уже прошло.

Полина медленно поднялась, но сумела встать лишь на колени. Посмотрела в склоненное над нею лицо мужа, такое близкое лицо того, кто стал врагом и палачом, и вдруг упала лбом ему в ноги.

— Не губи, Алеша! Не добивай меня. Мне страшно. Я сказала тебе то, что должна была сказать. И ничего не спрашивай, и не отбирай детей. А я больше ничего не скажу. Даже если ты позовешь людей, чтобы меня резали на куски. Оставь ты это дело с ребенком, которого ошпарили. Алену могли украсть из-за этого. Я больше ничего не знаю. Просто остановись.

— Тебя послали это сказать? — медленно переспросил Алексей. Он поднял Полину, почти перенес ее на диван. — Говори же: тебя прислали с таким ультиматумом?

— Это не ультиматум, — прошептала Полина. — Просто так думает один очень умный человек. Он ни при чем. Он просто так думает. Он хочет добра. И тебе, и Алене, и всем нам.

— Я понял. Хорошо. Скажи умному человеку, что я понял. Сделаю все, как он советует. Для меня нет ничего важнее Алены. Ты можешь идти? Ты сможешь вести машину?

— Конечно.

Полина встала, поправила юбку, подняла с пола мокрый платок и завязала узлами назад. Потом подошла близко к Алексею и перекрестила его.

— Сохрани тебя Бог. Не я тебе судья. И не суди ты меня. Вот и встретились мы с тобой по другую сторону добра. Грешные мы оба. Может, ты и прав. Я сейчас и не знаю, кто из нас опаснее нашим детям. Наверное, я. Потому что мать. Верь мне в одном. Я с собой разберусь. Ты никогда не придумаешь такую казнь, какую я сама себе назначу. Только дай время. И пусть к тебе вернется твой свет. Твоя Алена.

Полина быстро выбежала из квартиры, схватив на вешалке пальто. Алексей минут десять стоял в полном потрясении, пытаясь осмыслить то, что произошло, и то, что она сказала. А затем набрал телефон Кольцова.

— Да, — заключил, выслушав его, Сергей. — Эти загадки бытия вполне могут носить криминальный характер. Но Полину сейчас точно нужно оставить в покое. Разве что так, ненавязчиво, поискать рядом умных людей. Мое дело. Не самое сложное.

Часть девятая
ИЩИ КРОВЬ, ГДЕ ЛЮБОВЬ

Глава 1
НАУКА ВЗАИМНОЙ ЛЮБВИ. К СЕБЕ

Эльвира Кривицкая, элегантная дама средних лет, со вкусом и достоинством проживала свой очередной день. Ей не нужны были особые условия. Она не зависела ни от солнечных лучей, ни от яркости неба, ни от событий. Для Эльвиры главным было ощущение полной гармонии в отношениях с самой собой. Удовольствие, которое она получала от своей полноценности. Это высокая наука. Эльвира брала ее вершины, преодолевая препятствия и невзгоды, она создавала ее сама и сама же была своей послушной ученицей.

И вот она раздвигает шторы своей огромной и уютной спальни, прямо и властно смотрит на дневной свет. Он освещает ее полное тело, ее глубокие морщины, ее седину в русых волосах. Эльвира ничего не прячет, не красит, не маскирует. Она точно знает, что она хороша, вот так, именно такая. У нее есть веские основания для этого знания.

Эльвира не просто принимает душ и пользуется ароматными маслами и дорогими кремами. Она так любит себя. Служит себе. Вот эта женщина — с крупным телом, рыхлым животом, с целлюлитом и складками, и эта женщина стоит дороже сотен тех, кто моложе и красивее.

Вот что знает о себе Эльвира. Потому она и не истязает себя ни гимнастиками, ни тем более пластическими операциями. Все это полная ерунда от неуверенности. Она никогда не была красивой в банальном смысле слова. Ее научили видеть собственную красоту мужчины. Да, это факт. Мужчины в жизни Эльвиры не видели и не видят ей равных. Они и привели ее на трон тайной королевы. Эльвира гордится своей сдержанностью и скромностью. Она не демонстрирует свое королевское величие. Ей это не требуется. Она не встречала людей, которые не чувствуют ее морального превосходства и власти.

Эльвира шла из своей квартиры по коридору в квартиру Полины, свежая, с хорошо уложенными блестящими волосами, в красивом домашнем брючном костюме. Она не держала у себя ни кухарки, ни запасов продуктов. Ей было удобнее питаться у невестки, заодно общалась с внуками. Кофе со сливками и любимой выпечкой ей подали в столовую. Она была там одна. В это время все домашние уже заняты своими делами. В огромной квартире такая тишина, какой, наверное, не бывает в других семьях, где трое маленьких детей. Эльвира в который раз подумала, как же получилось, что ее яркий, красивый, активный, внутренне свободный и общительный сын выбрал себе в жены монашку по призванию, сухую, некрасивую, жесткую, лишенную тепла и женственности. «Это его благородство», — понимает Эльвира. Алексей не в нее и не в Валентина. Ни Эльвира, ни ее покойный бывший муж не могли бы перестроить свою жизнь, ущемить свои интересы исключительно из великодушия. Из жалости. В том, что Алексей женился именно из таких соображений, у Эльвиры не было сомнений. Слишком добрый и сентиментальный у нее мальчик. Он в детстве постоянно дружил с больными, слабыми и бедными детьми. В школе приглашал танцевать самую грустную и некрасивую девочку. Надо было ему что-то вовремя объяснить, научить наступать на горло этой самоубийственной жалости, но Эльвире так не хотелось портить прекрасный рисунок души Алеши. А когда он дал слово жениться, было уже поздно пытаться. Держать слово он умел твердо. И не так уж плохо складывалась его семейная жизнь. Даже совсем не плохо. Дети удачные, жена покорная, в семье порядок и достаток. Да, вряд ли его мужской жизни кто-то позавидовал бы. Но есть вещи, более вечные и важные.

Все было бы хорошо. Если бы не эта женщина, которая пустила под откос жизнь Эльвиры, а затем жизнь ее сына. Такое ужасное «если бы не...». Это не предупредишь, от этого не спасешься. Как не убежишь от землетрясения или потопа. Можно попытаться только выжить. А для этого нужна наука Эльвиры. Наука любви к себе. Самолюбие Эльвиры почти не пострадало в результате той драмы. Она не смирилась с потерей мужа, но объяснила это не превосходством соперницы, а тем, что это женщина — катастрофа, из разряда «дьявольских искушений» по теориям Полины. От такого никто не застрахован. Вряд ли вера самой Полины способна принести такие же плоды. Эльвира вечером случайно увидела невестку в коридоре после того, как та проводила свою подругу. Увидела и вздрогнула. У Полины было такое лицо, как будто ей показали костер, на котором ее сожгут. Тяжелый человек Полина. С ней легко ладить, она никогда не спорит. Но Эльвира инстинктивно держится на расстоянии. Что-то вроде брезгливости и опасений. Откровенное несчастье — это заразная болезнь.

Сорока минут хватило Эльвире, чтобы увидеть полноту картины, просмотреть свои проблемы, отношения и вернуться к себе. Продолжить свой день. Она с удовольствием прочитала список запланированных покупок. По поводу некоторых позвонила в бутики, чтобы уточнить их наличие. Предупредила, что едет.

Перед магазинами она приняла массажиста и поплавала в бассейне.

Эльвира вернулась домой в сумерки. Это время, которое особенно не любят нервные женщины. Действительно непростые часы. Даже Эльвира чувствует в воздухе запах тревоги, видит ноты ядовитых цветов, которые разъедают картину чистого настроения. Она вошла в свою комнату, аккуратно разложила покупки. И вдруг ее качнуло. Ей показалось, что с Алексеем что-то случилось. Он не звонил со вчерашнего дня. Он приехал раньше времени из-за того, что Алена пропала. Был в страшном состоянии. Да, опять Алена, опять не убежишь от катастроф с ее участием. У Эльвиры дрожали руки, когда она звонила сыну. Он ответил. Говорил коротко, но почти спокойным голосом. После этого можно достойно завершать свой день, с сознанием того, что никому не удалось ей повредить. Эльвира обедала опять одна. Ела плотно и с удовольствием. Вернулась к своим покупкам, примерила, повесила в шкаф. Прилегла отдохнуть, посмотрела хороший фильм.

Поздно вечером включила компьютер и почитала новости. Ничего о похищении Алены. Немного странно. А если… Вдруг ее уже нет? Ее украли из больницы. Она могла просто умереть. Эльвира произнесла про себя эту фразу и прислушалась к своим ощущениям. Скорби, мягко говоря, не будет. Радости тоже. Будет просто знание, что это закончилось. Этот кусок жизни под знаком хищницы закончился. Как сказала бы Полина: грех наказан. Возмездие. Если бы только ее сын сумел справиться с этим, как она сама.

Эльвира вошла в детскую, попрощалась на ночь с внуками, затем обошла комнату Полины. Они иногда неделями не встречаются в своих объединенных квартирах.

Вернулась к себе, приняла ванну, влезла в любимый халат. Была такая слабость у Эльвиры. Старый, местами потертый и полинявший полосатый махровый халат. Ему не меньше тридцати лет. Вот на белой полосе пятно от желтка, которым она кормила маленького Алешу. Так и не отстиралось. Как бледное солнышко. В этом халате Эльвира всегда успокаивалась совершенно. Это было противоядие от всех плохих мыслей, больных настроений. Она легла на диван, включила нежную мелодию, почувствовала приятную усталость и через какое-то время услышала, как со стороны, собственное сладкое похрапывание.

Проснулась она, как от толчка. Это был взгляд. Прямой и острый взгляд мужчины, который стоял рядом с ней. Значит, уже ночь. Он приходит только поздно ночью.

— Здравствуй, Аркадий, — сказала Эльвира. — Как дела?

— Нормально. — Рискин сел рядом с ней. — Все живы и здоровы. Я был у нее.

— Расскажешь?

— Само собой. Хороша она в постели, как богиня и ангел. Приняла меня, как рвотный порошок и цианистый калий в одном флаконе.

— Тебе обидно?

— Да. Мне очень обидно. Мне обидно, потому что я мог остаться с этим совершенством, мог бы купить, мог заставить себя любить, мог бы все... А я опять не смог оторваться от женщины, которая сейчас храпела в старом халате, зная, что я приду к ней.

Эльвира поднялась, включила яркую настольную лампу и внимательно посмотрела в его лицо. Только она, наверное, и умела ценить его выдающееся уродство, видеть в нем незыблемую опору, ум, мужскую силу, изобретательность и выносливость. Только она знает этого человека в те минуты слабости и отчаяния, о которых не известно больше никому.

Валентин Кривицкий после нескольких лет брака познакомил жену со своим приятелем, циничным, своевольным и рискованным мерзавцем. И что-то такое разбудила она в его душе, мозгу и теле, что Аркадий Рискин пал навеки к ее ногам. Нет ничего, на что бы он ни пошел ради нее. Именно с Аркадием, а не с Ибрагимом и не с Валентином она открыла себя как женщину. Она узнала, что способна на ненасытную страсть. А у него к ней не страсть. Не только.

«Что за напасть у него?» — Эльвира часто думает об этом. За это время любой мужчина тысячи раз переменился бы. А он продолжает ее любить так же трепетно, горячо и болезненно, как в первый день.

Эльвира протянула к нему руки, и Аркадий встал перед ней на колени. Целовал ее халат, ее ноги, ее морщины, ее вялую грудь, которая забыла, как это — напрягаться от прикосновения жаждущего мужчины. Он заслужил, чтобы получить ее. Сегодня он это заслужил.

А среди ночи он, уже в полусне и полубреду, вдруг уткнулся ей в шею и произнес, как сонный ребенок:

— Манана моя...

Глава 2
МАНАНА

Это было так давно, что никто об этом уже не узнает. Просто ни к чему.

В Новочеркасский детский дом приехала пара москвичей, чтобы усыновить ребенка. Бездетные муж и жена. Он — большой деятель, крупный делец, она просто красавица. Мужчину звали Русланом, его жену — Мананой.

Они остановились в гостинице, в детский дом приходили несколько дней подряд, присматривались к детям в разных ситуациях. Читали дела воспитанников. И сделали выбор.

— Наши планы немного изменились, — сказал Руслан директору. — Хотим усыновить двух мальчиков. Не думаю, что у вас будут возражения или проблемы с оформлением. У нас большой дом, сад, условия позволяют иметь любое количество детей. А мы выбрали двух подростков у вас.

И он назвал имена. Вася — самый красивый мальчик в доме, хрупкий, тонкий и голубоглазый. И Аркадий — его противоположность. Сильный, угрюмый, грубоватый, с лицом почти отталкивающим, с деформациями на грани патологии.

Директор Ирина Петровна ответила не сразу. Она очень хорошо знала и понимала людей, видела всякое. Такой выбор говорил, наверное, об одном. Они берут одного мальчика в сыновья, в принцы, наследники. И понятно кого. А другого — в работники. В лучшем случае — в охранники. Аркадий — не просто сильный и выносливый, он боролся со своей судьбой, выживая повсякому. И батрачил у соседей за копейки, и лошадей угонял, продавал, и банду воров водил. Он родился у малолетней проститутки, которую делили на круг алкаши и откинувшиеся зэки. Ее держали в голоде и заброшенности, били даже беременной. Она и рожала в их окружении, без всякой помощи. Родила здорового ребенка, но с печатью на лице — как будто вся ее жизнь на нем оставила автограф. И редкое везение было у этого несчастного. Его ум был таким же сильным и гибким, как тело. А зоркие глаза так рано все увидели и сохранили, что весь опыт ребенка, вышедшего за порог ада, был опытом злости и протеста. Он способен на что угодно, а вот покорным работником, рабом не станет никогда.

Ирина Петровна подумала и сказала:

— Хорошо.

Она переживала за Аркадия гораздо больше, чем за Васю. И она оценила его шанс. Все эти дни и ночи она читала статьи и материалы о чете Рискиных, о бизнесе, состоянии. Это старт для Аркадия. Пусть увидит такую жизнь, сделает какие-то выводы. Подчинить его никому не удастся, с ним придется считаться, договариваться. Парень сумел уцелеть в среде настоящих преступников, бандитов и убийц. А эти люди, которые хотят его забрать, вполне приличные и на виду. Пусть попробует Аркадий с ними поладить. Другого шанса может не быть. А это значит — путь в криминал, от которого он ушел.

И они уехали в Москву. Руслан, Манана и два чужих мальчика, которые им еще не дети, а друг другу не братья. Все решит будущее. И лишь Аркадий знал, что все решит он сам.

Было непросто. Руслан — не из тех, кто пересматривает свои решения и планы. И Руслану очень нравилось, как выглядит мальчик, которого Манана выбрала в сыновья. Он выглядел как настоящий принц. Ему создали соответствующие условия, нашли особую школу, репетиторов. Аркадий не страдал от дискриминации. Ее не было. Его тоже хорошо учили, лечили, с ним считались. Руслан присматривался, к какому делу парень больше всего склонен. Очень скоро понял, что просто работник — значит, недооценить потенциал. А вот верный, преданный и благодарный по жизни охранник — это серьезнее. Аркадий с шестнадцати лет сопровождал отца в самых рискованных поездках. Были два эпизода, когда он отреагировал раньше настоящего охранника и бросился на подозрительных людей до того, как они достали оружие. После этого Руслан нашел ему наставника по боевой подготовке.

А потом, довольно быстро, наступил момент, когда Аркадий стал человеком, с которым Руслан мог обсудить самые серьезные дела бизнеса. И что самое невероятное, этот детдомовец, сын нищей проститутки, который до тринадцати лет слаще морковки ничего не пробовал, легко вошел в суть бизнеса. Он мог дать по-настоящему дельный совет. Руслан понимал, что это самый бескорыстный советчик. Мальчик точно заинтересован в его успехе.

Следующий этап отношений: Руслан стал испытывать теплое чувство именно при виде Аркадия. Когда он наблюдал его в деле, в спорте, в работе с финансовыми документами, он гордился им, как родным сыном. Он даже любовался его силой и статью. А лицо... Оно больше не отталкивало. Исключительность природа отмечает по-всякому. Аркадий, взрослея и приобретая уверенность, часто проявлял цинизм и жестокость. Но это точно не могло шокировать Руслана. Он считал, что ему самому не хватает именно таких качеств, чтобы получить то, что хочется.

Вася окончил школу, и его отправили учиться в Кембридж. Отец купил ему квартиру, назначил содержание. Отец же выбрал ему профессию адвоката, обеспечил возможность скромной практики. Скромной — по способностям. Сыном Рискиных стал Аркадий. Единственный наследник, что и было написано в завещании супругов.

И все это время рядом с Аркадием была Манана. Поскольку мальчика сразу ввели в поле мужских дел и проблем, приемная мать существовала как фон, как условие, как... Как странное воплощение того, чего никогда не было с Аркадием. Как мечта, как мираж, как все теплое и сладкое, чего и не должно было быть в жизни изгоя.

Они общались не часто, но легко, дружелюбно, породственному. И по лицу Аркадия не было заметно, что он чувствует на самом деле. А у него таяло сердце при звуке ее голоса. Его могло качнуть от ее походки, жеста, запаха. И он не знал, что это такое. Он в принципе не знал ничего о любви и нежности. И страстно берег эту свою тайну. Несмотря на его уродство, в школе, а затем в институте девушки, ранние и продвинутые в науке секса, проходу ему не давали. Его окружала аура сильного мужчины, самца. Аркадий ступил на тропу этого опыта, как на любую другую. В своих, и только в своих интересах. Он хотел стать мужчиной, для которого нет ни проблем, ни загадок в отношениях с женщинами. Но тот единственный уголок в его душе, в котором могла поселиться любовь, — этот уголок был занят навсегда.

Манана... Какое имя. Аркадий вкладывал в него и слово «мама», и его продолжение. Развитие женщины-судьбы. Судьбы-женщины. Она начинается, как мама, которой он не знал, она остается, как тайная любовь, как магнит для души и тела.

До крушения идиллии, до срыва плавного течения устоявшихся жизней, до мук ревности и пламени протеста оставались считаные дни. И все были обречены.

Глава 3
НАХОДКА

Сергей Кольцов позвонил Алексею на рассвете:

— Я еду за тобой, Леша. Постарайся не паниковать. Есть находка. Пока не факт. Нам нужен материал для экспертизы по ДНК: вещи Алены, расческа, зубная щетка, непостиранное белье.

Алексей не произнес ни слова. Он даже не вздохнул. Даже дышать больше не было сил. Ему весь вчерашний день ничего не рассказывали о поисках Алены, и он ждал именно такого звонка. Он не станет цепляться за надежду, это роскошь в его положении: пустая трата души. Он соберется, чтобы помочь в поисках правды в последний раз, а потом вернется к себе. И тогда решит…

Сергей приехал, не произносил лишних слов, просто помогал сборам. Уже в машине рассказал. Люди, которые вели наружное наблюдение за «санаторием», заметили дым в трех километрах от особняка. Горел старый, заброшенный дом. Они смогли без пожарных потушить огонь. Людей в доме не оказалось. Живых людей. Они обнаружили на кровати труп обнаженной женщины. Опознать вряд ли возможно. Только по ДНК.

— Вы арестовали Рискина? — сдавленно спросил Алексей.

— Проблема в том, что теперь нет оснований. Даже для опроса по подозрению. Получается, что следствие пошло по верному пути, но немного промахнулось с местом. А информатор могла перепутать. Она даже не видела близко ту женщину, которая показалась ей Аленой. Но существует и вариант, что Рискин и вся эта компания почувствовали слежку и оборвали нашу нить. Все усложняется.

Они поехали не в морг, а в отдел Земцова. Там их уже ждал Масленников.

— Алексей, — шагнул он навстречу, — прошу все воспринимать как оперативную работу. Мы так ищем. Только после того, как я завершу свою работу, будет ясно — да или нет.

— Но есть основания думать, что это Алена?

— Сформулирую немного иначе. Материала для такого сравнения нет. Есть вот что. Это женщина такого же роста, примерно такого же возраста. Погибла она не больше двух дней назад. Была убита ударом тупого предмета по голове. Потом оказалась в доме, который и подожгли.

Алексей не упал, потому что Сергей вовремя толкнул его на стул. Но сознание он потерял на мгновение.

— Но это же... Таких совпадений не бывает?!

— Еще как бывает, старик, — громко сказал Сергей. — Тысячи таких совпадений бывает за день в России. Ты все же сообрази, что это за характеристики — рост, возраст и погибла примерно во время исчезновения Алены. Хочешь, я тебе покажу наши ориентировки: сколько таких женщин пропали, найдены и так далее?..

— Нет, — попытался улыбнуться Алексей, — тысячи таких женщин мне не нужны. Не показывай, пожалуйста. Сколько мне ждать?

— Работа серьезная. Сейчас не рассчитаю. Но мой совет — оставайтесь здесь пока, — сказал Масленников. — Одному вам будет трудно. Я на связи.

Сколько прошло времени, Алексей не заметил. Земцов работал, Сергей с кем-то говорил. В кабинет заходили другие сотрудники. За окном светлело и темнело небо, в кабинете зажгли свет. Алексей иногда выходил покурить на площадке. Ему предлагали поесть или выпить, он отказывался. И, странное дело, он думал — если так можно назвать судорожное цепляние за одну мысль — только об одном. Он думал, что жизнь свелась к единственной точке, в которой возможно его физическое существование. Вот к этому кругу света, к этим голосам, которые звучат как целительный фон, к столу, дивану, запаху казенного кабинета. Когда его отсюда увезут, когда он останется наедине с самим собой — все кончится. И начнется другая, невероятная и адская работа, а он боится, что у него не хватит духу. Алексей поднял глаза и увидел, что перед ним стоит Сергей и внимательно смотрит.

— Что?

— Ничего пока. От Масленникова ничего. Я хочу задать тебе один ужасный вопрос. Прости за жестокость. Просто поверь: для меня это важно. Не только в связи с тобой. Скажи, Леша, если — да... Если Масленников скажет «да», что ты сделаешь? Что ты решишь?

— Я сижу и стараюсь об этом не думать. Но раз ты спросил... Сережа, дай минуту. Вот сейчас и приму решение. Скажу правду. — Алексей прикрыл глаза, сидел ровно минуту с лицом застывшим, суровым, красивым, затем решительно произнес: — Я буду жить. У меня будет цель. Я найду убийцу. Везде найду. Даже там, куда вы его посадите, если это случится.

— Примерно так я и думал, — сказал Сергей деловым тоном. — Ты слышал, Слава? Это сказал Алексей, самый добрый и не мстительный участник этой трагедии. Ты меня понял?

— Так я и не отменял твою идею, Сережа, — сказал Земцов. — Просто просил подождать. Но теперь окончательно понимаю, насколько она верная. Запускай. Сначала информацию о похищении Алены. Затем о нашей находке. О краже «Похищения Прозерпины» мы дали сообщение.

— Ок. Будем готовы наблюдать за реакциями всех наших фигурантов, — отрапортовал Сергей. — А так же тех, кто пока не совсем фигурант.

Земцов ответил на звонок, послушал, дал команду «продолжать» и сообщил:

— Сгоревший дом, где найдено тело, принадлежал чете Афанасьевых. Старики умерли друг за другом три года назад. Наследники не оформляли собственность. Дом стоял ничей. Информация поступила такая: у Афанасьевых одна дочь, Валентина Васильевна Афанасьева, в замужестве Осоцкая. Проживает в Москве, Ясеневская улица. У нее один сын — Константин, проживающий в Бельгии.

Глава 4
СМЕРТЬ ЗА АЛЕНУ

Александр не стал искать нового помощника. Слишком важные дела у него появились. И слишком явно провалился его опыт доверия другому человеку. Да и ситуация изменилась. Александр больше не искал кусочки времени для себя, для уединения, мыслей, покоя и поисков покоя. Он не мог больше тратить ни минуты на призрачный покой. На свои вопросы он должен был отвечать сам.

О том, что у Коли Стоцкого украли его работу, Александр узнал от самого Коли. Они уже практически договорились, что Александр покупает картину. Он не удивился такому повороту событий. Странное ощущение последнего времени усугублялось. Александру казалось, что главные события его жизни в последнее время имеют какое-то отношение к Алене, к тому, что между ними было. На него выходит информация о ней после стольких лет разлуки. Эта работа — «Похищения Прозерпины», она как будто создавалась для того, чтобы он проявил интерес. Это беспроигрышно. Адвокат Александра сообщил ему совсем невероятные вещи. Но и это не удивило Александра. Охранник Фролов, убивший Влада, подозревается российской полицией в убийстве мужа Алены. По срокам все сходится. Получается, что Александр приютил его с целью укрыть от правосудия. А когда Фролову стали дышать в затылок, он убил Влада якобы из ревности и теперь уйдет от более тяжкого наказания и российской тюрьмы за заказное убийство известного финансиста с целью грабежа.

И, наконец, гром грянул с такой силой... Сегодня Александр прочитал, что Алена была похищена, и о том, что следствие обнаружило труп неопознанной пока женщины, которая может быть Аленой.

Что он почувствовал, узнав это! Александр Кивилиди понял, что его час настал. Его час и должен быть горьким, страшным и беспощадным. Ему велено убивать в этот свой час. Всех, кому он добровольно отдал женщину своей судьбы, всех, кто не достоин был ее мизинца, всех, кто участвовал в ее страданиях, истязаниях, в ее убийстве. Александру казалось, что это ему брошен вызов. Что ему отомстили за то, что самая прекрасная женщина на свете одну ночь принадлежала только ему.

Жизнь стала яснее, чем когда-либо. Казнить убийц Алены и умереть за нее. Это все, что нужно Александру теперь.

Он позвонил адвокату, и они стали решать вопрос, как ему улететь из Франции, невзирая на статус главного свидетеля по делу Фролова. Адвокат предложил договориться с матерью, которая жила в Канаде, чтобы та прислала вызов, заверенный врачом. Болезнь, тяжелое состояние, последние распоряжения. Александр позвонил, мать, смеясь, легко согласилась.

Накануне поездки Александр не спал и не думал. Он даже дыхание экономил, чтобы не растерять всю свою мощь, силу, страсть и ненависть к неизвестным пока врагам. Он прилег на кровать на рассвете и прикрыл свои опаленные горем глаза, чтобы вернуть ясность зрения. А увидел... Увидел Алену так близко, что вновь почувствовал ее запах и тепло. Обнаженную, вздыхающую от полноты женского счастья. Нежную, изнывающую, такую недостижимую после обладания, как будто она просто мечта, а не жаркая любовница. И оставались какие-то часы их блаженства, его единственной возможности мужской победы и другой, не одинокой жизни. Жизни для Алены, для ее покоя и неги. Но главный враг Александра — тот, который привык жить в его теле и душе, тот, который привык его терзать и сжигать, он не сдался. Или иначе? Это «я» не позволило Александру стать не собой. Стать другим человеком, способным на обычную человеческую любовь. И прошли годы, и случились страшные беды. И вот теперь Александр готов ответить за преступление перед самим собой. Он отвечает, он рвет свою душу в клочья, ему ненавистны собственное тело, свои руки, губы, глаза, все то, что принадлежит самому обездоленному и безутешному вдовцу на свете. Он потерял то, чего не имел. Потерял по своей вине. И это открыло ему тайну нежности. Наконец. Он понял, как мог бы любить женщину, которая казалась ему олицетворением красоты и опасности для мужской власти над миром. Почему он не нашел ее и не вымолил прощения? Почему не захотел укротить себя в ту ночь? Да потому что его судьба — быть воином и мстителем. Его судьба — убивать, а не любить. И умереть за Алену. Как бы она удивилась, как легко бы простила его, если бы услышала его горькие, безутешные, первые в жизни рыдания. Александр вернулся в свое тоскливое, беспощадное детство, откуда он еще мог пойти в любую сторону. Даже в сторону света и взаимной любви.

Александр Кивилиди прилетел в Москву, остановился в маленькой гостинице на окраине и весь день читал в Интернете информацию об Алене и людях, имена которых встречались рядом с ее именем. Он сохранял фамилии, адреса, названия фирм. Изучил все, что можно, о фильме «Без тебя» режиссера Дымова. Потом позвонил фотохудожнику Коле Стоцкому и сказал, что приедет к нему. Узнать все о кино для Алены, режиссере Дымове, посмотреть фотоматериалы.

Они провели вечер, как два старых московских приятеля, — за бутылкой водки. Больше ничего у них не было.

— А кто эти друзья, с которыми ты пил в тот вечер? Их проверили? — спросил Александр.

— Конечно. Наверное, и сейчас за ними присматривают. Обыск у них был. Но они точно ни при чем. Это просто ребята, которые снимают квартиру в нашем доме. Простые работяги. Они мне симпатичны, мы иногда встречаемся пива попить. Но даже если бы они захотели что-то у меня украсть, то на мою работу точно не позарились бы. Они не в курсе, что это может так дорого стоить. Это другой случай. И потом, я помню, как они ушли: я быстро устал, начал вырубаться, но после их ухода перенес «Прозерпину» в спальню, засунул за спинку дивана. Она была в плоской картонной коробке и в жестком мешке, заклеенном скотчем.

— Ты слышал, как они захлопнули дверь?

— Я слышал, как дверь хлопнула. Но дело в том, что у меня замок не защелкивается, нужно закрывать ключом. А я не закрыл. У нас подъезд закрывается, и по квартирам никогда не шарили. Да и плохо я соображал.

— Значит, кто-то вошел после этих ребят... Значит, за тобой следили от выставочного зала. Я правильно понял, что следствие по делу убийства мужа Алены сотрудничает с режиссером? Интересно, а что они думают о том, что все нападения на Алену происходят именно в рамках этого кино? Нападение на квартиру, где ее облили гипсом. Похищение твоей работы — по кадру из фильма. Затем режиссер посылает ее к метро, где ей вкололи наркотик. После этого ее похищают из больницы. Любопытный человек этот режиссер. Он все это снимал. Пользуется уникальной техникой. Я смотрел трейлер и кусочки снятого материала. Это снять на те гроши, которые он собирает, — нереально. Это баснословные расходы. Я мог бы себе такое позволить, но не этот режиссер. Не удивлюсь, если у него найдут материалы о том, что было после похищения. Вот будет триллер. Я кое-что понимаю в маньяках от кино. Неужели к нему нет вопросов? И эти его материалы никто не проверял?

— Слушай, ну, ты загнул, мне кажется. Дымов — отличный мужик, гениальный режиссер. Он очень любит Алену. Как актрису. Это его мечта — такой фильм. Как у Годара, Бергмана, только совсем круто. Материалы видели многие, он даже устраивал показы «для пап и мам». Он сотрудничает со следствием. Он — помощник. И я тебе скажу: у следствия достаточно подозреваемых. Извини, но ты в том числе.

— Я что-то такое чувствую. А в чем дело, тебе понятно?

— Я даже знаю. Случилось вот что. Алена заболела. Переутомление. Ей стали сниться кошмары, она не могла их даже пересказать. Ей снилось, что ее преследуют люди, которых она не могла рассмотреть. И с ней работал эксперт-криминалист. Он помог преодолеть амнезию. Короче, она под гипнозом все рассмотрела. Александр, она что-то серьезное вспомнила. Что-то между вами было. Но вспомнив это, она совсем впала в депрессию. Следователи работали с этим. Все, что я знаю. А зачем ты приехал? Еще попадешь под горячую руку. Они так долго никого не могут найти.

— Я приехал, чтобы сделать то, на что они не способны. Очень жаль, что я так поздно узнал.

Александр не стал брать такси, чтобы добраться до гостиницы. Он прошел пешком пол-Москвы. Какое невероятное, огромное, переворачивающее все в его жизни открытие. Какое запоздалое, счастливое и горестное знание. Ради него стоило жить. Алена думала о нем. Она ничего не забыла. Она видела его во сне.

— Девочка, родная, нежная, любимая девочка. — Всю ночь Александр говорил слова, которых никогда в жизни не произносил. Он удивлялся тому, что знает их.

И вдруг они стали главными словами, которыми он может определить суть своего существования. Кто-то заплатит кровью за его опоздание.

Глава 5
НЕТ МИРА МЕЖДУ НИМИ

Сергей привез Колю к Земцову, он вошел, сел и смущенно улыбнулся.

— Никогда не был стукачом, ребята. Но Серега так убедительно мне объяснил, что это в интересах дела. Что еще есть надежда найти живую Алену. И что я могу помочь именно снять с кого-то подозрения. Короче, я даже себя зауважал. Сам Александр Кивилиди приехал в мою нору и пил со мной водку. Хочет он сделать вашу работу, такой у него план. Я, конечно, не сценарист и не режиссер, я просто фотограф. Но я видел мужика, который полюбил женщину больше себя. Это точно. А разговор наш был недолгим. Ровно на бутылку. Передаю вам с точностью до слова...

— Хорошо. Спасибо, — сказал Земцов, выслушав его. — Я все записал, с твоего позволения. Интересный человек, конечно, этот Кивилиди. А его любовь к Алене лишь усугубляет подозрение в заказе ее мужа, конечно. Что касается похитителей или убийц Алены, то пусть ищет. Вдруг ему виднее. Такие кадры набирает себе в охрану. А нам все равно, в каком порядке мы начнем распутывать преступления. Сейчас не будем ему мешать.

Слава поднял трубку и позвонил Масленникову. Тот пришел через полчаса.

— Всех приветствую. Вырвался ненадолго, потому что должен быть в курсе действий Кивилиди. С него может начаться принципиально другой этап расследования.

Масленников внимательно, не один раз прочел диалог Коли и Кивилиди. Потом довольно долго молчал, курил и напряженно думал.

— Что-то есть, по вашему? — не выдержал Сергей.

— Есть! У этого мужика железная логика и хватка. Кино, маньяк-режиссер, масса совпадений, которые в цепи создают лихой, потрясающий сюжет. Редкий сценарист такое бы придумал. Я без всяких подозрений в адрес Дымова. Просто заказчикам и кукловодам грех было все это не использовать. Как — это другой вопрос.

— Ух... — выдохнул Сергей. — Уже круто. Вот что значит, приехал киномагнат. Мы в искусстве дилетанты. И могли прозевать самое главное, как лохи. Какие предложения, Александр Васильевич?

— Никаких. Скоро будут результаты экспертизы, тогда, может, появятся. А пока лишь соображение. Мне кажется, это очень серьезно. Вы все, и Дымов в том числе, в курсе моих занятий с Аленой. У него снятый материал. Она вспомнила двух фигурантов из снов. Ее похитили просто за день до того, как я собирался перейти к третьему человеку из кошмаров. И этот третий...

— Да, — сказал Земцов. — Получается теперь, что этот третий для нас важнее всех. — Земцов взглянул на часы и продолжил: — Александр Васильевич, вы не могли бы задержаться еще на какое-то время. Ко мне, наверное, уже приехал посетитель. Сюрприз. Это Константин Осоцкий. Сам. Прилетел специально для дачи добровольных показаний.

Слава подписал пропуск Коле, тот ушел. А в дверь уже заходил первый фигурант по делу убийства финансиста Кривицкого. Он был бледным и то ли потрясенным, то ли очень испуганным. Пожимая руки присутствующим, Осоцкий вопросительно смотрел каждому в глаза. Он сел на стул, который ему подвинул Сергей, и заговорил:

— Меня отговаривали ехать к вам без адвоката. Ничего хорошего о российском правосудии я не слышал. Но тем важнее для меня было не дожидаться, пока за мной придут. Я очень надеюсь на вашу порядочность и честность. Хотя бы в виде исключения.

— К чему такая преамбула? — уточнил Земцов.

— К тому, что вам очень нужен разоблаченный преступник. Меня уже допрашивала бельгийская полиция по опубликованным в Сети материалам. В доме моего деда нашли труп женщины, которая может быть Аленой Кривицкой. Я, оказывается, прохожу у вас по делу убийства Валентина. Мне сказали, у вас какой-то компромат по поводу моего бизнеса. Я готов к следственным экспериментам и проверкам. Разумеется, только в рамках подозрения в убийствах или их заказе. Тайны своего бизнеса раскрывать никому я не обязан.

— Это и не наша специфика, — мягко сказал Земцов. — Следственные эксперименты у нас для исполнителей. Вы подозреваетесь в другом. Да, давайте поработаем. Нам нужно составить поминутный график вашего пребывания в Москве в день убийства Кривицкого. И нужна, конечно, вся информация о доме, в котором найдено тело. Почему он оказался брошенным?

— Потому что он не стоит даже времени на формальности. Маме он не нужен. Под ним копеечный клочок земли. Затраты на благоустройство — бессмысленны. К тому же место не очень удачное. Ездить туда неудобно. Если мама захочет, я куплю ей хороший, комфортабельный дом гораздо ближе. Она просто пока не хочет.

— Тогда имеет смысл поговорить о тех, кто знал о существовании этого дома. И о тех, кто хотел бы подставить вас. Если найдена, не дай бог, Алена. Да и в другом случае хорошего мало.

— Да. Я буду отвечать на все вопросы. Мне необходимо знать, кто меня так подставляет. Так давно и так ужасно. Два убийства, ограбление. Я собираюсь с вами сотрудничать, понимая, насколько вам удобно все это повесить на меня.

— Вы это уже говорили, — заметил Масленников. — Скажу вам не как следователь. Я — эксперт. Вы сделали верный шаг. Да, все это не совпадения. А материалы на ваш круг общения мы и так собираем. У вас давние и хорошие друзья. И отношение всех к семейству Кривицких — тоже, похоже, давнее и не простое.

— У меня есть время отдохнуть и собраться с мыслями? — спросил Осоцкий. — Очень устал. Приехал к вам из аэропорта.

— Вы хотели спросить: не собираюсь ли я вас задержать, — произнес Земцов. — Нет. Вы свободны. Договариваемся о встрече через сутки. Буду ждать.

Осоцкий прерывисто, с облегчением вздохнул и быстро вышел из кабинета.

— Нет между ними мира. Кто бы это ни был. Мира нет, — авторитетно заключил Масленников.

Глава 6

ДЕЛО АЛЕКСЕЯ

Григорий Зимин, руководитель компании Кривицкого, позвонил Алексею домой и попросил срочно приехать на работу.

— Знаю, Алеша, что у тебя проблемы. Но я очень долго откладывал этот разговор. Жду.

Алексей зашел в кабинет, в котором не так давно сидел его отец, и подумал, что он идет из одной жизни в другую. В параллельную, незнакомую и страшную жизнь. В ней нет опоры, в ней все перевернуто с ног на голову, в ней остались только тайны, опасности и его большая беда. И меньше всего его беспокоило, что скажет Григорий. Алексей оказался не тем финансистом, для которого есть только цифры, доход и новая вершина в виде того же дохода. Если бы отец оставил ему в полное распоряжение эту империю, если бы ему сейчас выставили условие — отдать все мгновенно за жизнь Алены, он бы обрадовался. Он бы и не подумал сообщить в полицию. Даже Кольцову соврал бы. И обнял бы преступника, как лучшего друга. Но отец ему не доверил. Видимо, просчитал примерно такой расклад. Он доверил Грише, которого ценил как специалиста, но как человека недолюбливал. Гришу трудно любить, вряд ли вообще есть на свете человек, который его терпит вне работы.

И Григорий думал о чем-то очень похожем. Он сравнивал Алексея с Валентином. Такое невероятное внешнее сходство и такие разные, практически противоположные люди. Григорий помнил Алексея еще ребенком. Наблюдал, как он рос, как менялся. Григорий фиксировал своим феноменальным мозгом его редкую харизму, добродушие, открытость. Это замечательный человек по самым строгим критериям. И одно но. Все эти достоинства абсолютно не нужны делу. Более того, они делу опасны. Григорий всегда это чувствовал, и вот теперь косяком пошли события, которые доказывают его правоту. Впрочем, Зимин никогда не находил ошибок в своих расчетах.

— Садись, Алексей. Я сознательно хочу поговорить с тобой в этот, такой трудный для тебя час. Мне именно сейчас нужно оценить степень твоей ответственности за дело. Понимаешь, люди живут, страдают, влюбляются, теряют друг друга, а дело не прекращается ни на секунду. И это единственная причина, по которой люди могут и страдать, и любить, и планировать будущее своих детей. В этом возможность и детей любить, и страдать, ни в чем не нуждаться и не зависеть даже от режимов и катастроф, которые приготовит страна. Азбучные истины?

— Нет. Вчера это были бы для меня азбучные истины. Сегодня — нет. Сегодня, Григорий, я не уверен, что ты прав, как всегда. Но я разделяю твои сомнения по моему поводу. Да, вот так выяснилось, что моя преданность не с делом и даже не со своими детьми. И что нам делать? Ты же не можешь меня уволить, дядя Гриша, лучший сотрудник моего отца. По сути, я все же владелец дела, управлять которым папа доверил тебе. Тебе будет удобнее, если я возьму отпуск за свой счет, хоть на год, чтобы ты мог взять кого-то на мое место?

— Мне это не будет удобно, — веско сказал Григорий. — Дело — это не проходной двор и не площадка для нелепых экспериментов. Леша, года не прошло с тех пор, как погиб твой отец, а я перестал тебя узнавать. Ты не похож больше ни в чем на Валентина. Ты позволил себе стать непохожим на своего отца, который так старался воспитать тебя сильным человеком. Мужчиной. Никто так хорошо не понимал Валентина, как я. Никто так подробно не рассматривал ваши отношения: они имели отношение к делу, они были условием моего главного уравнения. Что будет, если вдруг... Если вдруг случится то, что случилось. И вот теперь я решил, что имею право дать тебе совет. Даже не совет. Это уже поздно делать. Я воспользуюсь своим правом диктата.

Правом, которое дал мне твой отец. Я приказываю тебе — вернись к работе. Не формально, не для отсидки часов в кабинете. Тебе никто не будет помогать. Войди во все, что ты упустил. Даю тебе максимум неделю. Я могу разгрести запущенные тобой проблемы, но я не стану этого делать. Мне не нужен сотрудник, не способный справиться с самой тяжелой задачей. Тебе сейчас не нужна работа, на которой ты получаешь большую зарплату ни за что. Это желание отца, а ведь он позаботился о тебе, несмотря на все свои личные драмы. По роковому стечению они связаны с той же женщиной, что и твои. Меня никто не может упрекнуть в сентиментальности. Я сам не знаю, что это такое. Но эти жестокие слова я тебе говорю... как отец. Как человек, который выполняет его волю. Через два дня наш экономический форум. Люди уже приезжают. Ты будешь там полным руководителем. И у нас не должно быть никаких ошибок. Тебе в кабинет сейчас принесут материалы, мои заметки и соображения. Ты поймешь, в каких решениях мы заинтересованы. Работай, Алексей. И последнее. Тебе так будет легче. Как известно, у беды длинные ножки. Не стоит сидеть взаперти, чтобы что-то узнать. Я с тобой. Помогу, как получится, ты сам знаешь.

Нервы у Алексея, конечно, совсем сдали. От последних слов Григория, человека без человеческих эмоций, с душой — калькулятором, глазам его стало горячо и больно. Он как будто увидел себя с высоты взгляда ушедшего отца. Он оттуда, наверное, кажется испуганным и глупым ребенком. Взрослым ребенком, который потерял свою любимую игрушку, не сумел ее сохранить. И теперь ему жизнь настолько не мила, что спасения быть не может. И это очевидно даже Григорию Зимину, созданному из теорем и распоряжений безотказного мозга. Даже он его решил пожалеть в духе своих представлений.

— Спасибо, Григорий, — выпрямился Алексей. — Я все понял. Справлюсь с этой работой, конечно. Все будет в лучшем виде.

Он вошел в кабинет и, не давая себе возможности ни посмотреть на телефон, ни поискать новости в Интернете, ни выдохнуть слово «Алена», начал работать. И даже вернул себе вдохновение и силу на какое-то время. А когда, к вечеру, вдруг заныло и застонало его здоровое сердце от необходимости стучать, несмотря на такое горе, вот тогда в его кабинете появился Сергей Кольцов.

— Ты отключил телефон? — спросил он.

— Нет, я просто сделал тише звонок, срочная работа. Думал, услышу, но, видно, увлекся.

— Ничего. У вас демократичные охрана и секретари. Меня пропустили со всеми почестями. Алеша, набери побольше воздуха, чтобы это услышать. Мертвая женщина — это сто процентов не Алена! Ты понял? Ты слышишь?

Алексей просто кивнул. Сказать «да» у него не получилось.

Глава 7
КИНО ДЫМОВА

Никогда Сергей Кольцов не слышал такого звучного, богатого мужского голоса. Никогда ни его клиенты, ни его работодатели не говорили в такой демократичной и в то же время властной манере, не оставляющей сомнений в значительности говорящего.

— Я говорю с Сергеем Кольцовым, частным детективом? Это Александр Кивилиди. Думаю, вы уже в курсе, что я в Москве. У меня для вас срочная информация. Ее только что получил мой адвокат в Париже. Он представляет мои интересы в процессе по делу бывшего охранника Фролова. Следствие получило заключение экспертизы относительно роли Фролова в убийстве Валентина Кривицкого. Да, он исполнитель. Он сохранил орудие убийства, открыл тайник, сделал признание. И не это главное, наверное. Главное то, что Фролов раскрыл тайну счета, на который он по договоренности с заказчиком перевел семнадцать миллионов долларов, снятых самим Кривицким перед смертью со своего счета. Эти деньги переведены маленькой фирме-однодневке, которая тут же прекратила существование. Но деньги удалось обнаружить. Этой суммой расплатились за одно из самых дорогих поместий в Калифорнии. Поместье приобретено на имя Валентина Кривицкого пяти лет. Внука погибшего Кривицкого. Подробности уточняются. Фролов показал, что вроде бы есть поручение самого покойного.

— Черт, дыхание перехватило — и от этой новости, и от того, что говорю с самим Кивилиди, — выпалил Сергей. — Да, я знаю, что вы в Москве. Не ожидал, что вы так сразу начнете помогать нам в расследовании.

— Если честно, у меня такой задачи нет. Надеюсь, что к своей цели я приду без вашей компании. Просто не хотелось бы, чтобы вы помешали. Вот поэтому я и делаю вам этот подарок.

— Но... Раз нам так повезло, то, может, вы мне подарите еще кое-что? Как частное лицо частному лицу. Что вы об этом думаете? Проницательный человек, который смотрит на ситуацию свежим взглядом. В чем мы убедились после вашей встречи с Николаем Стоцким.

— Подарю. Легко. Я думаю о том, что в свете этой информации одному человеку выгодно все, что произошло. Алексею Кривицкому. Он больше всех был заинтересован в смерти отца, так как влюблен в его жену. И в его интересах, чтобы украденные деньги не ушли из семьи. Более того, он обеспечил будущее наследнику. А похищение и возможное убийство Алены... Это или месть лично ему за то, что увел деньги, или... Я не исключаю, что он сам ее прячет, чтобы куда-то вывезти и затем исчезнуть вместе с ней, оборвав возможность разоблачений.

— Страшный вы человек, Александр. Не захотел бы оказаться в суде, на котором вы были бы прокурором. Алексей — мой друг. И более искреннего, открытого и прямолинейного человека я не встречал.

— А я никогда и никому не верю, когда слышу подобные характеристики. Но я никого не обвиняю. Я просто сказал, как это выглядит. Слишком демонстративно, конечно. Это обнаружилось бы в любом случае. Но тогда, как говорится, у вас, сыщиков, — ищи кому выгодно. Кому выгодно на самом деле. Я могу быть уверенным, что вы мне не помешаете?

— В поисках убийц Алены? — задумчиво произнес Сергей. — Тогда и я вам кое-что подарю. Мы это решили пока не оглашать. Женщина, труп которой мы нашли в сгоревшем доме, это не Алена. Сто процентов. Так что мы надеемся, что ищем живую Алену.

И еще один мужчина ничего не смог ответить Сергею. Кивилиди молча разъединился.

«Такие разные мужики и так одинаково любят», — подумал Сергей.

Он позвонил своему помощнику, который работал с группой хакеров, тот перебросил ему вскрытую почту, и

Сергей поехал в отдел к Земцову. Слава и Масленников его уже ждали. Выслушали пересказ разговора с Кивилиди.

— Хоть замом его бери, — пробормотал Земцов. — Да как бы такой не сожрал и меня с моим стулом. Хищник однозначно. Мы ему, конечно, не помешаем, но статус подозреваемого за ним прочно. И попытка подставить Алексея — хороший криминальный ход. Он был заинтересован в смерти Кривицкого-старшего гораздо больше, чем его сын. Это Кивилиди не остановил бы тот факт, что речь о родном отце. А Алексей отца очень любил. И этот поворот с внуком Кривицкого... Такое обычному преступнику в голову не придет. А очень богатому, да еще с извращенным воображением киношника, — такому да, запросто. Убить деда, а деньги перебросить его внуку, чтобы посадить сына. Блестяще! И примитивному следствию в этом не разобраться. Его легко пустить по следу прямого наследника, что для всех очень удобно.

— Ну, да, — поддержал Сергей. — Я как раз о том, что касается киношников. Вот результат работы моих ребят. Они, конечно, не «Шалтай-Болтай», чужие секреты не продают американской разведке, они вообще ничего не продают. Бескорыстное служение истине. В данном случае они просто сходили без приглашения в почту нашего друга Максима Дымова. И обнаружили там еще одного знакомого товарища.

И он положил на стол планшет с такой перепиской:

«Ибрагим Шукуров: Здравствуйте, Максим. Я давний поклонник вашего кино. Слежу за проектом «Без него». Оказал вам посильную помощь, собираюсь это делать и впредь. Прошу о встрече. Есть идея.

Максим Дымов: Спасибо за внимание и помощь. К сожалению, я очень занят. О встрече не может быть и речи. Напишите в нескольких словах свою идею.

Ибрагим Шукуров: Хорошо. Я не только финансист. Немного литератор, даже премии получал. Вот ссылка на мою страничку на «Прозе. Ру». Идея в следующем. Серьезный поворот в сюжете. Он, на мой взгляд, необходим. Резкий, драматичный, жестокий. И не игровой. Короче, в духе Голливуда.

Максим Дымов: Попрошу конкретнее.

Ибрагим Шукуров: Конкретно только с глазу на глаз.

Максим: Завтра в десять утра у меня в съемочной квартире».

Земцов взглянул на часы.

— Поехали. Возьму только еще пару оперативников.

К дому, в котором была съемочная квартира Дымова, они подъехали уже к вечеру, в полной темноте. Сергей легко отжал допотопный кодовый замок в подъезде, затем дверь «капитанской» квартиры режиссера.

Максим был в комнате один. Работали три больших монитора. Он следил за происходящим на них в таком напряжении, что ничего больше не видел, не слышал. Следователи остановились на пороге, какое-то время смотрели на мониторы и не сразу поверили своим глазам. То, что они видели, — не снятый игровой материал, это происходит сейчас. Съемка в реальном времени! Они видели просторный, почти пустой зал, в который заходили мужчины в черных костюмах с белыми шарфами поверх пиджаков. Затем два человека ввели женщину в прозрачном белом платье, под которым нет ничего. Женщина шла, как под воздействием транквилизаторов, у нее подгибались ноги, но ей не давали остановиться. Камера поймала ее лицо. Ее похудевшее, побледневшее лицо. Алена! Она смотрела огромными, беспросветно несчастными глазами. Она утратила надежду на спасение. Она просто хотела побыстрее пройти свою казнь. И ее ресницы стремились к щекам, тонули в зелени мокрого взгляда. У мужчин на пороге перехватило дыхание. А к Алене приближалась крупная фигура в черном балахоне, из-под которого не видно даже глаз. И дальше Максим укрупнил планы. Большая ладонь, которая бьет Алену по лицу. Струйка крови по губам Алены. Руки мужчин-конвоиров разжимаются. Алена падает. И на ее груди под прозрачной кисеей стоит босая, тяжелая ступня под балахоном.

Сергей бесшумно метнулся и схватил сзади Максима за руки. Но у того реакция оказалась еще быстрее. Дымов за секунду до того, как был обездвижен, успел нажать команду «стоп». Это значит, что там, в страшном зале, действующие лица узнали: их засекли.

— Я все объясню, — произнес Максим белыми губами. — Отказаться я не мог. Это было единственным условием сохранения жизни Алены.

— А условие гонорара — такое вот кино? — гневно спросил Масленников.

— Да, — ответил Максим.

— Срочно адрес! — крикнул Земцов. — Это санаторий Минобороны? По Рижскому шоссе?

— Да.

Земцов уже вызывал наряд.

— Ты поедешь с нами, Дымов. Побудешь и ты заложником. Поможешь опознать преступников. Или для очной ставки. Что получится.

Часть десятая
ПОЛЕТЫ К ИСТИНЕ

Глава 1
ЧАС ОШИБОК И РАСПЛАТ

Александр Кивилиди подъехал на такси к особняку, в котором проходил экономический форум, поздно вечером. Был ярко освещен небольшой двор, в котором стояли дорогие машины и безмолвные вышколенные охранники. Его пропустили без сомнений: он показал свое удостоверение и сказал, что прибыл с опозданием по приглашению Алексея Кривицкого. Самолет задержался.

Он медленно шел ко входу. Из здания выходили респектабельные, солидные мужчины, прощались, говорили протокольные слова. Алексея он увидел издалека. Не просто узнал по фотографии. Лицо мужа Алены сверкнуло перед глазами Александра, как яркий, завершенный кадр. Человек, не похожий на всех остальных, смотрел открыто и честно. Он улыбался без фальши и натянутости. И в нем не было ни подобострастия, ни надменности, ни коварства. Таким был мужчина Алены. И Александр не сумел бы сделать лучший выбор, если бы проводил кастинг. Если бы это кино ставила не жизнь. Он шел навстречу сопернику, понимая свою главную ошибку. Он сделал ее, когда решил, что зря выпустил Алену, что она в заложницах у очередного монстра, что этот человек способен на обман и преступления. Александр сделал ошибку, допустив, что он сам нужен Алене. Она просто его вспомнила. Она просто увидела его в дурном сне.

Алексей увидел Кивилиди, когда между ними оставалось чуть больше метра. Он тоже сразу его узнал. И — такое уж совпадение — он тоже подумал о своей ошибке. Нет женщины на свете, которая могла бы забыть такого мужчину. И не в силах обычного человека, какой бы ни была его великая страсть, стереть это воспоминание из памяти и судьбы даже такой верной женщины, как Алена. А она верная, раз сама боролась с этим кусочком прошлого. Боролась насмерть, до полного изнеможения, до болезни.

Алексей ускорил шаг, улыбнулся как хорошему знакомому и протянул Александру руку. И в этот момент они оба услышали негромкий окрик, явно с восточным акцентом:

— Господин Кривицкий, одну минуту, пожалуйста.

У Александра реакция была быстрой, как у хищника. Он увидел мгновенно все: и дуло пистолета, и острый темный глаз киллера. Он рванулся к нему и выбил оружие ногой. И в это время пули другого пистолета пробили его позвоночник и ноги. И он, выворачиваясь в невероятной боли, упал, опрокидывая Алексея. Он закрыл его собой. Пуля, которая летела в грудь Алексея, застряла тоже в спине Александра.

Он не позволял себе потерять сознание, пока все не закончилось. Охрана сумела поймать налетчиков. Приехала полиция. Александра на носилках понесли в реанимационную машину. Там рядом с ним сидел Алексей и держал за руку. У Алексея дрожали губы, карие глаза были влажными. Он поймал сухой синий взгляд, склонился к уху Александра и прошептал:

— Алена жива. Следователи сейчас догоняют похитителей. Держись, друг. Мы с тобой будем бороться.

Александр молча кивнул. Знаю. Вот и спасение в этой чудовищной тьме боли, которая пытается его утопить. Сейчас больше ничего и не надо. Только странное чувство. Будто он больше не один. Будто у него появился близкий человек. Они связаны одной любовью и теперь кровью.

Глава 2

КАК Я ХОЧУ

В тот день Аркадий вернулся домой, в их московскую квартиру на двадцатом этаже элитной высотки, возбужденным, напряженным. Он заключил свою первую серьезную сделку без помощи отца. Провел очень важную встречу с известными бизнесменами. Они только в начале разговора держались скованно, слушали его недоверчиво. А потом и сами не заметили, как оставили ему главную роль. Все приняли его условия, оценили нестандартность и смелость его решений. Аркадий уехал с этой встречи другим человеком — он наконец почувствовал себя богатым не только потому, что отец оставит ему состояние. Он богат, потому что ему это под силу. Он способен подчинить себе все. Такое примерно было у него состояние в тот день — день его главной победы и главной катастрофы.

Дома он прошел в гостиную и впервые сразу направился к бару. Аркадий поступил так, как делал отец после важных дел. Он налил себе стакан виски и выпил медленно, вдыхая запах напитка, домашнего уюта и своего разгоряченного тела. Он упал в кресло, вытянул длинные сильные ноги, прикрыл в блаженстве глаза. И тут тревожной волной его коснулся еще один запах. Самый волнующий. Манана вошла в комнату. Он всегда узнавал ее издалека по волне тепла и аромата. Наверное, это чувствовал только он. Манана даже духами не пользовалась. Она была просто окутана своей красотой и соблазном.

— Устал? — спросила она своим удивительным голосом, низким, тайным, интимным.

— Да, — поднялся ей навстречу приемный сын. — Переволновался. У меня теперь свое дело, своя тема в бизнесе отца. Они меня приняли и поняли. Все будет, как я хочу.

— Конечно, — улыбнулась Манана. — Все будет, как ты хочешь, я в этом не сомневалась никогда.

Эти слова вонзились в его мозг острым клинком, залили тело горящей лавой. «Как ты хочешь...» И потом было просто освещенное ярким солнцем поле без дня и ночи, без стен и дверей. Без людей, без дел, границ прав и обязанностей. Был свалившийся с небес восторг желания и благоговения, обожания и полного обладания. Изгою в мире других людей такое и не снилось. Такое не снилось и богам. Они не сразу пришли в себя, не сразу обнаружили себя обнаженными на толстом пушистом ковре. А над ними стоял, вероятно давно, Руслан. Муж и отец. Преданный всеми.

Аркадий видел, как будто издалека, как встала Манана. Как она прямо и без страха посмотрела в лицо мужу. Она даже не прикрылась одеждой. И в том была страшная ошибка. Руслан искал в ее глазах объяснение, раскаяние, страх, он наверняка мог бы пережить и простить. Но опустил взгляд и увидел бесстыдную, счастливую наготу со следами жарких поцелуев... Он вложил всю свою силу в удар. Он ударил Манану по лицу. Это была просто пощечина. Но Манана не удержалась на ногах, она упала. И не шевельнулась больше. Руслан и Аркадий склонились над ней, не решаясь дотронуться, ее роскошные волосы тонули в густой обильной крови. Манана ударилась виском об острый фрагмент антикварного медного светильника. Она умерла мгновенно.

Аркадий натянул брюки, не отводя глаз от этой невероятной картины. Его убитая любовь, его живой и тоже убитый отец...

— Отец, — сказал он негромко и уверенно. — Вызывай полицию. Я сделаю признание. Скажу, что я убил. Я в любом случае так скажу, даже если ты начнешь рассказывать правду. Я сумею их убедить. Это я, а не ты, рос среди убийц и проституток. Поэтому прошу: послушай меня. Я справлюсь, отсижу. Если примешь, буду тебе полезен. В любом качестве. Не примешь — не пропаду.

Руслан посмотрел на него тяжелым, больным взглядом и ответил:

— Хорошо. Спасибо. Так и сделаем. Оденься, пожалуйста, нормально. А я сейчас напишу заявление, до того, как они придут. Не хочу тратить силы на слова. Это тяжело.

Он позвонил в полицию, сказал коротко: «Произошло несчастье, погибла жена, увидите сами». Затем напечатал текст на компьютере, вывел его, перечитал и положил в карман. Руслан открыл дверь наряду полиции, протянул Аркадию текст своего заявления:

— Прочитай и отдай людям, — а сам пересек комнату, прыгнул на подоконник и открыл окно.

— Сынок, — сказал он с подоконника, — я написал правду. И ты не пытайся им лгать. И все у тебя будет нормально. Ты ни в чем не виноват. Я видел: ты полюбил. А мне без Мананы больше делать нечего на земле. Я не собирался никогда жить без нее. Прощай, Аркадий. Похорони мать.

Руслан выстрелил себе в висок на глазах полицейских, чтобы быстрее и легче долететь до земли, чтобы не понять этого. Аркадий до ломоты в глазах смотрел на пустой подоконник, сжимая в кулаке бумагу. Потом прочитал: «Я, Руслан Рискин, убил свою жену Манану. Это был несчастный случай. Ударил ее по щеке правой рукой. Очень сильно, там должен быть след. Она упала и ударилась виском. Все можно проверить. Сын не успел мне помешать. Прошу дать ему возможность вступить в права наследника, владельца моей империи. Дело не может быть без хозяина». Дата, подпись.

...И столько лет прошло, и столько событий было. Но Аркадий до сих пор видит волосы Мананы в луже крови и пустой подоконник, где стоял его отец... И его сердце их зовет, а руки ищут нежность и сладость Мананы. Он протянул руки в предрассветной темноте и сжал затосковавшими пальцами обнаженную грудь, атласные бедра женщины, которая почти не дышала рядом.

— Отдохни, Алена. И перестань меня бояться. Дай мне время. Мне нужно кое-что решить. Тебя ищут, меня догоняют. Но это место, где нас никто не найдет. Сейчас опять все будет, как я хочу.

Раздался звонок. Аркадий ответил. Ему сказали:

— Через полчаса. Нужно пересечь двор, перепрыгнуть ограду, там будет стоять грузовик, водитель едет в Москву. Ваша машина на месте с вечера, как договорились.

Глава 3
НАЧИНКА «САНАТОРИЯ»

«Санаторий» был темным, как будто необитаемым. Охрана, как на секретном объекте. Ни света, ни звуков. Впрочем, маленькая надежда, что участники сцены с Аленой просто легли спать.

— Разъехаться никак не могли, — сказал Земцов. — Я имею в виду такое количество людей. Здесь постоянно наружка. Разве что по одному или по два кто-то проскочил.

Его люди уже занимали посты по периметру. Масленников убеждал прокурора разрешить штурм по оперативной необходимости.

— Мы можем вам прислать сейчас съемку, которая велась отсюда час назад в реальном времени.

Слава попросил именно Масленникова решить этот вопрос, чтобы не смогли отказать. Масленников бывает крайне необходим всем. «Добро» им дали. Хорошо, что сотрудники стояли по периметру. Охрана была со всех сторон. Они шли навстречу друг другу, как две враждующие армии. Но посмотрев документы Земцова, хмурый полковник кивнул. Дал своим отбой. Их пускали по одному. Документы смотрели у всех.

— Затягивают время, гады, — шепнул Сергей Масленникову.

Но они вошли наконец в это царство роскоши и утех для любителей острых и исключительно запретных ощущений. Особняк оказался совершенно пустым. Людей в нем не обнаружили. А обыск нужно было проводить стремительно и сразу везде. Пока есть не только следы, но и запахи. В огромной кухне не остыли плиты, не все приборы и бокалы были помыты. В спальнях остались какие-то вещи, флаконы с духами, кремами. И тоже бокалы, из которых пили, фрукты в вазах.

Масленников позвал Земцова в красивую, светлую комнату с мониторами и большой кроватью.

— Алена была здесь, — сказал он. — Я почти уверен. На этой щетке ее волосы. Такие Алексей приносил мне на экспертизу. А в этой постели были два человека. Она и мужчина. И я скажу кто после небольшой проверки. Если, конечно, он будет у нас.

Кольцов со своим передовым мозговым центром нюхачей и хакеров искали технику. Находили ее в самых неожиданных местах. И была она вершиной технической мысли. Собственно, вскоре просто обыск стал формальностью. Они нашли клад. Создатели «санатория» записывали все и всех. Тщательно хранили видео по датам. Настолько тщательно, что никакие сокровища не стоили таких трат и усилий.

— Потому что это дороже денег, — сказал Масленников, посмотрев небольшой кусочек материала. — Это золотой фонд для великого бизнеса под названием «компромат». Это не просто дом свиданий. Это ловушка, поле для великого шантажа. Вот этим объясняется и внимание известных финансистов, и расходы, которые никто не жалеет. Нет объяснения лишь одному. Похищению Алены. Кто и зачем поставил этим преступлением все под удар? Засветил целую империю, которая создавалась не один год.

— Полагаю, — заметил Сергей, — того, кто это затеял, мы не найдем в этих видеоматериалах.

— Нам пора, — сказал Земцов. — Люди будут с этим работать, а мы ищем путь, по которому они все смогли так быстро уйти, обойдя нашу наружку. Дымова ведите сюда, пусть смотрит и опознает, кого знает или видел уже в своей съемке.

Опытных оперативников вновь обыграли гении — помощники Кольцова. Они обнаружили большое помещение, закрытое со всех сторон, как бункер.

— Здесь подземный гараж, — сказал парнишка в очках. — Уверен, что и выезд отсюда подземный. И на большое расстояние. Я нашел следы нескольких крутых тачек практически на другом конце поселка. И все из одного места. Из ниоткуда.

У бункера с подземным гаражом обнаружилась и подземная охрана. Эти люди молча и ожесточенно сопротивлялись. Когда их обезоружили, они открыли замаскированный вход. Все так и оказалось, как сказал очкарик. Алену они упустили. У похитителей выигрыш во времени уже больше двух часов.

Глава 4

ПОБЕГ

Аркадий, уже полностью одетый, подошел к кровати, где все еще лежала Алена, и протянул ей джинсы, свитер и куртку.

— Оденься. Я приготовил чашку крепкого кофе с тостом. Подкрепись. Мы уезжаем.

Алена не задавала вопросов. Ни ему, ни другим людям, которых видела иногда. Это не имело смысла. Ее задачей было одно: удерживать свое сознание, свои силы. Чтобы не оказаться совсем беззащитной и не сойти с ума. Она оделась, умылась, поела. Аркадий повел ее через кухню к черному выходу из дома. Было еще темно. Они остановились. Он смотрел на ворота: их открывали снаружи. И Алена увидела темные фигуры явно вооруженных людей.

«Это полиция», — подумала она и набрала воздуха, чтобы закричать. Аркадий закрыл ей рот рукой.

— Тихо. Это не полиция. Это бандиты. Они пришли за тобой. Я должен был тебя оставить. Поверь мне и пытайся помочь. Я обманул всех. Решил тебя спасти. Сразу скажу: что бы со мной ни случилось, ты беги как можно дальше, петляй и прячься. Тебя ищут и найдут.

Алена кивнула. Она подчинится в любом случае, а что ей остается? Но дело не только в этом. Она действительно поверила. В своем невероятном, отчаянном состоянии Алена все же что-то узнала о мужчине, который провел с ней полторы ночи. В «санатории» и здесь, в этом полупустом доме в другом конце Подмосковья. Этот странный человек, в лицо которого она так и не научилась смотреть, странно к ней и относился. Только в первые минуты их встречи это были ярость, похоть и азарт поработителя по отношению к жертве. А потом появились тепло и грусть, они пробивались сквозь грубый напор и высокомерие победителя. Алена сделала рядом с ним несколько шагов и вдруг посмотрела ему в глаза. Она как-то иначе увидела это лицо в свете луны. В нем были сила, решительность и... И что? Вот это она не могла понять. Он поймал ее взгляд и ответил на него:

— Я не влюбился в тебя. Я не ворую тебя для себя. Просто должен кое-что искупить. Две дорогие мне жизни, которых больше нет. Мне как будто сказала Манана, что ты должна жить. И быть свободной. Потом объясню, если будет возможность. Нам нужно добраться до одного тайного места. Там мои люди, у них всегда есть нужные документы. Мы скроемся на время от всех — и от бандитов, и от полиции, и от человека, которому принадлежит моя жизнь, как я сам решил. А потом я найду возможность вернуться. Каждый вернется, куда захочет. К своему имени, делу, дому.

Они добрались до высокого забора, там Аркадий нашел тайную калитку, открыл ее, выглянул один, убедился в том, что грузовик стоит. Вернулся за Аленой, крепко сжал ее плечи и посмотрел в ее лицо ненасытно, жадно, с болью.

— Я сказал, что не влюблен, и это, видимо, так. Нет такого места у меня, чтобы любить. Но ты так похожа на мечту любого мужчины. Мне жаль, что ты не моя мечта. Я не такой, как другие люди. Но ты так похожа, что я готов сейчас вырвать ради тебя свое сердце. Какой-то тип из книжки так поступил. Если у нас все получится, ты не пожалеешь, что встретилась со мной.

Водитель грузовика открыл дверь кабины. Аркадий сначала сел сам, затем поднял за руки Алену, посадил рядом с собой.

— Разворачивайся, — дал он команду водителю. — Едем в другую сторону. От Москвы. Я потом скажу куда.

— Да ты что! — возмутился водитель. — У меня четкое задание. Мне надо тебя отвезти по адресу, там проверят. И про девку никто ничего не говорил.

Аркадий достал из кармана пистолет и без слов прострелил водителю правую руку.

— Извини, — сказал он взвывшему парню. — Нет времени на разговоры.

Он сам включил мотор, вывел грузовик на дорогу, сделал несколько поворотов и вытолкнул водителя на обочину.

Алена посмотрела в окна кабины — вперед, по сторонам. И вдруг поняла, что она больше не в тюрьме, не рабыня, не вещь. Это открытое пространство. Это шанс. Даже если она вдруг поймет, что Аркадий — враг, что его поступок — просто коварство, у нее останутся варианты. Она вспомнила, как он сам только что вытолкал водителя из кабины. Они тряслись по каким-то узким дорогам в ухабах, пролетали мимо темных и светящихся окон, мимо минут и часов. У Алены замирало сердце от предчувствий, от неизвестности, от надежды и страха. И она чувствовала почти вдохновение. Одного ей не хотелось. Ей не хотелось сейчас видеть людей. Никаких. Ни к одной встрече Алена не была сейчас готова. Только этот человек, похититель-спаситель, был уместен и даже необходим. Они в этом побеге стали коллегами и, может, даже друзьями. Аркадий посмотрел на нее и улыбнулся.

— Мы ушли далеко. Когда будем в безопасности, я посчитаю, какая это по счету погоня за мной. В этой науке я не новичок.

Тут-то их и окружили четыре машины с разных сторон. Из одной вышел человек в черном ватнике, встал на пути. Он поднял руку, в ней что-то было…

— Это граната, — пробормотал Аркадий. — Соберись быстро. Я незаметно открою дверь, а ты по моему сигналу просто соскользни на дорогу. Им сейчас будет не до тебя.

— Я не смогу, — еле выговорила Алена.

— Вперед! — скомандовал Аркадий. — Мотор!

Да, им было не до нее. Грузовик помчался на этого с гранатой, после взрыва петлял из стороны в сторону и давил по очереди машины вместе с людьми. Алена никуда не побежала, конечно. Она еле доползла до ближайших кустов. И смотрела, смотрела. Как страшно выглядит смерть. На это невозможно смотреть, на это невозможно не смотреть. Насколько ей было бы легче остаться с ним. С чужим человеком, который сейчас погибает из-за нее. А потом ее, неспящую, разбудили сирены, крики, выстрелы. Это была явно полиция. Алена встала и пошла к ним, неумелыми ногами, совсем разучившимися ходить. Ее, в этой серой куртке, чужих штанах, с комком волос, падающим на лицо, не сразу заметили. Спасатели МЧС извлекали из горящего грузовика Аркадия Рискина. Они положили тело на дорогу. Кто-то произнес:

— Он погиб не от взрыва. Шесть выстрелов в упор.

И тогда Алена пошла к нему. Опустилась на колени. Аркадию не закрыли глаза. Он смотрел на нее. И потому она ему улыбнулась. Погладила черную руку. Отошла в сторонку и не смогла вздохнуть. И перестала видеть. Очнулась на руках Сергея Кольцова.

— Все хорошо, Алена, — сказал он. — Скоро будешь дома.

— Да, — шепнула она. — Только домой. Не отдавай меня ни в какую больницу.

Глава 5

ЦЕНА ГРЕХА

Были зной, восторг, ликование. Было раскаленное счастье, сердце трепетало и взлетало, голова кружилась, лоно требовало и оттягивало завершение. Полина не уснула, она выпала из действительности. Мозг просто не справлялся с потрясением. Но за закрытыми веками вдруг проснулся ад. Дым и горечь греха, чернее которого Полина не знала. Она открыла глаза в страстной надежде, что это сон. Она увидела его комнату, его кровать, его подушку. Она увидела себя — впервые за много лет она открыто смотрела на себя, обнаженную. И не почувствовала ни стыда, ни отвращения к наготе в принципе, к своей — особенно. Полина все вспомнила, выстроила по порядку. И подумала, что ад — не такая уж чрезмерная плата за то, что довелось испытать. Вся ее жизнь, ее суровая и тусклая жизнь, была опрокинута в эту ночь. И ей нисколько не хотелось вернуться в то праведное существование, какие бы райские кущи ни ждали там, за горизонтом. Полина, мать троих детей, стала женщиной и была этому рада. Она за одну ночь прошла через все грехи, она их назвала, поняла и не раскаялась.

Полина приехала к Дмитрию накануне, не поздним еще вечером. Ей страшно было заходить в эту спальню, из которой не так давно уехала подруга Катерина. Она с ужасом смотрела на свое отражение, на бледное и вытянутое лицо монашки с глазами-ранами под платком, на тело, сухое и лишенное соблазна. Она вспоминала яркую и нарядную Катю. Боялась унижения, обид, того, что прочитает в его глазах, которые их сравнят.

А Дмитрий смотрел на нее, улыбался.

— Я понимаю, что тебя сейчас терзает. И я тебе скажу и докажу одну вещь. Все твои проблемы в том, что ты не встречала настоящего мужчину. Тебе никто не прочитал то, что в тебе есть. Это начал делать только я. И мы продолжим.

Он не дал ей влезть в ее спецодежду для любовных утех. Она шла к ложу, как по полю позора, она казалась себе страшной, неловкой, отталкивающей и блудливой без последнего убежища в виде сурового балахона. А Дмитрий ее не поддерживал и не утешал, не хвалил, не ласкал. Он все делал наоборот. Он рассказывал ужасные вещи о своих отношениях с другими женщинами, об оргиях. Полина никогда не слышала ничего подобного. Она не знала, что так бывает. Она не понимала, почему в ней нет протеста, почему она не пытается бежать туда, где остались ее стыдливость и праведность.

А потом он заставил ее встать и повел туда, где обычно проводил время сам, куда он не допускал ни женщин, ни гостей. Они пошли в его галерею. Полина бродила по этому царству вседозволенности, по пиршеству плоти и разврата. И чувствовала, что ее сухая, тусклая кожа становится более живой и упругой. Ее соски твердели, а бедра теплели. И наступил момент, когда она захотела, чтобы они вернулись в спальню. Она стремилась в их тайну. Но он повел ее в один альков. Раздвинул шторки. И Полина увидела что-то невероятное. Это была огромная картина. Обнаженную красавицу держали мужские руки. Пальцы впивались в нежное тело, почти терзали его. Это была Алена! А руки... Это руки мужа Полины.

— Да, — кивнул в ответ на ее вопросительный взгляд Дмитрий. — Это они. А теперь отпусти в себе все, ничего не сдерживай. Ты мечтала о мести. Вот и представь себе, что это не картина. Что это не снимок Алены, а она сама. И ты можешь делать все, что хочешь. Все, что ты в самых тайных и стыдных фантазиях делала бы с нею, с ним. Как бы ты их наказала. Как бы ты расправилась с ними. Я потом дам тебе и такую возможность. Сделай, что хочешь, с этой картиной. Режь, жги, грызи... Но это потом.

Он ждал, глядя в ее лицо, которое переставало быть невыразительным, скрытным и скорбным. Полина теряла выдержку, скорлупу, защиту. Дмитрий читал в ее лице агрессию, ненависть, желание причинять боль, находить унизительные пытки... И когда ему показалось, что все это соединилось с яростной похотью, вот тогда он отвел ее в спальню. Вот тогда он показал ей, каким раскаленным счастьем может быть грех.

Полина все вспомнила и вдруг вздохнула легко и глубоко. Она почувствовала полноту жизни. Она поняла, что такое свобода и отсутствие границ. Она раскинулась на простыне, с удивлением глядя на собственное тело, в котором обнаружилось столько желаний и пламени. Она не была себе противна. Полина училась себя любить. На дверь, в которую войдет Дмитрий, она смотрела спокойно и уверенно. Думала лишь о том, хочется ли ей разрезать на куски и сжечь картину с Аленой и Алексеем. Нет, пожалуй, не хочется. Хочется лишь вернуться в то, что она недавно пережила. И если картина тому поможет, то пусть она будет.

Дверь распахнулась. И на пороге остановился Дмитрий. А рядом с ним стояли чужие люди, мужчины.

— Оденьтесь, Полина Кривицкая, — сказал один из них. — Это полиция. Отдел по расследованию убийств, полковник Земцов. Вот ордер на обыск.

Они прикрыли дверь, дав ей возможность собраться. Она вышла из спальни, готовая ко всему: к аресту неизвестно за что, к тюрьме и казни. Полина приготовилась к расплате за грехи.

— Успокойтесь, — сказал ей синеглазый парень. — Вы понятая и свидетель. В этом доме должна быть одна улика преступления.

Дмитрий угрюмо повел всех в свою галерею. Остался у порога, показывать дальше отказался. Они сами нашли альков и раздвинули шторки.

Сергей снял картину со стены, убедился в том, что на ней есть знак автора, и повернулся к Дмитрию:

— Лишний аргумент в пользу того, что самый сложный преступник по своей сути до боли примитивен. Дмитрий Тренин, уголовный авторитет по кличке Сенатор, хозяин армии криминальных услуг и псевдоблаготворительного фонда, богатейший бизнесмен, попался на воровстве, как Шура Балаганов. Зачем вы это сделали?

— Так трудно понять? — усмехнулся Дмитрий. — Мне просто нужна была эта вещь. С фотографом договориться не удалось. Это все, что вы хотели мне инкриминировать?

— Это начало, — сказал Земцов. — Ниточка, как говорит наш частный детектив. Исполнители уже у нас. Они же поджигатели дома Кривицкого, они же налетчики на Алену Кривицкую, они же — ее похитители. Убийцы Аркадия Рискина, которые должны были убить Алену, тоже частично уцелели. Два из пяти. А к вам у нас один вопрос. Кто заказчик?

— Понятия не имею, — рассмеялся Дмитрий. — И вам придется это проглотить. Я не тот случай, который сотрудничает со следствием. Я тот случай, который для следствия может оказаться несчастным.

— Не парься, Дима, — дружески сказал Сергей. — Мы обойдемся и без тебя. Я, можно сказать, на подходе. Тебе просто давали шанс. Ну, на пару лет скостил бы очередной срок. Нет так нет. Есть и такие любители, для которых зона — дом родной. Ты это и доказал всей своей жизнью.

— Слава, — окликнул с порога Земцова оперативник. — Тут женщине плохо. Может, «Скорую»?

Сергей поддержал Полину, вывел ее из галереи в холл, посадил в кресло, дал воды. Они сидела, совершенно белая, о том, чтобы заговорить, не могло быть и речи.

— Полина, — обратился Сергей. — Вам ничего не грозит. Вы просто подпишете бумагу как понятая при обыске. Хотите, я отвезу вас домой?

— Я могу поехать с Дмитрием?

— Нет.

— Тогда разрешите мне уехать одной.

— Хорошо. Сейчас согласую со следователем.

Кольцов вернулся в галерею, поговорил со Славой. Тот задумался.

— Черт, совсем ненормальная баба. Я бы не отпускал. Может, вызвать за ней каких-то родственников?

— Ты знаешь, какая там сложная ситуация с родственниками. Отпусти ее, Слава. Я попрошу кого-нибудь присмотреть со стороны.

— Давай.

Сергей проводил Полину до ее машины. Она ни разу не взглянула на него.

— Полина, не забывайте о детях, — сказал он в ее непримиримый затылок. — Вы им нужны. У их бабушки тоже возникли проблемы.

— Спасибо за совет, — не повернулась Полина.

Сергей направился к дому, но она его окликнула:

— А почему отдел по расследованию убийств? Какие убийства?

— Ваш свекор Кривицкий, Аркадий Рискин. Покушение на убийство Алены Кривицкой.

— Понятно, — кивнула Полина. — Вы хотите сказать, что Дмитрий познакомился со мной ради этого? Чтобы убивать в моей семье?

— Он не убивал. Он просто руководил наемными преступниками. По поводу знакомства с вами... Вам придется уточнить у него.

Она села в машину и поехала в свой ад.

Глава 6
ПРОДЮСЕР

Сергей Кольцов приехал в клинику, где лежал Александр Кивилиди, сначала поговорил с хирургом.

— Какие у нас прогнозы... — сказал Федор Николаевич. — Любые. Это уникально сильный человек, с уникальными возможностями организма. Мало кто встает после таких повреждений. Но в данном случае я допускаю, что он встанет и пойдет. Если это произойдет, значит, впереди полное восстановление. Через пару недель родственники могут забирать его на реабилитацию в хороший профильный центр. Таких в мире много, у нас, конечно, нет.

— Родственники проявились?

— Звонил адвокат, собирается приехать. И жена. Кажется, будет сегодня.

— Я могу к нему пройти?

— Конечно. Но недолго, пожалуйста. У него период сильных болей.

Александр лежал на больничной кровати раздетый, неподвижный, в бинтах. Поднял черные ресницы над синими глазами, и Сергей вытянулся бессознательно под его взглядом. Даже в такой ситуации Кивилиди не выглядит беспомощным. И еще такой странный момент. Впервые Сергей смотрел на мужчину и понимал, какую власть тот имеет над женщинами. Прав хирург: уникальный случай.

— Привет, коллега, — бодро сказал Сергей. — Врач тобой доволен, ты в курсе?

— Надеюсь, — улыбнулся Александр.

— Меня пустили на пару минут. Тебе очень больно?

— Есть немного.

— У меня новость и вопрос. Что-то вроде совета прошу.

— Начни с новости.

— Алена дома. Если коротко, то ценой четырех жизней. Такая получилась операция.

— Ювелирно работаете, — ровным голосом сказал Александр, а глаза спрятал под своими ресницами.

И Сергей со скучающим видом стал смотреть на обстановку. Показалось ему, что этот сверхчеловек может не задержать заблестевшую вдруг слезу. А видеть это никому, конечно, нельзя.

— Стараемся, мой генерал. По мере наших жалких сил. А пришел я поблагодарить, кстати. За верный след. С ним и связан мой вопрос, он же совет. Максим Дымов действительно сотрудничал с преступниками. И дело не только в желании снять свой невероятный шедевр. Да, он снимал и то, что происходило после похищения Алены из больницы. Если бы у нас получилось еще хуже, мог бы снять и ее гибель, так по логике. Он сам утверждает, что делал это по шантажу. В интересах спасения ее жизни. Якобы это было ценой. На самом деле все сложнее и проще. В особняке, где находился тайный и особо охраняемый элитный дом свиданий, обнаружена коллекция видеоматериалов. Компромат на всех, включая приезжих дипломатов и даже президентов. Сохранился и разговор Дымова с заказчиком.

— Кто это?

— Это единственный человек, которого нет в кадре. Только голос, и тот профессионально изменен.

— Небольшая проблема.

— Да, работаем над решением. Тем более этот таинственный незнакомец общался не только с Дымовым.

— И как они договорились с режиссером?

— Хорошо. Наш бескорыстный и гениальный режиссер, который снимает лишь на гроши почитателей, получил документы на владение виллой в Италии, чек на крупную сумму. И по своей простоте попросил миллион долларов наличными. Так и понес его в рюкзаке. В том же рюкзаке мы этот лимон и нашли у него в скромной двушке.

— Забавный малый, — улыбнулся Александр. — Вы забрали у него деньги?

— Нет. На каком основании? Гонорар. Не краденые. А вот с ним... Александр, я пришел посоветоваться: что нам с ним делать? Пока он в статусе свидетеля, информация о его действительном участии — закрытая. Мы ведь в каком положении: он очень помогал следствию. И мы верим в то, что он не хотел смерти Алены. Сама ситуация такая необычная, что без эксперта-искусствоведа нам не обойтись. Вот я к тебе по этому поводу. Что ты думаешь? Кстати, сам Дымов в тяжелом стрессе. И даже не из-за нас. Он, просматривая материал, не обнаружил там сцены, в которой по их задумке должна была быть работа Коли «Похищение Прозерпины». Там у них такой изыск планировался: Алену выводят в зал для встречи с ее врагом, и она видит в зале эту фотографию. Все получилось, а картины не было. Из-за такой, казалось бы, ерунды Дымов чуть с ума не сошел. Я все бросил и проверил весь Колин список претендентов. Нашли мы эту «Прозерпину». Ее украл руководитель армии наемных убийц. И в этом Макс, выходит, помог.

— Я понял. Скажу быстро, и ты сразу уходи. Боль. Я — поручитель Дымова. Оформите его на поруки. Любая сумма. Это возможно по вашим законам?

— Конечно. Статья девять. Только нужно подготовить бумагу от лица твоей фирмы — центра подготовки международных кинофестивалей.

— Отлично. Адвокат все сделает. И я с сегодняшнего дня продюсер картины. Уверен, она имеет особую ценность. Достояние искусства. Дымова нужно вернуть в разум, пусть работает. Я поднимусь, и мы доведем эту картину. Отвезите его в хорошую клинику, расплатитесь из этого его миллиона, чтобы вылечили. Я ему верну все. Только не выпускайте на виллу в Италию. Он там один запьет и пропадет. Его жизнь — это работа. А мне нужен его фильм. Вы так сделаете?

— Отвечу вопросом. А тебе кто-то отказывал? Уверен, Слава к тебе прислушается. Буду заходить. Держись.

— Да, у меня вопрос. Ты не сказал, кто враг Алены, к которому ее вывели?

— Не удалось идентифицировать. Человек в балахоне, лицо закрыто. В кадре только рука и босая нога.

— Немало.

— Да, эксперт тоже так думает.

Когда в палату вошла медсестра с ампулами, Александр потребовал, чтобы она их ему показала. И разрешил сделать себе лишь один, самый слабый болеутоляющий укол. Потом полежал час, убаюкивая собственную боль, а она клубилась, туманила мозг и терзала лицом Алены. Показывала, прятала, гнала картинку прочь, туда, к другому.

Вечером к нему пустили Кристину, жену.

— Здравствуй, Александр. Я приехала за тобой. Врач сказал, что скоро можно будет тебя увезти на реабилитацию.

— Здравствуй, Кристина. Спасибо. Рад видеть. Только я пока никуда не собираюсь. У меня здесь серьезные дела.

— Предполагала, что ты захочешь поступить наоборот. Твое дело. Здесь мой адвокат. Ты не хотел бы сделать какие-то распоряжения?

— Ты имеешь в виду завещание на твое имя? Нет, Кристина. Мне не кажется это логичным. Ты — состоятельная женщина, я жив, по-прежнему собираюсь с тобой развестись. Потом откорректирую свои планы.

— В какое мерзкое положение ты опять ставишь меня. С чего ты взял, что я о себе забочусь? Я хочу, чтобы все было цивилизованно. Не хотела об этом говорить, но ты можешь навсегда остаться калекой. И я собираюсь посвятить тебе свою жизнь.

— О боже. Избавь меня, пожалуйста, от такого великодушия. Кристина, ничего не изменилось между нами. Калека я или нет, но ты мне не нужна. Ну, прости за то, что пришлось это сказать. И дело не в ревности и не в твоей измене. Я просто люблю другую женщину. Я здесь потому, что люблю женщину и понимаю, что это в первый и последний раз в моей жизни.

Кристина бежала по коридору, двору, потом кусала губы в такси, пытаясь сдержать слезы. И в номере гостиницы она стонала и выла, как русская деревенская баба. Ей не нужны его деньги. Ей не нужен он, сильный, здоровый и красивый. Она хотела именно того, о чем сказала. Она мечтала, что увезет его — беспомощного, увечного и раздавленного своим внезапным несовершенством. Таким был шанс Кристины, который она себе придумала. Самый желанный и самый прекрасный мужчина, который не сможет никогда от нее уйти. А он сказал эти жестокие и убийственные слова. Люблю другую женщину.

Глава 7
ПРОЩАНИЕ

Эльвира шла в квартиру Полины, даже не подумав привести себя в порядок, умыться хотя бы. Путаница волос, сбившихся, немытых, выдавала то, что сейчас было под ними, в голове, в мыслях. Треснул тонкий лед над темной пучиной, над болотом, куда она дойдет сейчас... И она шаркала ногами в растоптанных тапках, а любимый потертый халат бился в колени, как испуганная собака, которая просит остаться. Спрятаться от всех. Она открыла дверь своим ключом. И встретилась лицом к лицу с невесткой. Они не поздоровались. Две, такие непохожие женщины, родственницы, которые виделись практически каждый день, вдруг рассмотрели друг в друге главное. Все, до сих пор скрытое.

— Ты не ночевала дома, — не спросила, а констатировала Эльвира.

— А вы... О боже. Вы не дождались своего милого друга Аркадия Рискина. И вы еще не знаете, что он убит!

— О чем ты? Я не поняла...

— Да о том! Мне сказал следователь. Аркадий Рискин убит. Алену пытались убить. Они были вместе. А я только сейчас все понимаю. Эльвира, это все вы? Вы убийца? Мужа? Аркадия? Алены? Ее просто не получилось...

— Перестань бредить! Ты — темный, сумасшедший человек. Ты явно попалась в сети каких-то мошенников, они тебе наговорили какой-то чуши. Это неправда, что Аркадий убит. Все остальное даже не обсуждается. Я пришла сказать тебе, что ты мать. Что у твоих детей может больше никого не остаться. Я сейчас в ужасе от того, что ты их родила.

Эльвира повернулась и побрела к себе, а за ее спиной то ли смеялась, то ли рыдала Полина.

В своей квартире Эльвира шла и закрывала за собой все двери на ключ, начиная со входной. Наконец она в спальне. Включила компьютер и долго, без мыслей и чувств смотрела на строчку в новостях. «В перестрелке с бандитами был убит известный бизнесмен Аркадий Рискин. Подробности не сообщаются».

Она не знала, сколько времени так просидела. Потом механически, как робот, ходила по периметру комнаты. Остановилась, посмотрела на постель с его не смятой подушкой. Эльвира ждала его всю ночь. Машину Аркадия подогнали к ее подъезду поздно вечером, его должны были привезти рано утром. В это время он был с Аленой. Он знал, зачем ее туда привез. Легкая задача. Аркадий стал третьим мужчиной после мужа и сына, который предал ее, Эльвиру. Ради этой жалкой и ничтожной куклы, игры с которой наказываются исключительно смертью. Получается, что он сделал сам такой выбор. Ошибки в том быть не могло. Он спас ее, а сам погиб, не оставив даже возможности себя в чем-то обвинить. Эльвире сейчас казалось это самым ужасным: то, что она не может его разоблачить, обвинить, приговорить. Он сбежал от нее. Ее самый верный и терпеливый раб.

Эльвира легла на кровать, сердце билось с трудом. Мигрень сжимала виски стальными прутьями и звенела безумным голосом Полины: «Вы убийца». Эльвира попыталась встать, а ноги, оказывается, налились такой тяжестью, что шевельнуться невозможно. Эльвира хотела вернуться туда и ответить Полине. Сказать: «Я не убийца, я просто хотела как лучше, как правильно. Как лучше всем, в том числе тебе и детям. Я ни в чем не виновата».

Ей удалось скатиться с кровати, и она поползла, как раненое животное, чтобы дотянуться до телефона. А дотянулась до своей фотографии в драгоценной рамке из малахита с инкрустацией изумруда. Подарок Аркадия. Рамка упала, стекло треснуло, а лицо Эльвиры стало расплываться в глазах Эльвиры. В таинственной и нарядной зелени камня вдруг разлилось багровое пятно. И Эльвира поняла: то кровь Аркадия. То его прощание. И мольба о прощении. Его жизнь, его кровь, его любовь принадлежали Эльвире. Она одна на всем свете сразу напомнила ему первую юношескую любовь. Окончательную и жестокую, как смерть. У нее не было соперниц. Но почему же... «Потому, что я так решил», — вот и все, что сказал Эльвире самый верный возлюбленный.

День угас. Дверь спальни выбили.

— Эля, — грузный мужчина упал на колени перед лежащей навзничь женщиной. — Эля, что с тобой? Это я, сейчас все будет хорошо. Эля, открой глаза!

— Оставьте ее, Зимин, — сказал сурово Слава Земцов. — Дайте подойти врачам. Она жива.

Масленников помог встать Григорию Зимину, оттянул веки Эльвиры и произнес:

— Инсульт.

Глава 8

ФИГУРАНТЫ ОТ ЭЛЬВИРЫ

Шукуров и Осоцкий приехали в отделение по первому звонку. Бессмысленно было отрицать участие в сговоре. Речь шла лишь о том, чтобы ограничить свою роль. И, разумеется, они не хотели никому зла. Просто помогали справедливой идее. По дружбе, по привязанности, по любви. На каком этапе идея стала неотвратимым преступлением, эти умные и опытные люди, которых моральные границы не слишком обременяли в принципе, сказать не могли. А то, что они уступили в процессе договоренностей воле большого режиссера, снимающего свой странный шедевр, — это оправдывало таких эстетов, они же спонсоры. Люди явно пообщались уже со своими адвокатами. А сам Дымов не был в состоянии что-либо утверждать или опровергать. Вот уж кто пал жертвой собственной гениальности и злодейства. И его придавили для верности виллой и миллионом в рюкзаке. Для человека из другой песочницы это оказалось тяжкой и постыдной ношей. Он боялся разоблачений не только из-за свободы. Ему казалось, что репутации конец, что он перестарался, убил свою мечту и работу.

Земцов спокойно отпустил подозреваемых под подписку о невыезде. Заметные люди пошли косяком по этому делу. Не шпана, которая только и думает, как смыться. Эти прикованы к своему бизнесу цепями, которые крепче тюремных запоров. И пусть они пообщаются с партнерами, покровителями, нужными людьми во власти. А Слава тем временем прикинет, с какими силами ему придется иметь дело.

Он больше слушал, чем задавал вопросы. И, конечно, не сказал другим фигурантам, что Григорий Зимин сам выразил желание написать явку с повинной, взял на себя полную ответственность за план в целом и каждое преступление в отдельности. Самым важным для него в этом признании была невиновность Эльвиры Кривицкой.

— Ее роль была пассивной и подчиненной, — говорил он. — Это слабая, добрая и жестоко пострадавшая во всех отношениях женщина.

Мол, она слепо поверила Зимину, поскольку он давно доказал свое служение семье. Так получилось, что семья друга, который так внезапно и чудовищно ее разбил, стала его главной заботой. Его ответственностью.

— Надеюсь, вы проявите достаточно деликатности, чтобы не заставлять меня говорить о чувствах.

— Это требуется обычно лишь для смягчения участи, — заметил Слава.

— Ни в коем случае. Никаких смягчений. Оснований для них просто нет. Прошу исходить из этого.

— Любовь — это сильный мотив, — произнес Масленников.

— Не для меня. Я — теоретик. Просто строю свои конструкции, создаю задачи, усложняю, нахожу решения. Результат — и есть мой мотив. Он стоит даже свободы, когда речь идет о таком масштабном проекте. А я обеспечил будущее настоящему наследнику империи Кривицкого. Его внук выполнит то, с чем не может справиться его сын. То, что Алексей ставил и будет ставить под удар. Все, что у меня есть, а это немало, я тоже завещал Вале Кривицкому. Вы, наверное, уже знаете.

— Знаем, — сказал Слава. — Эльвира Кривицкая пришла в себя. Ее показания противоречат вашим. Так вы усложните работу суда. Она будет с вами бороться за право быть заказчицей преступлений.

— Эля... Я очень рад, что она уже в форме. Но мне она — не противник. Я сумею доказать то, что сейчас признал.

— Понял вас, — ответил Земцов. — Какая ваша позиция по Дмитрию Тренину? Тоже пассивная, подчиненная роль исполнителя ваших идей?

— О нет. Это подонок. Профессиональный, неисправимый. Я его использовал, разумеется, как самый подходящий вариант, но я за то, чтобы он больше не имел возможности убивать и грабить. По крайней мере, не имел ее как можно дольше.

— Что скажете о режиссере Дымове?

— Он — моя жертва, — категорично заявил Зимин. — Я включил его в свою интригу, когда посмотрел материалы фильма во время демонстрации для критиков. Алена под вашим гипнозом явно начинала вспоминать меня. Она один раз даже довольно четко меня описала: «Крупный, сутулый человек с ежиком волос, взгляд из-за плеча». А режиссер — человек талантливый, теоретик в своей профессии. Для него жизнь других людей так же вторична, как для меня. Они просто включены в наши сюжеты.

— И такой очень важный вопрос. Вы отдаете себе отчет в том, что взорвали криминальную империю компромата, которую курировали разные службы, в том числе и госбезопасность?

— Конечно. Абсолютно. Полный отчет. Я случайно вышел на эту схему, когда после гибели Валентина нанимал людей, чтобы проверить Осоцкого. Он оставался нашим партнером. Был потрясен цинизмом, откровенностью и преступной сутью этого предприятия, куда уходили огромные деньги. Их выводили из бизнеса, из благотворительности, медицины, образования, науки. Вы уже знаете, конечно, что такой «санаторий» не один. И я выстроил более изобретательную и строгую, научно рассчитанную интригу. Использовал это, столь масштабно поставленное «дело», а потом — взорвал его. Вместе с теми, кто там потерял репутацию, деньги, смысл деятельности. Я был готов к разоблачению и аресту. Я все успел.

— И самый главный вопрос. Убийство Алены Кривицкой вы заказали?

— Нет. Точнее, просто оставил это без своего вмешательства. Ее должны были скомпрометировать, ославить, увезти. Я хотел, чтобы она больше не доставляла горя ни Эльвире, ни Алексею, ни его детям. И я бы даже мог назначить ей содержание, если бы она согласилась сменить имя и страну.

— Вас удивляет, что исполнители убили Аркадия Рискина, который сам решил сделать именно это — увезти Алену?

— От него просто не ждали инициативы. Вы знаете, что для него было готово алиби — ночь у Эльвиры. Трудно было предположить, что он решится на такую глупость. У людей не было другого выхода.

— Вы так решили? А вот тут очень серьезный провал ваших признаний и предположений. Эльвира Кривицкая призналась, что Алену должны были убить. Именно поэтому Рискину пришлось отдать жизнь. Эльвира Кривицкая взяла на себя ответственность за этот заказ. Убийство Алены Кривицкой. Рискин об этом знал. Успел сказать Алене. Исполнители, их распорядитель у нас. Они подтвердили ее слова. Ваш «администратор» Тренин — тоже.

— Я могу не реагировать? Мне нужно подумать.

— Конечно.

Григорий Зимин был оставлен под арестом. Земцов пообещал ему свидание с Эльвирой. Оформлено это будет как очная ставка. Он не собирался ставить их в тупик, заставлять помогать расследованию. С такими тяжелыми клиентами нужно во всем разбираться самому. И Масленников поможет.

Свою первую ночь в тюрьме Григорий запоминал во всех ее измерениях и деталях. Такого опыта у него не было. А новый опыт — это новые открытия и решения. Эльвира жива, говорит, это значит, все продолжается. Это значит, никто не сумеет оборвать то, что задумал Григорий Зимин, человек, который не знает лучшего теоретика, чем он сам. Он сумеет справиться с такой неприятностью, как признание Эльвиры.

А когда должно было наступить утро, осветить его кабинет, его дело и его людей, — вот тогда отчаяние сжало сердце Григория, который тридцать лет не менял ни распорядок дня, ни задания своему уму на перспективу, ни квартиру, ни мебель. Он панически боялся навредить атмосфере, в которой живет мысль. И он вспомнил миг первой встречи с Эльвирой. Валентин подвел полноватую, спокойную, уверенную в себе женщину, представил как жену. И что-то невероятное произошло с убежденным холостяком и девственником Григорием. Ему показалось, что он один видит особую ценность этого человека, этой властной и чувственной женщины. Ему, как ослепление, как потрясение, вдруг явилась женственность, и он не мог это объяснить. Он так и оставил это чудо в ранге единственной нерешенной задачи своей жизни. Он, разоблачитель и преследователь чудес в жизни и науке, стал тайным служителем одного из них. Это для обычных и примитивно устроенных мужчин любовь — объяснение физического контакта полов. Для мыслителя это осознанное, рассчитанное, понятое и принятое служение. Так благодаря встрече с Эльвирой жизнь Григория получила особый смысл, стала практически совершенной.

Это придало ему мужества. А кровь вдруг загорелась, заныла и затосковала, наполняя его вены разлукой. Григорий понял ясно и беспощадно, что такое расстояние. Что такое километры, решетки и годы между ним и теплом Эльвиры, ее улыбкой, голосом, ее уютом и покоем.

«Вечная мерзлота» — так подумал Зимин о своем будущем.

Глава 9
ДОМА

Алена передвигалась по своей квартире, включала чайник, пила кофе, принимала душ, впадала в бездумие, которое заменило ей сон. Она грелась в руках и взглядах Алексея, приветствовала родные стены, вещи, воздух дома. Но она не могла вернуться к жизни. Ощущение нереальности происходящего, собственной беспомощности и полное отсутствие своих и только своих желаний парализовали мозг и кровь Алены. Она точно знала лишь одно: нет ничего страшнее, чем быть игрушкой чужой воли, чужих идей. Из этого невозможно выбраться. Невозможно преодолеть внутренние границы и вернуться к себе.

— Ты все еще не со мной? — спрашивал Алексей, изнывая от нежности и жалости.

— Я с тобой. Я и там была с тобой. Я просто в это не могу поверить. Это моя беда. Боюсь уснуть и проснуться. Боюсь всего, что кто-то где-то опять приготовил для нас.

— Аленушка, мне самому трудно поверить. Но следствие почти закончилось. Всех вычислили. Я ужасно подавлен тем, что это близкие люди. Но любая известность лучше нашей беспросветной неосведомленности. Лучше нашего страха и постоянной тревоги.

— Не могу не верить следователям. Но и говорить об этом расследовании не могу. Я в ужасе. И Макс с ними…

— Не нужно об этом говорить. Ты должна просто набираться сил, чтобы что-то принять. И что-то решить. Алена, ты не знаешь одной вещи. Хочу сам тебе сказать. Александр Кивилиди в Москве. Он приехал тебя спасать, прочитав о похищении. Мы с ним встретились по его просьбе. И произошла ужасная вещь. Кто-то стрелял в меня, он прикрыл, его тяжело ранили. Он в больнице. Неизвестно, будет ли ходить и вообще двигаться.

Алена застыла. Она даже не могла предположить подобный поворот. Как такое может случиться в жизни? В ее жизни? Александр — калека? Спас Алексея? Кто-то стрелял в него?

— Они нашли тех, кто хотел тебя убить? — только и спросила Алена.

— Киллеров взяли. Но такая странная вещь. Не находят связи между этими людьми и другими преступниками. Они сами молчат. Одно объяснение: «Личная неприязнь». Но я этих людей никогда не видел. Это охранники одного участника экономического форума, который я проводил. Он сам никак не заинтересован в моем устранении. Нападавшие даже не очень стремились убежать. Это восточные люди. Что-то вроде кровной мести. Похоже на совпадение по отношению ко всему, что с нами происходило. Я уже думал, может, они меня с кем-то перепутали.

— Мой дорогой. — Алена прижалась к нему, погладила ладонью по щеке. — Тебя хотели убить, а меня с тобой не было. Боюсь, что это все же одна история. И, как всегда, виновата я. Дай мне глоток вина. Не могу даже думать о таблетках. Вообще не могу думать. Мне нужен всего час, чтобы поспать. Больше нет времени оставаться в таком растрепанном, никчемном состоянии. Нужно работать, как говорит Максим. Не знаю, правда, осталось ли что-то от моей работы.

— Все осталось. Кивилиди взял на поруки Дымова и стал продюсером твоего фильма. Пока всем занимается его адвокат. Материалы на рассмотрении экспертов и следствия. Вот, выпей. Я купил во Флориде для нашей встречи. Это первое вино в мире. Каберне Совиньон Долины Напа.

— Как вкусно, — зажмурилась, попробовав Алена. — Я слышала о нем. Думала, оно из золота, такое дорогое.

— Из золота только ты, — сказал Алексей. — Из самого редкого шоколадного золота. Поспи. А я пока позвоню, узнаю, какие новости. И Сергей обещал приехать. Маша с Таней вернулись в Москву. Я купил им маленькую квартиру недалеко от нас. У Тани все хорошо. Ты увидишь. Она стала красивой.

— Ой, — заплакала наконец Алена. — Как это здорово. А я, наверное, опьянела. Вдруг слезы вернулись ко мне. Я думала, их больше нет.

Она ушла спать. Если так называется уход в мир снов наяву, в которые нельзя поверить, в границы тревожных, сладостно пьянящих мыслей. Да, ее жизнь вернулась, смотрит ей прямо в глаза, как не зажмуривайся. И в этом немыслимом калейдоскопе Алена сейчас выделила лишь одно. Александр приехал ее спасать. Он закрыл собой ее мужа. Он ранен, неподвижен, страдает.

Он один. И как это возможно... Как это возможно, что усталое, истерзанное тело Алены от этой мысли оживает, заживает, загорается, как от живой воды? Как это возможно?! Она сжимается, сопротивляется, а желание так повелительно ее разворачивает к одному пониманию. Алену тянет к Александру. Тянет не сострадание, не только. Не жалость, этого нельзя испытывать к такому сильному человеку. Ее тащит, несет, сносит с поверхности земли страсть, такая, которой еще никто не испытывал. И совершенно не важно — красив он или уже нет. Будет ходить или нет. Осталась ли в нем мужская сила. Алена боится лишь одного: что он ее не примет. Он ведь чуть не погиб, спасая ее мужа. А у него такие жестокие принципы. Но как бы все ни сложилось, что бы ни думали и ни чувствовали люди вокруг, Александр в том числе, Алена будет гореть в своем сладком пламени. Ей достаточно того, что было. Может, это и есть любовь. Та ее разновидность, которую мало кто испытывал. И в том их счастье, тех, кто не в курсе.

Она все же уснула на пару часов. Проснулась от голосов в квартире. Оделась, вышла и встретила в гостиной такие светлые, добрые и родные взгляды, что даже не смогла поздороваться, голос дрогнул от слез. Она просто обнимала их всех: красивую девочку Таню, ее строгую, скупую в словах и движениях и очень настоящую маму Марию, невозмутимого, ироничного и верного сыщика Сережу. А потом спрятала лицо на груди Алексея.

Мария быстро и умело накрыла стол. Таня щебетала, рассказывая о Флориде и добрых врачах, а Сергей говорил о делах. Они ничего не скрывали от ребенка. Девочка так хлебнула опыта, что ей уже не страшно слушать правду. Особенно о том, что преступления заканчиваются. И даже наказываются. О том, что жертвы никогда не должны быть одиноки.

— Вот что известно о женщине, тело которой нашли в доме Осоцкого, — сказал Сергей. — Там не было убийства. Имею в виду, что ее не убили в рамках общего преступления для того, чтобы мы приняли ее за Алену. Дмитрий Тренин просто договорился со служителем одного из моргов, и тот сообщил ему о женщине — жертве домашнего насилия. Женщину того же возраста и роста, что и Алена, убил муж. Его знакомый полицейский отправил тело в морг как неопознанный. А Дмитрий устроил эту инсценировку с пожаром. Зимин согласился с тем, что это его идея — подставить Осоцкого, чтобы навредить его репутации и вывести из круга респектабельных бизнесменов. Впрочем, Зимин соглашается со всем, что против него. Но это похоже на правду.

— Что с нападением на Алексея? — спросила Алена.

— Ерунда какая-то. Мы ничего не можем найти и выжать из задержанных. По-прежнему твердят одно: «Личная неприязнь».

— Алеша, ты точно никогда не видел этих людей? — обратилась Алена. — Может, ты забыл? Сережа, у тебя есть их фотографии? Покажи, пожалуйста. Вдруг я их видела.

Сергей достал планшет, вывел два снимка темноглазых, угрюмых мужчин. Алексей внимательно посмотрел, пожал плечами.

— Да нет же. Никогда не видел.

— Я видела! — вдруг зазвенел голос Тани. — Мы видели! Леша, мама! Вы забыли. Помните, как меня выгоняли из ресторана во Флориде? Леша тогда с ними строго поговорил. А этот дядька так страшно смотрел на него. Я запомнила. Леша шел к нам, а он все смотрел.

— О чем речь? — спросил у Алексея Сергей.

— Да, был инцидент во Флориде. Это охранники бизнесмена из Якутска. Армена Бугрова. На наш форум мы его не приглашали.

— Для охранников это не проблема — приехать с кем-то другим, — заметил Сергей. — То-то все так смахивало на кровную месть. Ждите, люди. Сейчас все пробьем.

Сергей позвонил Земцову, затем своему отряду программистов. Все напряженно ждали результатов.

— Сошлось! — наконец возвестил частный детектив. — Тебе, Таня, орден от следствия. Пока орден шоколадный. Амиев и Гоев, задержанные по обвинению в покушении на убийство Алексея, чеченцы по национальности, приехали в охране другого предпринимателя из Якутска. А в сопровождении Бугрова они действительно были в прошлом месяце во Флориде. Вместе с Бугровым во Флориду въехали две девушки. Одна из них — Мадина Амиева, сестра задержанного. Девушка из ранних — профессионально занимается эскортом. Ее брат на прикрытии ее бизнеса. Он же стрелял в Кивилиди. Сейчас оба на допросе. Теперь обвинение — вопрос одного часа. Да, дело в чистом совпадении. Бывает.

— И слава богу, — синхронно выдохнули Алена и Мария.

А Таня бросилась к Алексею. Крепко обняла за шею.

— Лешенька, возьми меня в охранники. Я научусь стрелять. Я убью всех твоих врагов.

— Не нужно, маленькая, тебе стрелять, — грустно улыбнулся Алексей. — Их больше нет, врагов. Понимаешь? Наших врагов больше нет. Они нас не достанут. Мы будем просто жить.

Эпилог
НАШИ ДУШИ КУПАЛИСЬ В ВЕСНЕ

В то утро Алексей собирался на работу и чувствовал себя так неуверенно, как будто может не вернуться сюда. Сначала он боялся разбудить Алену, потом услышал, что она проснулась и включила музыку, как часто делала по утрам. Он не вошел к ней. Просто стоял за дверью и слушал. Сегодня романс Высоцкого «Было так». Да, их души так долго, так упоенно купались в весне, что за это непременно придется дорого заплатить. И всего, что было, — мало за такое счастье.

Они уже неделю спят в разных комнатах. На этот раз инициатор Алексей. Это он сказал, что страшно разнылось травмированное на тренировке колено. Не спит, стонет, часто встает. Алена сделала вид, что поверила. Опять этот тонкий лед. Они слишком нежно относятся друг к другу и поэтому боятся неловким словом или резким движением нарушить условное равновесие. Они боятся провалиться в темную воду своего главного испытания. Это невероятно, в это трудно поверить, этим больно дышать, но они не вдвоем. Их трое. У кого-то это звучит пошло и примитивно: любовный треугольник. У них это трагедия в масштабе космических войн и гибели Помпеи. Никто из них троих не рассчитывает дожить до следующей минуты. Они разбиваются об осколки мгновений и, окровавленные, уже не мечтают побыть в одиночестве. Они все сейчас — каждый сам по себе, но это не одиночество. Наоборот — это самые прочные цепи, оковы, ожидание, тяготение и страх.

Алексей знает, что Кивилиди не пускает к себе Алену. Они ни разу не виделись. По телефону общались. А навещать себя он ей запретил. Она ездит в клинику. Но его адвокат Жан поставил охрану у палаты. У Алены просто принимают мандарины. Потом Александр ей звонит и говорит, что именно этого он и хотел. Алена мечется неприкаянно по квартире, и все валится у нее из рук. Она так не уверена в себе, что ей нужна, как никогда, любовь и восхищение Алексея. Но когда он обнимает ее, когда страстно целует и растворяется в ее прелести, в ней просыпается темный огонь, и они оба знают, кто его зажег. В этом и есть вся беда. Они знают! И Александр, который по-ребячески закрывается от нее тонкой дверью, сейчас опять прикрывает Алексея от гибели, как тогда, когда закрыл его собой.

Алексей осторожно захлопнул входную дверь и поехал на работу. Ведь там тоже беда. Просто аврал. У всех такое ощущение, что без Григория все начнет рассыпаться, как карточный домик. В основе его системы руководства был такой принцип: каждый отвечает только за свой участок дела, а связи, контакты и перспективу видит только он. Алексей разбирается в его системе и понимает, насколько это похоже на его руководство преступным заговором. Все — от начала до конца — контролировал только он. Остальные даже не всегда знали о существовании друг друга. Проблемой оказалась только мать Алексея.

Эльвира рождена быть королевой. Взяла себе в подданные гения. Но самое страшное решение приняла сама, не сообщив об этом Григорию. Сергей сказал, что слова матери о том, что она велела убить Алену, подтвердили исполнители. Мама... Убила по сути отца и хотела убить его любимую женщину. Как Алексею вести себя сейчас? Он не может даже вызвать в себе ненависть или протест. Потому что мама. Потому что она была несчастна, брошена, обижена. Да, такой ужас: Алексей ее жалеет, он сделает все, чтобы она не оказалась в тюрьме. Есть же всякие смягчающие обстоятельства. Она перенесла инсульт, это случилось из-за горя и раскаяния. Она занимается внуками. Захотела таким ужасным способом позаботиться о будущем Вали — маленького сына Алексея. Сохраняла дело мужа. И ее прямой финансовой заинтересованности в том не было. Только уважение к делу мужа и сына, только женская ярость и месть. Из-за ярости, как она показала во время допроса, она велела поджечь их фамильный особняк. Она не могла допустить, чтобы он принадлежал разлучнице. Все это Алексей объяснит адвокату, но вот посмотреть матери в глаза, найти нужные слова он не может. И тут раздался звонок.

— Привет, сынок, — сказала Эльвира, как будто они расстались вчера, а она звонит с дежурными ежедневными вопросами. — Я дома. Отпустили под залог и подписку о невыезде. На основании справки врача. Не заедешь на несколько минут? Просто соскучилась.

— Конечно.

Он помчался к своему бывшему дому, как будто мог опоздать на встречу с матерью. Но на такую встречу действительно можно опоздать. В глубине души Алексей страшно боялся, что мама сама вынесет себе приговор. Она так легко это делала по отношению к другим жизням. А он это не сможет вынести. И не знает, как ей это объяснить.

Дверь в квартиру была открыта. Алексей сразу вошел в ее спальню. Эльвира лежала в постели в голубой кружевной сорочке, седые волосы запутались вокруг шеи и были похожи на петлю. Она очень похудела. Сухая бледная кожа пристала к скулам. Но глаза были живыми. Внимательными и бесстрашными. В них был один вопрос.

— Я люблю тебя, мама, — ответил на него Алексей. — Ты мне нужна.

— Это все, что я хотела еще услышать в этой жизни. Возвращайся на работу и к Алене, сынок. Я теперь спокойно начну платить по счетам. И такая просьба. Возьми на себя заботу о детях. Полина вышла из строя совсем. Ты знаешь, в какую нелепую ситуацию она попала. Если бы я решилась, я бы попросила тебя поддержать и ее. Но это, наверное, невозможно.

— Это, конечно, возможно, мама. Я сделал бы это и без твоей просьбы. Боюсь только, что она меня оттолкнет.

— Мы решим с ней проблему, — властно, своим обычным тоном сказала Эльвира. — Я сумею донести до нее суть происходящего. Я — не батюшка с баснями о загробной жизни. Ей придется сотрудничать на земле с людьми, выбраться самой и отвечать за детей.

— Мама, я не знаю, как тебе сказать... Как пожелать мужества и просвета. Скажу, как Полина. С Богом. Я рядом.

— Спасибо. Дай мне руку.

Эльвира взяла большую руку своего взрослого сына, нежно и трепетно погладила и прижала к губам.

— Прости. И не прикасайся ко мне. Потом. Когда-то. Когда умрет мое зло. И не бойся: я не сделаю того, о чем ты думаешь. Я сильная, ты знаешь.

В машине Алексей упрямо смотрел вперед, пробивая взглядом пелену слез. Есть у них в роду если не счастливые, то хотя бы спокойные люди? Ясно, что нет. Значит, должны быть. Дети должны быть спокойны.

* * *

Александр Кивилиди по нескольку часов занимался расчетами в ноутбуке. Он сам изобретал для себя такие нагрузки, которые заставляли работать мышцы, кости, держать вес тела на пределе нынешних возможностей, а мозгу позволяли отодвигать пик боли, при которой туманится сознание. В остальное время он это осуществлял. К нему никто из персонала не входил без стука и разрешения. Однажды сестра вошла, увидела процесс этих «тренировок» и чуть не упала в обморок. Потом сказала хирургу:

— Этот Кивилиди всю вашу работу порвет и поломает к чертовой матери.

— Надеюсь, что не справится, — ответил хирург. — Пусть пробует. Я сам наблюдаю за его тренировками. Такой проверки на прочность не знал ни я, ни один склеенный и зашитый организм. Бесплатный эксперимент нам устроил Кивилиди. И если у него получится — вот загоржусь, честно. И скажу себе и всем: я — классный хирург.

В крошечный холл перед палатой Александра уже никто из сотрудников не входил без предварительной связи по телефону. Охранник в этом холле играл с айфоном, зевал, иногда ходил к сестрам в ординаторскую, просил принести ему чаю с бутербродом. В этот день женщины не отпустили симпатичного парня, уговорили поесть у них как следует. Они принесли из дома настоящий обед и выпечку. «К нему все равно никто не войдет без разрешения», — сказали сестры. Охранник с удовольствием согласился.

Алена поднялась со своими мандаринами, тихонько вошла в холл, оглянулась по сторонам: не обнаружила ни охранника, ни персонала. Подняла руку, чтобы постучать. А потом передумала. Потянула дверь за ручку.

Она стояла, не дыша, на пороге и смотрела на эти невероятные упражнения. Александр стоял босиком, в одних плавках. Послеоперационные швы были совсем живыми, корсет чуть выше поясницы, там фиксировался имплант вместо поврежденных позвонков. Зубы крепко сжаты, глаза темные от напряжения, лоб мокрый. Алена услышала его хриплый вздох, реакцию на острый приступ боли. До кровати он дотянулся на руках и просто бросил на нее свое тело. Повернулся на спину, прикрыл глаза. Алене показалось, что он потерял сознание. Она хотела бежать за помощью, но Александр застонал, шевельнулся, а из шва на бедре хлынула алая кровь. Алена поступила на автомате. Не стала звать сестер, а сама рванулась к нему. По-детски, беспомощно, прикрыла ладонями открывшийся шов. Держала в руках пульсирующий источник его жизни. Потом посмотрела вверх и встретилась с напряженным, горячим и любовным синим лучом, опустилась бессильно на колени, спрятала лицо рядом с этой раной. В его теплом и зовущем паху. Там, где так сладко и безопасно женской любви.

— Здравствуй, моя дорогая, — сказал Александр. — Как ты прекрасна в этом кадре. Ты вся в моей крови. И это так символично. Ты и есть одна в моей крови, в моем сердце.

— Опять прогонишь? — встала Алена.

— Нет. Не смогу.

И ТРЕСНУЛ ТОНКИЙ ЛЕД

Так и бывает. Неизбежность можно держать на дистанции, кажется, бесконечно долго. Эта дистанция соткана из самых жестоких мыслей, самых добрых чувств, лучших намерений. Она против разрушений и слишком резкой, катастрофической перемены. И люди стоят перед созданной ими крепостью, как на пороге сна, как на выходе из теплого убежища в ослепительно открытый, беспощадный мир. И тогда неотвратимость делает сама последний шаг. Она в мгновение рушит любую крепость, сметает сомнения, заваливает их обломками пути назад. Она оставляет лишь один путь. Верный он или нет — это уже не вопрос. Потому что исчезли варианты.

Все решилось в этой трудной любви троих в одну минуту. В больничной палате, где слились души, боль, кровь, жалость и страсть. Прощение и желание. Остались вина и нежность к тому, кого нет, но с этим уже ничего нельзя было поделать. Фоном союза двоих стала роковая неизбежность. С ней оказалось не под силу бороться даже сверхчеловеку Александру Кивилиди. Что тут говорить о нежной, исстрадавшейся Алене...

Через полгода судьбы всех действующих лиц этой яркой и трагичной истории изменились до неузнаваемости.

Суд приговорил Григория Зимина как заказчика преступлений к пятнадцати годам заключения. Исполнитель убийства Валентина Кривицкого Константин Фролов получил во Франции двадцать лет.

Организатор и технический руководитель всех преступлений Дмитрий Тренин получил восемнадцать лет строгого режима. Но Тренин проходил еще и по другому, поднятому из архива делу. В приюте матушки Катерины жила отобранная у матери девочка одиннадцати лет. Якобы из-за плохого содержания. Выяснилось, что отдел опеки действовал по указке Дмитрия. Маленькая балерина Ася. Однажды ее нашли в крошечном озерце мертвой. Объявили утонувшей. Ася проходила это озеро от берега до берега. Ей там везде было чуть выше колен. Девочка отлично плавала. Во время следствия по требованию матери провели эксгумацию. Было доказано, что Ася — жертва неоднократного сексуального насилия. В озеро ее положили уже мертвой. Тренин проходил как главный подозреваемый. Но тут-то все и оборвалось. Документы были изъяты, дело отправили в архив. И только сейчас все без особого труда восстановили. Дали свои материалы эксперты, заговорили свидетели. По этому делу, которое еще не скоро будет завершено, прокурор потребовал дать Тренину двадцать лет, а его подельнице Катерине Истоминой — тринадцать.

Остальные исполнители получили разные сроки в зависимости от степени и тяжести содеянного. Роли Дымова и Шукурова в деле мести семейству Кривицких была расценена как не криминальная. Что-то вроде творческого соучастия по неведению. Дымов вообще был выдан Кивилиди на поруки. Шукуров отделался большим штрафом. Осоцкий оказался фигурантом параллельного экономического расследования о финансировании фонда «Благость» и тайных «санаториев», отмывания денег, получения дохода, не связанного с профессиональной деятельностью, и ухода от налогов.

Эльвира Кривицкая не приняла варианта заочного участия в суде с помощью видеосвязи, чего добивались ее адвокаты. Она приезжала на заседания, отказывалась отвечать сидя. Стояла в черном платье, гордая и несчастная, как королева перед казнью. Мать надрывала сердце Алексея своим видом, совершенно больным, и страшными, до безумия откровенными признаниями. Эльвира впервые в жизни вывернула свою душу перед чужими и даже враждебными людьми. Она здесь убийца. И она, которой было так трудно поделиться чем-то сокровенным с самыми близкими людьми, почему-то почувствовала наконец свободу. Свободу от оков совести, высокомерия, страхов, в которых не признавалась и самой себе. Она так говорила об убитом доверии и рвущей душу ярости, о прерванном покое и коварной западне на пути сына и внуков, о том, как она понимает возмездие, что суровая женщина судья тревожно морщилась и опускала глаза. В этом было что-то самоубийственное, окончательное и непоправимое. И что-то такое, что может прятать любая женская душа, которую отбросили за ненадобностью в ее тающей упаковке — женском, некогда притягательном теле.

Обвинитель требовал сурового и реального наказания. Во время своей речи он попросил показать съемку, которая велась в «санатории». Похищенная Алена лежит на полу, а на ее груди стоит крупная нога человека в балахоне.

— Вот заключение экспертизы, — сказал прокурор. — В этой сцене женщина, которую адвокат характеризовал как исключительно несчастную и отчаявшуюся, а по жизни добрую и заботливую, — Эльвира Кривицкая. Эта женщина так унижает соперницу перед тем, как ту должны были убить по ее приказу. Она явно получает удовольствие от этой чудовищной ситуации. «Добрая» женщина, не правда ли? Мое мнение — это социально опасный преступник, склонный к жестокости и садизму.

Эльвира не слушала его слов. Она смотрела на монитор. Ей понравилась сцена. Да, вот так. Она босой ногой давит катастрофу своей жизни. Она владеет ситуацией, здесь все в ее власти. И она улыбнулась.

Адвокат без особого труда разрушал обвинения. Он пользовался доводами и расчетами Григория Зимина.

Тот изучил показания Эльвиры, все пункты обвинения и, как обещал, сумел убедительно опровергнуть ее ведущую роль в умышленных преступлениях. Именно его приказы были найдены на видеозаписях, их подтверждали многочисленные свидетели и исполнители. Они даже отозвали свои первые показания о заказе убийства Алены. Лишь Рискин общался с Эльвирой непосредственно, остальных легко оказалось сбить. К концу процесса доказанными оставались два обвинения: соучастие и недоносительство. Суд приобщил к делу и очень серьезные медицинские документы с категорическим выводом консилиума: заключение может спровоцировать любые последствия, вплоть до летального.

Во время приговора лицо Эльвиры не дрогнуло, когда был озвучен большой срок заключения. Оно не расслабилось и не оттаяло, когда в следующей фразе прозвучало слово «условно». Эльвира ступила в очередной этап своей судьбы. Она его строила, он у нее получился, она готова заплатить.

И ведь действительно получилось. Этот зловещий и кровавый замысел во имя добра и покоя, как понимает это Эльвира. Даже то, что Алексей остался в результате без Алены, — тоже результат «заботы» его матери. Никогда бы этого не произошло, если бы не столкнулись силы зла в битве за Алену, если бы Кивилиди на руинах собственного благополучия не примчался ее спасать. И если бы не стал сам жертвой. А это оправдало предательство Алены.

Алексей привез Эльвиру домой после суда. Они постояли рядом в ее комнате.

— Не простишь? — спокойно спросила Эльвира.

— Другая ситуация. Мать не выбирают. Судьбу не выбирают. Любви ничего нельзя приказать. Все случилось как случилось. Постараюсь с этим жить.

— Постарайся. Ты знаешь, что Полина собралась, как декабристка, последовать за этим уголовником в Сибирь?

— Да. Мы с ней поговорили. Я даже помогу ей там открыть приют для сирот. Но своих детей не отдам. Она будет нас навещать. Мы к ней съездим.

— Хорошо, — кивнула Эльвира. — Я справлюсь, дети не увидят меня такой развалиной. Я успею, я помогу тебе поставить их на ноги, вырастить хорошими и счастливыми людьми. Если ты не боишься подпускать к ним убийцу. Не боишься?

— Я сказал. Ты — моя мать. Это дело взрослых. И наша тайна. Дети не узнают. Я позабочусь.

— Помоги мне снять эти кандалы... — Туфли так сжали ноги Эльвиры, что от боли останавливалось сердце. Это произошло, когда она услышала слова «лишение свободы». — Мне от них самой не избавиться.

Когда Алексей помог ей освободиться от обуви, лечь, Эльвира прикрыла глаза и вздохнула прерывисто, со всхлипом:

— А я любила Аркадия. Или его любовь. Знаешь, к этому так привыкаешь: к постоянной любви, обожанию. Ценишь, когда... Когда разобьешь и убьешь, как я поступила со всеми.

Алексей дал матери ее лекарства, тихонько вышел из ее квартиры и не стал заходить к детям. Нужно смыть этот суд, заспать эти приговоры, нужно склеить те части, из которых состоит расколотая душа. Когда он шел к машине, позвонила Алена.

— Алеша, можно, я приеду к тебе? Приготовлю ужин, посидим, поговорим.

— Конечно, мы это сделаем, — оживленно сказал Алексей. — И ты не спрашивай. Твоя квартира. Только давай не сегодня, хорошо? Хочу побыть один. Отвез мать, узнал, что Полина уезжает за своим Дмитрием. Нужно подумать. Пережить.

— Конечно. Помни, что я всегда рядом с тобой. Мы с тобой.

Так добила она его последними словами: «МЫ с тобой». Такой приговор никакому преступнику не снился. Он не выдал своей боли, попрощался, обещал звонить, доехал на автопилоте до их общего дома. Там квартира, куда они привезли ее лепестки после гибели отца. Нужно, чтобы она их забрала, пока они не пропитались ядом его тоски.

Алексей вышел из машины, но к подъезду ноги не повели. Он бродил вокруг дома, промозглый воздух дарил ему запах приближающейся весны, снег с дождем умывал опаленные глаза, а ветер трепал и ласкал каштановые пряди густых волос, которых больше не коснется любимая рука. Они, конечно, будут видеться с Аленой, но прикасаться к ней нельзя. Сгореть в этом огне больше нельзя. Его крупные и сильные ладони беспомощно раскрылись, чтобы поймать снег и пустоту. И вдруг их сжали сильные и нежные пальцы.

— Сколько можно бродить, — строго произнес голос Марии. — Я тут гуляю, чтобы спросить у тебя, как все закончилось. Но уже все сама узнала. А ты все наматываешь круги, ты же заболеешь.

Они вошли в его квартиру. Алексей остановился растерянно, не зная, что сказать и как поступить.

— Да ничего тебе не нужно делать, — так же строго произнесла Мария. — Я пришла, чтобы покормить и дождаться, когда ты уснешь. А потом просто лягу у порога, как собака, и буду сторожить. Больше мне ничего не надо. Понимаешь, по жизни больше ничего мне не надо. Только сторожить тебя у порога.

Сердце Алексея еще трепетало в потерянности и отчаянии, а мозг уже дал сигнал. Явилась четкая мысль, от которой он бессознательно прятался так долго. Ему подарили очень серьезное, большое чувство. Душа Марии рассчитана только на такой масштаб. И только один раз в жизни.

Любовь к женщине не обязательно начинается с влюбленности и страстного желания. Этот опыт скоро откроется Алексею. Он пойдет по судьбе очень уверенно, рядом с полной единомышленницей, матерью для всех их общих детей, женой, о которой мало кто может мечтать. Для нее важнее его жизнь, чем своя. Его счастье, его здоровье, его покой. Мария могла выносить любые испытания, любую боль и страдания. Но заплакала она впервые в жизни лишь тогда, когда у Алексея случился приступ аппендицита. Она спокойно дождалась дня, когда Алексей осторожно повел ее в страну блаженства. Сам боялся барьеров и взрывов воспоминаний на этом уязвимом пути. Но очнулись они оба в теплом саду. И с трудом разлучили тела. Он смотрел на нее и видел совершенный облик женщины-преданности, сильной, мужественной и прекрасной. И только ее.

И пришел отдых от такой страшной усталости, от этой вечной погони за Аленой, которая, по сути, наверное, никогда не принадлежала ему. Алексей понял, что он имеет право на это — на отдых и свободу от сладостных и пыточных оков. Он глубоко вздохнул, потянулся, как избалованный, большой ребенок, и сказал:

— Вот что такое счастье.

ПРЕМЬЕРА

О премьере фильма «Без тебя» Александр объявил за несколько дней до события. Был приглашен узкий круг, люди Кивилиди сделали все, чтобы не допустить нездорового ажиотажа, который не мог не возникнуть из-за судов и сплетен.

Они с Аленой жили в старинном, перестроенном доме в Подмосковье, который стоял на земле, некогда принадлежавшей его прадеду. Жан выкупил особняк и полностью подготовил к выписке Александра из реабилитационного санатория. Александр вернулся, окончательно восстановился и построил на участке небольшую, отлично оборудованную студию. Там они с Максимом и закончили фильм.

...Алена пришла в свою комнату и долго стояла перед кроватью, на которой был разложен ее костюм, заказанный Александром. Длинная черная юбка из тонкого шелка — узкая в бедрах, с подолом фалдами. Белая блуза, свободная, с пышными рукавами, прижатыми манжетами к кистям. И такой глубокий вырез. Он открывает плечи, почти не скрывает грудь. И ко всему широкий лайковый пояс. Такой костюм мог заказать только Александр, наверное. Сверхизысканное и суровое сочетание черного с белым, длинные рукава, юбка, пояс, как у воительницы, амазонки. А вырез открывает все, что Алене хотелось бы скрыть. Женственность и беззащитность. И сердце, спрятанное под хрупкой, уязвимой оболочкой, которая сама по себе просто соблазн.

Алена хотела бы пойти на эту премьеру в закрытом черном платье. Но Александр категорически отверг эту мысль:

— Не хочу ничего похожего на ханжество. Фильм о твоем страдании, твоем вдовстве. Я хочу, чтобы зрители увидели живую женщину, а не застывший кадр. Это костюм победительницы, скромной и достойной. Это костюм актрисы, которая сегодня ступит в свою настоящую известность. И, наконец, так должна выглядеть моя жена. Как недостижимый приз в мужском турнире.

И Алена начала готовиться. Сбросила халат, долго лежала в ванне, мягкая пена успокаивала нервы, баюкала страх. Он был. Она не видела фильма целиком. Она очень давно не видела знакомых, которые будут на премьере. Там будет Алексей. И это, конечно, самое страшное. Всякий раз, когда они виделись во время этой окончательной разлуки, Алене хотелось одного: взять его за руку, приголубить, увести туда, где ему спокойно. И... больше ничего. Мчаться к Александру и надеяться, что Алексей все еще сладко спит.

Свое тело Алена собирала под холодным душем. Кожа и мышцы напряглись, как перед трудным актерским трюком. Макияж был тщательным, но совсем незаметным. Алена просто отбирала самые естественные и выразительные тона, накладывала, а потом стирала, оставляя лишь намек на грим. Только помаду выбрала необычного, глубокого золотистого цвета. И лицо ее вспыхнуло, как будто залитое солнцем.

Она задумчиво посмотрела на свои влажные волосы. Они высохнут и станут локонами. Почему-то не хотелось такой банальности. И Алена долго выпрямляла их сильным феном. Потом надела костюм, достала подарок Александра на их помолвку — серьги и подвеску из розового опала. Это именно то, что должно стать последним штрихом. Лучи камней дотянулись до отблеска губ, полотно шоколадных волос окутало лицо женщины-любовь. Да, она готова встретиться со всеми взглядами. И вынести эту премьеру.

Но по залу она все же шла в плотном тумане, не различая лиц. Приехали они перед самым началом. И весь свой фильм Алена просто всхлипнула, как сверкающую горесть, как сконцентрированные моменты радости, как отблески восторгов и ужаса. Потом ее оглушила долгая, беспросветная тишина зала и затопили волны аплодисментов и цветов.

Александр вывел ее на сцену, чтобы она что-то сказала. Они даже продумали текст. Но Алена вдруг забыла его.

— Мне сейчас так больно и так хорошо, что не хватает своих слов. Вдруг вспомнила стихи. Это Саша Черный. Разрешите я прочитаю. Больше никак не могу выразить благодарность коллегам, всем, кто сделал этот фильм. Мою жизнь на экране.

Будь женой или мужем, сестрой или братом,
Акушеркой, художником, нянькой, врачом,
Отдавай — и, дрожа, не тянись за возвратом.
Все сердца открываются этим ключом.

Есть еще острова одиночества мысли.
Будь умен и не бойся на них отдыхать.
Там обрывы над темной водою нависли –
Можешь думать... и камешки в воду бросать...

А вопросы... Вопросы не знают ответа –
Налетят, разожгут и умчатся, как корь.
Соломон нам оставил два мудрых совета:
Убегай от тоски и с глупцами не спорь.

Когда она спустилась со сцены, к ней подошел только Алексей. Остальные сознательно отступили, дав ему такую возможность. Он ведь тоже герой этой премьеры.

— Великолепно, — сказал он. — Я все пережил заново. Главное, ты великолепна. Я так горжусь тобой.

Алексей оглянулся и потянул за руку женщину, которую Алена не сразу узнала. А узнав, мысленно ахнула. Какой стала Мария! Алена все поняла.

— Господи, поздравляю, — сказала она.

А губы предательски вздрогнули. И холодный ветерок проник в ее роскошное декольте. Как будто она оказалась на зябком открытом пространстве. А пути в убежище больше нет. Алена оглянулась и наткнулась на твердый синий взгляд Александра. Он так ее поддержал.

Они вернулись домой поздним вечером.

— Извини, — сказала Алена, — я сразу пойду к себе. В таких растрепанных чувствах, так извелась сегодня, просто нужно провалиться в сон. Руки-ноги дрожат.

— Провалиться в сон... — задумчиво сказал Александр. — Вот как ты живешь со мной. Не спорь, дело именно в этом. В том, что за полгода совместной жизни я не дотронулся до тебя как мужчина. Как муж. Были две причины. Сегодня исчезла вторая. Алексей больше не несчастлив по моей вине.

— А первая?

— Наверняка ты ее тоже знаешь. У меня нет шансов на варианты. Больше не будет возможности что-то исправить. Я боялся себя и твоей реакции на меня, на мою безумную страсть, с которой мозгу трудно справиться. Но сейчас я в нас уверен. Я, который получил в дар собственную фобию, собственного врага — воплощение красоты и соблазна. Я боролся за это. Я умирал ради этого. И все оказалось не так, как всю жизнь говорило больное воображение. Только такой должна быть моя единственная женщина. Я люблю тебя и горжусь, как собственным творением. Я берегу тебя, как своего единственного ребенка. Все время думаю о том, что ради этого стоило все вынести.

Алена провалилась в сон наяву. Потому что только во сне тьму раскаляет солнце, у воздуха есть вкус пьяного напитка, а лицо и тело омыто обожанием, которое и есть крепость, убежище, рай.

Жизнь всех действующих лиц никогда не будет легкой. Но они получили полную возможность узнать меру своих сил и слабостей. Они научились выживать.

ПРОКЛЯТИЕ ТИТАНИКА

Главы из романа

Пролог

СКВОЗЬ ВРЕМЯ

> Посмотрите подольше на море, когда оно капризничает или бушует, посмотрите, каким оно бывает прекрасным и жутким, и у вас будут все истории, какие только захотите. О любви и опасностях, обо всем, что жизнь может принести в вашу сеть. А то, что порой не ваша рука управляет штурвалом и вам остается только верить, так это хорошо.
>
> Джоджо Мойес.
> *«Серебристая бухта»*

Все было как обычно, и тем не менее он почувствовал странное беспокойство. Это беспокойство не исчезало, и он не знал, что с ним делать.

Капитан «Титаника» Эдвард Джон Смит был опытным моряком и знал, что поддаваться панике на море — последнее дело. Капитан должен внушать чувство уверенности, спокойствие, потому что в его руках не только корабль, в его руках судьбы людей, вверенные ему на время. Но сам себе он не хотел признаваться, что с утра его мучает головная боль и боль эта не проходит. Он был несуеверным человеком, но почему-то ему хотелось поскорее закончить этот рейс, несмотря на то что он обещал быть самым громким и знаменитым за всю историю мореплавания. «Титаник» подавлял своим великолепием, ошеломлял тем, что он, казалось, бросает вызов океану, дерзкой стихии. На нем было все, что можно только пожелать, — никогда еще людям не предлагалось путешествовать с таким комфортом и в такой роскоши.

Корабль был непотопляемым, капитан слышал это со всех сторон, что настораживало. Здесь крылся какой-то подвох. Какая-то неправильность. В море нельзя быть ни в чем уверенным. Это стихия, не подвластная людям.

Но рейс закончится через несколько дней, и если он постарается, то получит «Голубую ленту Атлантики» — приз за быстрое судоходство. И плавание на «Титанике» останется позади, станет еще одной вехой в его биографии, о которой Смит станет вспоминать, когда выйдет на пенсию. Он был самым известным капитаном в Северной Атлантике. Триумфальное плавание на «Титанике» должно было завершить его карьеру и стать последним рейсом.

На корабле был один груз, о котором он старался не думать. Мумия в деревянном ящике около капитанского мостика. Сначала он не понял, в чем дело, а потом ему объяснили, что ее нельзя везти в трюме, как обычный груз. Она слишком ценная. Капитан поморщился, но сделал так, как его просили. Он был обязан выполнять пожелания пассажиров «Титаника». На судне плыли самые богатые и знаменитые люди мира, чье слово являлось законом, и он должен был делать то, о чем его попросят.

Смит старался не думать о том, *что* находится в ящике, ведь, когда он думал об этом, на него нападало странное оцепенение, а перед глазами возникал легкий туман.

14 апреля в девять часов вечера, стоя на капитанском мостике, Смит обсудил со вторым помощником погоду. Сильно похолодало. Радиограммы передавали о скоплении льдов на их пути. Ситуация была рискованной, но корабль казался надежным, а риск — постоянный спутник моряков. Капитан хотел поскорее уйти в каюту и забыться сном. Никогда у него не было рейса, когда бы его так мучили головные боли и внезапно нападала слабость, которую он был вынужден от всех скрывать.

В этот день слабость появилась с самого утра. Как во сне он смотрел на телеграммы, предупреждавшие о льдах. Нужно было снизить скорость, но все внутри противилось этому. Он не узнавал сам себя...

Он уснул... И во время сна перенесся на мостик. И с ужасом почувствовал дрожь и вибрацию, исходящую от ящика. Он понял, что сейчас произойдет нечто ужасное, хотел крикнуть, проснуться, предупредить вахтенного, но не мог. Он видел безлунное небо с яркими звездами, темную маслянистую воду, айсберг, выросший на пути корабля внезапно, словно ниоткуда, который шел прямо на корабль... Язык Смита был скован, он зашелся в немом крике, и вскоре резкий толчок сотряс лайнер.

Он открыл глаза: «Какой ужасный сон».

Но ему требовалось подтверждение, что весь этот кошмар — всего лишь сон.

Капитан быстро выбежал из каюты на мостик.

— Что это было?

И услышал в ответ:

— Айсберг, сэр.

КАТАСТРОФА ДЛИНОЙ В СТО ЛЕТ

Бог не играет в кости со Вселенной.

Альберт Эйнштейн

— Мы уезжаем отдыхать. Только подумай, в нашем распоряжении шикарный лайнер «Астория», — сказал Ульяне бойфренд и выжидательно посмотрел на нее.

Отдых — это здорово. Тем более — неожиданный. Димка сюрпризами ее нечасто баловал, и вдруг — расщедрился. Ульяна с улыбкой посмотрела на него и вскинула руки вверх:

— Ура!

— Ура! — подтвердил он. — Если честно, я и сам не верю. Роскошный лайнер, каюта — первый класс. Премировала родная редакция меня таким способом впервые за все время, что я пахал на нее. Наконец-то оценили мои труды по достоинству.

— Вот видишь, а ты говорил, что тебя затирают.

— Затирают, затирают, только поняли, что меру нужно знать, иначе восходящая звезда российской и международной журналистики Дмитрий Дронов уйдет в свободное плавание. А за честь иметь его публикации на своих страницах будут драться «Фигаро», «Таймс».

— Надеюсь дожить до этого времени, — поддела его Ульяна.

— Доживешь, доживешь, куда ты денешься. — Дмитрий говорил на ходу, засовывая бутерброд в рот и отпивая кофе из кружки.

— Я рада, — сказала Ульяна. — А то ты совсем скис…

Но он, похоже, ее уже не слышал…

Дмитрий был доволен, таким Ульяна его не видела давно. Когда они познакомились год назад, Дмитрий произвел на нее впечатление вечного нытика. Нет, он был в меру обаятелен, имел чувство юмора — было видно, что он старается изо всех сил произвести на нее впечатление.

Они познакомились на вечеринке, организованной рекламной компанией, где работала Ульяна. А Дмитрий был журналистом в газете «Глас города» — издании, которое бесплатно рассовывали по почтовым ящикам, его обожали читать пенсионеры. Там было все про город: как он расцветает и хорошеет на глазах; какие здания и дороги собираются строить и ремонтировать, как градоначальник денно и нощно заботится о горожанах и как повезло им, что они в нем живут. Как сказал Дмитрий, когда их представили друг другу, мы «распространяем сплошной позитив в эпоху всеобщего уныния. Кстати, милая девушка, это самый востребованный товар на сегодняшнем рынке. Позитива, вот чего нам всем не хватает». Свой позитив молодой человек подкреплял спиртным, лившимся на халяву, а также канапе с красной икрой, которые регулярно исчезали у него во рту.

Коллега Ульяны Зоя Владимировна, рыжая стерва, разведенка с десятилетним стажем, бросала на нее взгляды, полные ненависти. Очевидно, она строила планы на Дмитрия, а Ульяна невольно разрушила их.

— Слушайте, — прошептал Дмитрий, наклонившись к ней, — эта рыжая так на меня смотрит, я ее боюсь. Давайте удерем с вечеринки, здесь уже все приелось, хочется на свежий воздух.

Ульяна обвела взглядом небольшой зальчик, который был арендован ее начальником Виктором Степановичем для привлечения журналистской братии с целью «установления полезных и взаимовыгодных контактов», как было написано в пресс-релизе, и решила, что уже можно и на воздух.

Стоял апрель. На улице была приятная весенняя прохлада.

Дмитрий шел и молчал. Спустя три месяца он признался Ульяне, что боялся ляпнуть что-то невпопад или выглядеть в ее глазах тупым и неловким. Они дошли до метро, и тут он предложил Ульяне прогуляться еще. Она подумала, соглашаться или нет, и неожиданно для себя сказала: «Да». Они прошли пешком до Александровского сада, и здесь Дмитрия словно прорвало. Он вдруг стал необычайно красноречивым и остроумным. Он сыпал анекдотами и разными журналистскими байками. Судя по его рассказам, выходило, что он чуть ли не главный редактор, хотя его роль в газете была намного скромнее. Но это выяснилось значительно позже и мимоходом. Ульяна скептически улыбалась: она была девушкой разумной и вешать лапшу ей на уши не стоило. Но этот застенчивый молодой человек, изо всех сил старающийся выглядеть храбрым львом, чем-то ей понравился. Он напоминал нахохлившегося птенца, который трясется перед крадущейся кошкой, но изо всех сил старается выглядеть отчаянным смельчаком. Да и потом, ей наскучило собственное одиночество. После смерти родителей она жила одна. Отец умер от инфаркта три года назад. Через год умерла мать.

Тот мир, в котором она жила и который казался ей незыблемым, постоянным и устойчивым, вмиг разбился как хрупкая фарфоровая статуэтка, по неосторожности уроненная на пол. Ульяна хороша помнила день, когда умер отец.

Это был декабрь, выпал первый снег — робкий, неуверенный. Он таял и выпадал снова. Папа должен был прийти с работы, он приходил всегда в одно и то же время — в половине седьмого. А в тот раз не появился. Мама спохватилась в половине девятого.

— Папы до сих пор нет, — сказала она с беспокойством. — Звоню ему на сотовый — он не отвечает. Что случилось, не пойму, он обычно сразу берет трубку, а сейчас — «абонент недоступен». Пойду посмотрю.

— Куда? — спросила Ульяна. — Может быть, он на работе...

Отец работал в гуманитарном институте, располагавшемся в старинном здании в центре Москвы. Что было потом, Ульяна смогла восстановить спустя некоторое время со слов матери: по ее сбивчивым объяснениям.

...В институте отца не оказалось, вахтерша тетя Люся пояснила, что Константин Николаевич ушел вовремя, как всегда, не задерживаясь и пожелав ей хорошего вечера. «Правда, в последнее время он был слишком задумчивый, — после недолгой паузы сказала тетя Люся, — но я приписывала это возрасту». — «Ах, какой возраст, — отмахнулась мама. — Шестьдесят четыре года всего лишь... Разве это много?»

По наитию мать стала кружить вокруг института, она заходила во дворы, улочки и все время звонила... Но абонент по-прежнему был «недоступен». И вдруг ей пришла мысль позвонить по старому телефону. У отца был еще один мобильный, со старым он не расстался, брал его с собой. Родители вообще неохотно расставались со старыми вещами, они называли их реликвиями с «историей» и говорили, что в каждой такой вещи живет душа владельца...

Уже темнело. Крупными хлопьями валил снег, на расстоянии вытянутой руки ничего не было видно, и вдруг мать услышала тонкую мелодию — Шопен. Звук был приглушенным, но слышным. Едва-едва. И она пошла наугад на эту мелодию. Из-за снега, валившего отвесной стеной, звук пробивался с трудом, то появляясь, то исчезая. Ульяна представила, как мать раздвигает руками летящие хлопья, пытаясь уловить мелодию, звучавшую то глухо, то отчетливо... Это была смертельная игра в прятки... Звук становился все слышней, и мама поняла, что идет правильно. Она нырнула под арку и остановилась во дворе. Сквозь пелену снега тускло светились окна в домах, они расплывались у нее перед глазами. От колкого снега мать боялась задохнуться, кружилась голова, взмахнув руками, она чуть не упала, и в этот миг ее рука нащупала что-то твердое. Это был ствол дерева, росшего во дворе. Мелодия уже раздавалась почти рядом и вдруг заглохла. Видимо, садился заряд батареи старого мобильного. «И меня охватил страх, — рассказывала мать, — я поняла, что могу потерять Костю в любой момент, а он где-то рядом. И тут я ударилась коленкой о доску». Справа что-то смутно чернело... Она сначала увидела рукав пальто, и теплая волна прилила к сердцу. Костя! «Это был твой отец, Уля, понимаешь». — Она смотрела на дочь потемневшими глазами, вспоминая, как радость сменилась робкой надеждой, а потом — отчаянием.

«Я тронула его за рукав, — вспоминала мать, — но он даже не шевельнулся. И меня посетила глупая мысль, что он просто замерз, я взяла его руку и поднесла к губам, он накренился ко мне, и я поняла, что случилось непоправимое, ужасное, только все еще отказывалась в это верить.

И тут я закричала... собственный крик отдавался у меня в ушах, а я все кричала, пока ко мне не подошли люди... Дальнейшее не помню. Приехала «Скорая».

Мать говорила, спешно проглатывая слова, самое главное она сказала, остальное было не важно...

Ульяна помнила, как приехала мама с двумя незнакомыми людьми — они согласились помочь ей доехать, как она легла ничком на кровать, отвернувшись к стене, не сказав ни слова, а эти незнакомые Ульяне люди, наконец, рассказали, что случилось...

Ульяна не верила их словам, ей казалось, что произошла чудовищная ошибка и сказанное относится не к ее отцу, а к другому человеку. И папа жив и сейчас позвонит в дверь и пробасит:

— Долго же ты мне не открывала, Уля!.. Закопалась, барышня, чем занималась?

Мама немного отошла только к концу недели. Словно в тумане прошли похороны, поминки, справили девять дней.

Дома все оставалось в том виде, как при жизни отца, мать не трогала ни его вещи, ни письменный стол.

«Сердечная недостаточность», — вынесли свой вердикт доктора. «Он раньше никогда не жаловался на сердце, — задумчиво сказала мать, когда после поминок они сидели на кухне и пили чай. — Хотя, может быть, терпел боль и не говорил мне об этом. Он с молодых лет был стойким и терпеливым. Почему он умер на скамейке? Что он делал в том дворе? Как туда попал?»

Документы были при отце, но мобильный пропал. Старый сотовый просто не заметили, оказывается, он провалился в подкладку кармана. «Кто-то успел ограбить его, — сказала мать, — до чего низко пали люди, они даже не вызвали «Скорую». Может быть, его можно было еще спасти». — «Он мог выронить мобильный и потерять его на дороге». — «Вряд ли, твой отец был аккуратным человеком, ты это знаешь, и потерять телефон… — мама покачала головой, — на него это не очень похоже… Хотя твой отец в последнее время несколько изменился. Стал каким-то… странным. Часто уходил в себя. Но я приписывала это тому, что в институте собирались проводить очередное сокращение. Он очень переживал по этому поводу. Не хотел остаться без работы. Он, историк, любил свое дело… — Ульяна услышала легкий вздох. Неожиданно мать тряхнула волосами. — Я хочу разобрать его вещи».

Она решительно прошла в комнату и потянула ящик письменного стола. Бумаги мать разбирала молча, сосредоточенно, когда Ульяна предложила свою помощь — отказалась. «Не надо, — сказала она, откидывая со лба светлую прядь, — я сама».

Отец был выше среднего роста, седые волосы, аккуратная щеточка седых усов, а мать — легкая, стремительная, тонкая кость, светлые волосы, которые всегда развевались вокруг лица подобно легкому облачку. «Мой одуванчик», — ласково называл отец жену.

«Жаль, что я не в мать, — часто думала Ульяна. — Высокая, крупная кость… вся в отца. Правда, глаза у меня мамины — светлые. А характер взяла от обоих. Упрямство мамы и деликатность, мягкость папы. От него же привычка резать правду-матку, невзирая ни на что, и никак мне от этой привычки не избавиться…»

Ульяна сидела на кухне и пила чай, пойти спать, когда мама разбирает бумаги папы, ей казалось кощунственным. Она может понадобиться ей в любую минуту… Та позвала ее примерно через полчаса:

— Уля! Смотри, что это?

Ульяна выросла в дверях. Мать сидела на диване в домашнем халате и смотрела на нее ввалившимися от бессонницы и переживаний глазами.

— Вот, — она махала в воздухе двумя билетами. — Билеты в Тверь. Он ездил туда дважды и ничего мне об этом не сказал. Только подумать, у твоего отца были от меня секреты, и это после стольких лет, что мы прожили вместе. — Она закусила губу. — Уля! — Слезы брызнули из ее глаз. — Да что же это такое! Может, у него появилась женщина, он хотел от меня уйти, ездил к ней тайком в Тверь, не знал, как мне все это объяснить, и поэтому его сердце в конце концов не выдержало.

Ульяна подошла, села рядом с ней и погладила ее по голове. Только сейчас она обратила внимание, как высохла и похудела ее мама за это время, в волосах блестела седина, которую раньше она регулярно подкрашивала, а теперь стало незачем. И руки стали похожими на тоненькие веточки. Ульяна обняла и прижала маму к себе.

— Ну что ты, какая женщина. Папа тебя любил…

— Я знаю. — Мама вытерла слезы тыльной стороной ладони. — Я знаю, но откуда эти билеты, — он же никогда ничего от меня не скрывал.

Ульяна кивнула. Ее родители были на редкость дружной парой, никогда не ссорились, все делали вместе и не имели секретов друг от друга… по крайней мере до последнего дня.

— Это какое-то недоразумение…

— Нет. Два билета. И еще... — она запнулась. — Я только сейчас вспомнила: последнее время он стал уходить в себя, не откликался на мои вопросы, несколько раз я входила сюда, когда он работал, и Костя торопливо прикрывал листы журналом. Я тогда еще удивилась, подумала: он что, занимается какой-то сверхсекретной работой? А он, наверное, переписывался с той женщиной.

— Ма! Ну, о чем ты? Выброси это из головы. Папа любил только тебя.

Мать крепко сжала губы и ничего не ответила.

— Сейчас я бы из него всю душу вытрясла, — сказала она сердито. Она словно негодовала на отца, что он умер вместе с какой-то тайной, которую так и не открыл ей, что у него было нечто, чем он не захотел делиться с ней...

После смерти отца мама утратила волю к жизни. Раньше Ульяна думала, что слова «воля к жизни» — пустой звук, но оказалось, что воля — это нечто вполне осязаемое. Вроде железного каркаса, который скрепляет все, нет воли, и человек рассыпается на глазах. Мама все делала по инерции, она жила, повинуясь привычному ритму, но мыслями была где-то далеко, там, где обитал ее обожаемый Костя. ...Однажды Ульяна зашла в кухню и увидела, как мама чему-то смеется, покачивая головой.

— Мам! Ты что? — спросила Ульяна, подходя к ней ближе.

Та посмотрела на нее, и ее взгляд стал пустым.

— Ничего, — ответила она. — Вот Костя сказал... — и осеклась.

Мать умерла осенью. Щедрой солнечной осенью, когда густым золотисто-багряным ковром были усыпаны все тротуары в городе, и дворники только успевали сметать с дорожек листья.

Она ушла во сне ночью. Утром Ульяна подошла к кровати и увидела, что она умерла легко, ей даже показалось, что мама сейчас откроет глаза, улыбнется и скажет:

— Улечка! Приготовь, пожалуйста, завтрак. И мой любимый кофе с молоком. Только молока налей погорячее и побольше, как я люблю...

После смерти родителей Ульяна впала в оцепенение. Она работала в маленькой конторе, где платили сущие гроши, денег не хватало, перспектив никаких, знакомые и подруги все незаметно рассосались. Она погрязала в трясине, откуда не могла выбраться.

И вот однажды, спустя полгода после смерти матери, весной Ульяна подошла к зеркалу, как она всегда делала перед выходом на улицу, и поразилась своему виду. На нее смотрел абсолютно старый человек, с тусклым взглядом, сутулой спиной и бледным лицом. Она смотрела на себя будто со стороны, как на чужую. И поняла: то, что она видит в зеркале, ей категорически не нравится. У нее были длинные волосы, которые она любила распускать по плечам. Но сейчас, глядя на себя в зеркало, она поняла, что ей нужно сделать.

Она взяла ножницы и отрезала волосы, а потом засела в Интернете на целый день и нашла себе работу. То ли постарался ее ангел-хранитель, то ли было счастливое расположение звезд, но место она нашла на удивление быстро, в хорошем офисе и с приличной зарплатой. А главное — работа оказалась творческая, то, что нравилось Ульяне. Она участвовала в создании рекламы. Заказчики попадались разные, но к каждому Ульяна старалась найти подход, пыталась увидеть нечто интересное — даже в самом безнадежном проекте. Ульянина реклама нравилась и заказчикам, и ее начальнику. Обычно она допоздна засиживалась в офисе, когда уже все рассасывались по домам. Она просто не могла признаться себе в том, что в пустой дом идти не хочется.

Так прошло полгода. Ульяна не притрагивалась к вещам родителей, но в начале марта решила разобрать их. Одежду родителей она рассортировала на две стопки. Одну собиралась отдать в благотворительный фонд, другую — оставить на память.

В старой папиной кожаной куртке она нашла пропуск в тверскую историческую библиотеку, выписанный на его имя. Опять Тверь, подумала Ульяна и нахмурилась. Может быть, у отца действительно появилась женщина в Твери и она работает в библиотеке? Пропуск был датирован октябрем прошлого года. Это было за два месяца до смерти отца.

Ульяна повертела пропуск в руке, она хотела разорвать его в клочья и выбросить в мусорное ведро, но почему-то не сделала этого. Она аккуратно разгладила пропуск и положила его в одно из отделений своего кошелька. Надо бы, когда станет тепло, съездить в Тверь и зайти в эту библиотеку. Может быть, я узнаю, что папе понадобилось там. Или все-таки лучше не ворошить прошлое? Пусть папа останется без малейшего пятнышка. А вдруг здесь дело не в женщине, а в чем-то другом?..

Жизнь шла по накатанной колее: дом — работа — дом, когда она встретила Дмитрия...

И вот они идут по ночной Москве и молчат.

— В-вас проводить? — Когда Дмитрий сильно волновался, он начинал слегка заикаться. — Наверное, родные уже волнуются.

— У меня нет родных. Все умерли.

Наступило молчание.

— П-простите.

— Ничего.

Несмотря на возражения Ульяны, Дмитрий все-таки проводил ее до дома, а на следующий день позвонил и предложил сходить в кино. Фильм, на который они пошли, был совершенно дурацким американским боевиком, из тех, где все вокруг стреляют, мутузят друг друга, а роковые красотки занимаются сексом при каждом удобном случае.

После кино они отправились в буфет. Дмитрий принес Ульяне кофе и воздушное безе, и только она откусила от него кусочек, как он предложил ей жить вместе.

— Так будет лучше, — убеждал ее он. — Вы совсем одна, вам нужен уход.

— Я еще не старая. — Ульяна не знала, плакать ей от этого предложения или смеяться.

— Но присматривать-то за вами надо.

— Я не породистый кот и не рыбка в аквариуме.

— Ерунда! — солидно ответил Дмитрий — Вы девушка легкомысленная и можете наломать дров.

— Откуда вы знаете?

— Все девушки такие, — отмахнулся он.

Ульяна хотела возразить, что она жила как-то без него все эти годы, проживет и дальше, но вместо этого она встала и выпалила:

— Не трудитесь меня провожать. Всего хорошего.

Но Дмитрий был настойчив, он звонил по нескольку раз в день, несмотря на то что она вешала трубку, наконец, подкараулил ее около работы с букетом цветов, извинился и протянул два билета в театр.

— Надеюсь, в буфете между антрактами вы не будете делать мне никаких предложений? — спросила Ульяна.

Дмитрий завоевывал ее постепенно: шаг за шагом — медленно, но неуклонно. Осада крепости велась по всем правилам. Ульяна постепенно привыкла к нему, и через два месяца он переехал к ней со всеми своими нехитрыми пожитками. Дронов был из Рязани и снимал квартиру где-то в Гольянове, ездить на работу ему было страшно неудобно, а на жилье получше не хватало денег. Вопреки «распространяемому позитиву» платили в газете мало, считая, что хватит и этого. Но все это Ульяна узнала позже. Дмитрий сразу поразил ее своей прагматичностью. Он тушил свет и не давал зря жечь электроэнергию, воду в кране закручивал до упора, из продуктов никогда ничего не выбрасывал, потом собирал остатки еды, заливал их майонезом, и получался «дроновский салат», так он называл это «блюдо». Порвавшиеся носки не выбрасывал, а аккуратно штопал, одежду покупал практичную и неяркую. Машиной не обзавелся, потому что считал, что автомобили жрут слишком много бензина, а метро и другим общественным транспортом зачастую добираться удобнее. Ульяна зарабатывала больше Дмитрия, что было тяжелым ударом по его самолюбию. Он ворчал и говорил, что творческим людям всегда живется труднее, а сейчас рулят «эффективные манагеры». Время такое…

Ульяна чувствовала, что она незаметно превращается в тихую серую домохозяйку, которая на всем экономит и боится лишних трат. На Новый год все в Ульяниной конторе уехали отдыхать: кто в Альпы кататься на зимних лыжах, кто — в Турцию или Таиланд.

Дима же приехал в десять часов вечера после корпоративной вечеринки с елкой.

Ульяна подозревала, что елка была подобрана на елочном базаре или выброшена кем-то за ненадобностью. Один ее бок был ощипан, а макушка — срублена.

— Живое дерево, — топтался в коридоре Дмитрий. — И пахнет хвоей. Хвоя и мандарины — приметы Нового года. Кстати, я успел забежать в магазин и купить килограмм мандаринов.

— А шампанское?

— Уже не было. Купил красного вина. А чем это пахнет? — спросил он, поводя носом.

— Гусем с яблоками.

Ульяна вспомнила свой прошлый Новый год, который отмечала с девчонками. Они уехали в Суздаль, сняли там небольшой коттедж в лесу и оторвались на славу. Когда ударили куранты, они, не сговариваясь, выбежали на улицу и стали что-то кричать, хохотать, петь песни. Ульяна помнила, как Маринка выписывала немыслимые акробатические па вокруг елки, а потом упала в снег и расхохоталась:

— Ой, девчонки, как же здорово!

Их компания вскоре распалась. Маринка через месяц познакомилась с чехом, они поженились, и она уехала к нему в Прагу, а Татьяна ухаживала за парализованной капризной бабкой, и ей стало ни до чего.

Но, несмотря ни на что, Ульяна себе все-таки призналась, что привыкла к Дмитрию и, пожалуй, с ним все-таки лучше, чем одной. Хотя иногда она задумывалась, неужели ей суждено прожить с Дроновым всю жизнь? По ее мнению, они были слишком разными людьми...

* * *

В самолете Ульяне досталось место у иллюминатора, она смотрела, не отрываясь, на пенистые облака, проплывавшие мимо.

Она с трудом оторвалась от неба и открыла рекламный буклет. «Круизное судно «Астория» (Astoria) было построено на верфях Финкантьери в Сестре-Поненте (Генуя, Италия). Сразу после спуска на воду оно заняло 8-е место в десятке самых больших круизных судов в мире. Строительство лайнера обошлось заказчику в 450 миллионов евро.

После окончания строительства корабля в европейских СМИ о нем писали: *«Спущен на воду новый флагманский пассажирский лайнер итальянского туристического флота «Астория» — самый большой круизный корабль Европы. Водоизмещением 112 000 тонн, принимающий на борт 3780 человек, лайнер стал самым крупным пассажирским судном, когда-либо ходившим под итальянским флагом».*

Длина 12-палубной «Астории» составляет 290 метров, на судне имеется 1500 кают, 5 ресторанов, 13 баров, 4 бассейна. Свои услуги туристам предоставляют оздоровительный центр, концертные залы, магазины и парикмахерские. Команда лайнера и обслуживающий персонал составляет около 1020 человек.

Вас ждет незабываемое путешествие... Добро пожаловать на лайнер «Астория».

— Ну как? — спросил Дмитрий, отрываясь от своего ноутбука. — Впечатляет?

— Здорово!

— Я так и думал, что это нечто грандиозное, — пробормотал он, снова утыкаясь в какой-то журналистский материал.

Каюта была уютной и комфортабельной.

Они не стали распаковывать вещи, переоделись и вышли на палубу. Публика, как заметила Ульяна, была интернациональная. Англичане, французы, итальянцы. Также слышалась и русская речь.

Было тепло, но с моря дул легкий ветер, и она вернулась в каюту, чтобы взять теплый длинный шарф, в который можно было завернуться и согреться.

Когда она вышла на палубу, Дмитрий стоял, облокотившись о борт, и смотрел направо. Проследив за его взглядом, Ульяна заметила, что он смотрит на невысокого мужчину, который шествовал под руку с блондинкой, девушка чему-то смеялась, демонстрируя безупречные зубы, и прижималась к своему спутнику.

— Это твои знакомые? — спросила Ульяна, подходя ближе. Ей показалось, что Дмитрий смутился.

— Ты что? Я просто засмотрелся, пока ждал тебя, что-то ты долго ходила. Это, Уля, только начало нашей новой жизни. Скоро все изменится.

— Тебе поручили новую колонку?

— Вот что. — Дмитрий отстранился от нее и принял серьезный вид. — Мои дела — это журналистские секреты. И раньше времени обнародовать их не стоит. Сама понимаешь, конкуренты не дремлют. Я человек суеверный, поэтому заранее о своих новых планах говорить не хочу. Когда наступит время — все скажу. А пока извини — молчок.

Раньше вроде никакой секретности и конкурентности не было. Но может, и правда на горизонте ее бойфренда замаячило что-то денежное. Журналисты — народ, который зависит от многих факторов. От удачи, умения оказаться в нужное время в нужном месте, от расположения сильных мира сего, от быстроты реакции, важности темы... Отсюда и суеверие, чтобы не сглазили и не обошли.

«В конце концов, вывез же он меня в это замечательное путешествие. И на том спасибо». Ульяна поежилась и прижалась к Димке.

— Что-то холодновато.

— Ничего! Терпи, мне нужно сейчас один материал обработать. Ты подожди меня, погуляй пока одна по палубе. Я скоро.

Народу на палубе прибывало. То там, то здесь раздавался смех.

Ульяна облокотилась о перила и посмотрела на воду. А потом вверх. Красивый закат: яркие хвосты разметались по небу: золотистые, оранжевые, ярко-красные, бирюзовые. Эти всполохи отражались в море, и блестящие струйки вспенивали воду. Красота! Почему она раньше не ездила в круизы? И вообще почти никуда до встречи с Димкой не ездила, только один раз в Турцию, и все.

Ей надоело стоять на палубе, и она решила спуститься вниз, познакомиться с кораблем. В коридоре Ульяна наткнулась на человека, показавшегося ей знакомым. Тут она вспомнила, что это мужчина, на которого смотрел Дмитрий, когда она подошла к нему на палубе. Ничем не примечательное лицо, средних лет, сухощавый, на лице — загар.

Он шел от рубки капитана, дверь в которую была приоткрыта, у Ульяны возникло искушение заглянуть туда. Капитан представлялся ей человеком с окладистой седой бородой, как в фильме про «Титаник» — мужественный и подтянутый. Настоящий морской волк.

Ульяна снова поднялась наверх, погуляла по палубе, потом позвонила Дмитрию, он сказал, что скоро все закончит и присоединится к ней. Через пятнадцать минут Дима показался в ее поле зрения нахмуренный и чем-то озабоченный. По его словам, у него жутко разболелась голова, чувствует он себя неважно и поэтому быть галантным кавалером при всем желании не может, пусть Ульяна на него не сердится. Несмотря на ее попытки как-то расширить Димку, он по-прежнему оставался насупленным и на ее вопросы отделывался краткими междометиями.

Потом Димка внезапно сказал, что хочет пораньше лечь спать, так как он устал: день был суматошным — перелет, то, се... Ульяна может оставаться на палубе и гулять, сколько ей вздумается. Но оставаться одной в шумной веселой толпе Ульяне не хотелось, и она спустилась вместе со своим бойфрендом в каюту.

Раздевшись, она уснула, между тем как Дмитрий что-то строчил на компе, несмотря на то что десятью минутами раньше уверял ее в том, что буквально спит на ходу.

Они с Дмитрием позавтракали, кроме них за столиком сидели пожилая англичанка, которую звали Мэри, и мужчина, представившийся как Герберт. Хорошее знание английского позволяло Ульяне общаться со своими соседями. Выяснилось, что Мэри уже много раз плавала по Средиземному морю, а мужчина как-то неопределенно мотнул головой, и Ульяна решила к нему ни с какими вопросами не приставать. Может, у человека голова болит или он вообще немногословен.

Дмитрий же сидел и вертел головой в разные стороны.

Случайно перехватив его взгляд, Ульяна с удивлением обнаружила, что он пялится все на того же мужчину, что и в прошлый раз. Тот был не один, с той же молодой девушкой-блондинкой, она заразительно смеялась, а он накрыл своей рукой ее ладонь. «Поймала папика», — подумала Ульяна. Сейчас это в порядке вещей, молодые девушки ловят богачей и живут за их счет. Мужчина выглядел как человек с солидным достатком. Часы «Rolex Daytona» стоили немало. Ульяна это знала, совсем недавно ее компания участвовала в их рекламе. Так что подлинная стоимость «ходиков» ей известна.

Но что Димка в нем нашел? Может, и вправду он его знает? Он — журналист, у него куча знакомых, с которыми он мимолетно сталкивается, пересекается на разных фуршетах-банкетах, пресс-конференциях и съездах... Его синяя записная книжка вспухла от телефонов и адресов. Контакты и связи журналиста — его золотая жила, которую нужно неустанно разрабатывать, любил говаривать Дмитрий.

После завтрака Ульяна фланировала по палубе, вид на побережье был красоты сказочной: скалы, городки, прилепившиеся к ним, разноцветные домики...

Остановились они в городе Савона, откуда планировалась экскурсия в Геную.

Еще до поездки Ульяна обзавелась путеводителем, чтобы при удобном случае можно было заглянуть в него и почерпнуть информацию.

Оставаться в Савоне предполагалось пять часов, а потом снова в путь. Курс на Марсель! В программе значилось посещение замка Иф, куда Александр Дюма поместил своего знаменитого персонажа — графа

Монте-Кристо. Ульяна представляла, какие красочные она сделает фотки и как потом будут ахать-охать ее подружки.

Правда, Маринка сейчас в Чехии, а Татьяна ухаживает за парализованной бабкой, с грустью подумала Ульяна. Ну ничего, Маринке она пошлет снимки по электронной почте, а с Татьяной встретится в кафе, угостит ее кофе со сливками и пирожными. Надо же отвлечь подругу от мрачных мыслей.

Когда они сошли на берег, экскурсовод бойко провела их по основным достопримечательностям Генуи. Они осмотрели старинные дворцы и церкви — дворец Сан Джорджио на площади Карикаменто, дворец Мелограно на Пьяцца Кампетто, кафедральный собор Сан Лоренцо, Палаццо Дукале и церковь Джесус.

Генуя была городом света и тени, резкий переход от светлых, залитых солнцем площадей к темным улицам — узким, наполненным прохладным полумраком, поражал контрастом. Город карабкался на скалы, на улицу выходили лифты, которые поднимали людей вверх. Здесь царил дух древности, печали и покоя. Вечная соперница Венеции когда-то выиграла у нее пальму первенства, но теперь Генуя находилась вдали от основных туристических троп.

А потом у них появилось свободное время, и Ульяна потянула Дмитрия в сторону старого города, но он схватил ее за локоть и потащил за собой, ничего не объясняя.

— Куда мы?

— Все — потом. Не задавай лишних вопросов. Я тебя умоляю.

Они едва не бежали, впереди шла нестройная кучка туристов, среди них Ульяна, к своему удивлению, опять увидела того самого мужчину, за которым Дмитрий, казалось, наблюдал уже не в первый раз.

— Дим! — устало сказала она. — Ты не мог бы мне объяснить: почему...

— Быстрее! — подстегнул ее жених, и они рванули почти со спринтерской скоростью.

— Так мы ничего не увидим... — посетовала Ульяна. — Мне кажется, что старые города в таком темпе не осматривают, это напрасная трата времени.

От того, что она бежала, из нее в бодром темпе выдавливалось: «го-ро-да-не-ос-мат-ри-ва-ют».

Дмитрий вдруг неожиданно резко потянул ее за руку и втащил в какой-то магазин.

— Тише! — прошипел он.

Это был магазин сувениров, но, похоже, Дмитрия подарки не интересовали. Он подошел к витрине и уставился на улицу. Проследив за его взглядом, Ульяна увидела в магазине на противоположной стороне улицы все тех же мужчину с блондинкой. Они делали покупки.

— Дим... — начала Ульяна, но он сердито посмотрел на нее.

— Все — потом.

Когда мужчина со своей спутницей вышли на улицу, Дмитрий потянул ее за руку, и они снова понеслись галопом по генуэзским улицам.

На площади Дмитрий встал неподалеку от преследуемых и сделал вид, что его интересуют сувениры. Хлынувшие туристы на какое-то время закрыли мужчину с его спутницей. Когда же туристы рассосались, Дмитрий напрасно вертел головой: его «подопечные» исчезли.

Спустя десять минут они сидели в кафе и ели пиццу, и Дмитрий сердито объяснил Ульяне, что у него «редакционное задание». Мол, этот мужик связан с наркотрафиком, и его, как журналиста, попросили «попасти его». Задание секретное, и распространяться о нем он не имеет права.

Ульяна, уткнувшись в пиццу, делала вид, что поверила. Хотя ей казалось, что здесь что-то не так. Но по Димкиному виду она поняла, что к нему с расспросами лучше не подступать.

Вернувшись на лайнер, Ульяна почувствовала усталость и осталась в каюте.

Дмитрий какое-то время был с ней, но потом сказал, что хочет выйти и подышать свежим воздухом.

— Иди! — бросила она.

Оставшись одна, Ульяна подумала, что отдых, о котором она мечтала, превращается в нечто скучное и непонятное из-за странного поведения Дмитрия. «Не может он обойтись без своих «редакционных заданий», — злилась она, — ну и ехал бы один. При чем здесь я?»

Лежать в каюте ей надоело, и Ульяна решила найти Димку. На палубе его не оказалось, она спустилась вниз, дошла до конца коридора и повернула обратно. Дверь рубки капитана была приоткрыта, оттуда слышался женский голос. Говорили, кажется, на итальянском языке. Раздался игривый смешок. Наверное, какая-то не в меру ретивая пассажирка решила заглянуть к капитану и разговорилась с ним. Но это не ее, Ульяны, дело...

Она дошла до конца коридора и обернулась. К ее удивлению, из рубки капитана вышла та самая блондинка, спутница мужчины, за которым следил Дмитрий. Ульяна быстро отвернулась, чтобы блондинка не заметила, что она за ней наблюдает.

Ульяна поднялась на палубу, кругом царило непринужденное веселье, слышались громкие голоса.

Она спустилась в каюту, но долго там находиться не смогла и снова вышла на палубу.

На мостике стоял капитан, веселый, улыбающийся. Наверное, на него так благотворно подействовало общение с блондинкой, отметила Ульяна. Все-таки итальянец, темпераментный мужчина. «Мачо, — с иронией подумала она. — Но девица-то какова, крутит с двумя мужиками. Приехала с одним и не стесняется откровенно флиртовать с другим».

Тем временем капитан решил подойти ближе к берегу, чтобы поприветствовать своих друзей...

Он стоял, чуть расставив ноги, и самолично отдавал приказы рулевому, было видно, что он в хорошем настроении. Но тот выполнял приказы с замедленной реакцией, что бросалось в глаза.

Корабль шел прямым ходом к острову...

Справа и слева выросли небольшие рифы.

Нехорошее предчувствие кольнуло Ульяну. Она увидела верхушку скалы, выступающую перед кораблем, и в ту же минуту сильный удар сотряс лайнер. Над водой разнеслись аварийные сигналы. Корабль накренился, но спустя минуту выправился.

Ульяне показалось, что все выдохнули с облегчением, увидев, что опасность миновала. Корабль теперь держал курс в море. Неожиданно он стал крениться на другой борт, и судно понесло обратно к острову. Ульяна стояла, оцепенев, не в силах двигаться. Раздался толчок, она дернулась вперед и чуть не упала. «Астория» села на мель.

Кто-то рванул Ульяну за руку, и она очнулась. Толпа бежала в каюты.

Когда она очутилась в коридоре — погас свет, пришлось включить мобильный, люди вокруг чертыхались и ломились вперед.

Ульяна распахнула дверь каюты. Было темно, Дмитрий посветил мобильным ей в глаза, и она вскинула руку, заслоняясь от света.

— Что-то случилось? Я уже хотел бежать к тебе...

Она не успела ничего ответить, по громкой связи объявили:

«*Из-за отказа электрической системы свет временно отключен. Наши техники работают над устранением проблемы. Ситуация под контролем. Сохраняйте спокойствие. Не волнуйтесь и не паникуйте*».

— Похоже, это авария, — коротко бросила Ульяна, садясь рядом с Дмитрием. — Мы сели на мель.

— Повезло, — сказал Димка, захлопывая ноутбук. — Разрекламированное чудо техники, и на тебе. Прямо «Титаник-2».

— Не говори так, — передернула плечами Ульяна. Ей стало холодно, и она обхватила себя руками, пытаясь согреться. Вместо того чтобы утешать ее, Дмитрий нагоняет панику... — Интересно, скоро все закончится?

— Что именно? — осведомился Дмитрий. — Наше пребывание на корабле или что-то другое?

Ульяна пересела на свою койку. Глупая ситуация: сидеть в темноте и ждать непонятно чего. Как бы не случилось серьезной аварии — тогда вообще непонятно, что будет с ними со всеми...

Дмитрий нажимал на кнопки сотового, пытаясь установить с кем-то связь.

По рации раздался голос капитана: «*Корабль не затонет, я скину якорь, потребуется буксир. Дамы и госпо-*

да, у нас небольшие проблемы с генератором питания, оставайтесь на своих местах, все под контролем». Затем в динамиках раздался женский голос: «*Мы скоро починим электрогенератор. Все будет в порядке. Я прошу вас вернуться в свои каюты...*»

Ульяна перевела Дмитрию спич капитана.

— Мы и сидим в каютах, к чему нас призывают-то? Кстати, наверное, лучше выйти на палубу и посмотреть, в чем там дело. А то мы сидим здесь как кролики, — мрачно сказал ее жених.

Они замолчали, Димка то открывал ноутбук, то хватался за сотовый.

— Все работаешь? — пыталась подколоть его Ульяна.

Он бросил на нее раздраженный взгляд, и она опять замолкла. Сидеть в темноте было не очень-то уютно. Похоже, починка корабля затянулась... В голову лезли тревожные мысли. Почему-то в памяти возник любимый фильм «Титаник»... Но она сразу одернула себя: они, слава богу, не в ледяном Атлантическом океане, да и берег близко... А Димка мог бы найти какие-нибудь слова утешения. А то сидит, уткнувшись в свои гаджеты с мрачным видом, и на нее не обращает никакого внимания. Нет, все-таки они очень разные люди.

— Ты спишь? — не поднимая головы, спросил он.

— С открытыми глазами.

— Я бы на твоем месте попробовал соснуть. А то обстановка нервирует. Глядишь, пока дрыхнешь, все отремонтируют. Проснешься, а мы плывем...

Снаружи раздались крики, и Дмитрий выдохнул:

— Кажется, все намного серьезней, чем нас пытается уверить капитан-кретин.

— Дим! Давай выйдем на палубу, — предложила Ульяна.

— Ладно, пошли, — буркнул он, захватив с собой комп. Ульяна кинула свои вещи в большую сумку.

Дальнейшее напоминало сон... Некоторые пассажиры надели спасательные жилеты и стояли на сборных пунктах. Ульяна и Дмитрий искали взглядом капитана, но его не было. Краем сознания Ульяна отметила, что нигде не видно и мужчины, за которым следил Дмитрий, нет и его спутницы-блондинки. Интересно, куда они подевались, задавала себе вопрос Ульяна. Сидят в каюте? Ждут, что ситуация разрешится сама собой? Или они решили вообще не обращать внимания на аварию? Она для них вроде мелкой поломки автомобиля, которую непременно отремонтируют спешно вызванные механики?

— Может быть, нам тоже надеть спасательные жилеты? — предложила Ульяна.

Но Димка ничего не ответил.

— Ты хорошо плаваешь?

— Не-пло-хо, — отчеканила Ульяна.

Паника усиливалась. Стюарды-азиаты, одетые в жилеты, пробежали мимо них и спешно, отпихнув женщин и детей, плюхнулись в спасательные шлюпки. Ульяна истерично рассмеялась.

Корабль накренило в другую сторону, и она уцепилась за рукав Дмитрия...

Содержание

Часть седьмая
ПЛЕН ПРОЗЕРПИНЫ

Часть восьмая
НЕСЛУЧАЙНЫЕ ЛЮДИ

Часть девятая
ИЩИ КРОВЬ, ГДЕ ЛЮБОВЬ

Литературно-художественное издание

ДЕТЕКТИВ-СОБЫТИЕ

Евгения Михайлова

РОЛЬ ЛЮБИМОЙ ЖЕНЩИНЫ

Ответственный редактор *А. Антонова*
Редактор *И. Першина*
Младший редактор *П. Рукавишникова*
Художественный редактор *С. Груздев*
Технический редактор *Г. Романова*
Компьютерная верстка *Д. Фирстов*
Корректор *Т. Бородоченкова*

ООО «Издательство «Э»
123308, Москва, ул. Зорге, д. 1. Тел. 8 (495) 411-68-86.

Өндіруші: «Э» АҚБ Баспасы, 123308, Мәскеу, Ресей, Зорге көшесі, 1 үй.
Тел. 8 (495) 411-68-86.
Тауар белгісі: «Э»
Қазақстан Республикасында дистрибьютор және өнім бойынша арыз-талаптарды қабылдаушының өкілі «РДЦ-Алматы» ЖШС, Алматы қ., Домбровский көш., 3«а», литер Б, офис 1.
Тел.: 8 (727) 251-59-89/90/91/92, факс: 8 (727) 251 58 12 вн. 107.
Өнімнің жарамдылық мерзімі шектелмеген.
Сертификация туралы ақпарат сайтта Өндіруші «Э»

Сведения о подтверждении соответствия издания согласно законодательству РФ о техническом регулировании можно получить на сайте Издательства «Э»

Өндірген мемлекет: Ресей
Сертификация қарастырылмаған

Подписано в печать 06.06.2017. Формат 84x108 1/32.
Гарнитура «HeliosC». Печать офсетная. Усл. печ. л. 16,8.
Тираж 8000 экз. Заказ 1750/17.

Отпечатано в соответствии с предоставленными материалами в ООО "ИПК Парето-Принт", 170546, Тверская область
Промышленная зона Боровлево-1, комплекс №3А
www.pareto-print.ru

Оптовая торговля книгами Издательства «Э»:
142700, Московская обл., Ленинский р-н, г. Видное,
Белокаменное ш., д. 1, многоканальный тел.: 411-50-74.

По вопросам приобретения книг Издательства «Э» зарубежными оптовыми покупателями обращаться в отдел зарубежных продаж
International Sales: International wholesale customers should contact Foreign Sales Department for their orders.

По вопросам заказа книг корпоративным клиентам, в том числе в специальном оформлении, *обращаться по тел.: +7 (495) 411-68-59, доб. 2261.*

Оптовая торговля бумажно-беловыми и канцелярскими товарами для школы и офиса:
142702, Московская обл., Ленинский р-н, г. Видное-2,
Белокаменное ш., д. 1, а/я 5. Тел./факс: +7 (495) 745-28-87 (многоканальный).

Полный ассортимент книг издательства для оптовых покупателей:
Москва. Адрес: 142701, Московская область, Ленинский р-н,
г. Видное, Белокаменное шоссе, д. 1. Телефон: +7 (495) 411-50-74.
Нижний Новгород. Филиал в Нижнем Новгороде. Адрес: 603094,
г. Нижний Новгород, улица Карпинского, дом 29, бизнес-парк «Грин Плаза».
Телефон: +7 (831) 216-15-91 (92, 93, 94).
Санкт-Петербург. ООО «СЗКО». Адрес: 192029, г. Санкт-Петербург, пр. Обуховской Обороны,
д. 84, лит. «Е». Телефон: +7 (812) 365-46-03 / 04. **E-mail:** server@szko.ru
Екатеринбург. Филиал в г. Екатеринбурге. Адрес: 620024,
г. Екатеринбург, ул. Новинская, д. 2щ. Телефон: +7 (343) 272-72-01 (02/03/04/05/06/08).
Самара. Филиал в г. Самаре. Адрес: 443052, г. Самара, пр-т Кирова, д. 75/1, лит. «Е».
Телефон: +7 (846) 269-66-70 (71...73). **E-mail:** RDC-samara@mail.ru
Ростов-на-Дону. Филиал в г. Ростове-на-Дону. Адрес: 344023,
г. Ростов-на-Дону, ул. Страны Советов, 44 А. Телефон: +7(863) 303-62-10.
Центр оптово-розничных продаж Cash&Carry в г. Ростове-на-Дону. Адрес: 344023,
г. Ростов-на-Дону, ул. Страны Советов, д.44 В. Телефон: (863) 303-62-10. Режим работы: с 9-00 до 19-00.
Новосибирск. Филиал в г. Новосибирске. Адрес: 630015,
г. Новосибирск, Комбинатский пер., д. 3. Телефон: +7(383) 289-91-42.
Хабаровск. Филиал РДЦ Новосибирск в Хабаровске. Адрес: 680000, г. Хабаровск,
пер.Дзержинского, д.24, литера Б, офис 1. Телефон: +7(4212) 910-120.
Тюмень. Филиал в г. Тюмени. Центр оптово-розничных продаж Cash&Carry в г. Тюмени.
Адрес: 625022, г. Тюмень, ул. Алебашевская, 9А (ТЦ Перестройка+).
Телефон: +7 (3452) 21-53-96/ 97/ 98.
Краснодар. Обособленное подразделение в г. Краснодаре
Центр оптово-розничных продаж Cash&Carry в г. Краснодаре
Адрес: 350018, г. Краснодар, ул. Сормовская, д. 7, лит. «Г». Телефон: (861) 234-43-01(02).
Республика Беларусь. Центр оптово-розничных продаж Cash&Carry в г.Минске. Адрес: 220014,
Республика Беларусь, г. Минск, проспект Жукова, 44, пом. 1-17, ТЦ «Outleto».
Телефон: +375 17 251-40-23; +375 44 581-81-92. Режим работы: с 10-00 до 22-00.
Казахстан. РДЦ Алматы. Адрес: 050039, г. Алматы, ул.Домбровского, 3 «А».
Телефон: +7 (727) 251-58-12, 251-59-90 (91,92,99).
Украина. ООО «Форс Украина». Адрес: 04073, г.Киев, Московский пр-т, д.9.
Телефон: +38 (044) 290-99-44. **E-mail:** sales@forsukraine.com

Полный ассортимент продукции Издательства «Э» можно приобрести в магазинах «Новый книжный» и «Читай-город».
Телефон единой справочной: 8 (800) 444-8-444. Звонок по России бесплатный.

В Санкт-Петербурге: в магазине «Парк Культуры и Чтения БУКВОЕД», Невский пр-т, д.46.
Тел.: +7(812)601-0-601, www.bookvoed.ru

Розничная продажа книг с доставкой по всему миру. Тел.: +7 (495) 745-89-14.

ISBN 978-5-699-98857-0